C.E. LAWRENCE

LE CRI DE L'ANGE

Copyright © 2012 MA Éditions

Première édition française Août 2012

Auteur : C.E. Lawrence
Traductrice : Véronique Gourdon

Titre original : *Silent Screams* copyright 2009 © C.E. Lawrence.

ISBN : 978-2-822-401753

Chapitre 1

Lee Campbell resta immobile, les yeux rivés sur le corps nu étalé en travers de l'autel de l'église. La délicate peau blanche de la jeune fille était aussi froide que le marbre qu'il sentait sous ses pieds, et contrastait de façon saisissante avec les blessures rouge vif qui zébraient sa poitrine, et les marques de contusion violettes autour de son cou.

— Allez, Marie, parle-moi, souffla-t-il, avant de se pencher au-dessus d'elle, à la recherche d'hémorragies pétéchiales – en vain. Il s'est donc servi de ses mains, murmura-t-il.

Certaines victimes de strangulation ne présentaient absolument aucun signe de blessure, il pouvait donc s'estimer chanceux que les marques de contusion autour du cou soient visibles – assez prononcées pour indiquer qu'elles étaient la cause de la mort. Il imagina ce à quoi avaient sans doute ressemblé ses dernières minutes. Il savait qu'une pression de cinq kilos pendant dix secondes pouvait causer une perte de conscience, et qu'une pression de treize kilos pendant quatre ou cinq minutes entraînait la mort.

Il observa le bleu insidieux de ses lèvres, la douceur de porcelaine de ses joues mortes. *Au moins, il ne s'en est pas pris à son visage.* Il avait toujours trouvé étrange que les victimes de strangulation semblent parfois paisibles, comme si tout était désormais derrière elles – toutes les peines de la vie, la souffrance et l'incertitude. Lee ressentit une pointe d'envie, comme un coup de poing au creux de l'estomac, et un signal d'alarme résonna dans son esprit. Il ne pouvait se permettre de s'attarder sur de telles pensées. Il referma la porte de son esprit qui s'ouvrait sur le désir d'être là où se trouvait désormais la fille morte, cette envie d'en finir avec la danse de la vie et ses continuelles épreuves.

Mais, bien sûr, sa mort n'avait rien eu de paisible. Le regard de Lee s'arrêta sur les lettres irrégulières gravées sur son buste nu : *Notre Père qui êtes aux cieux*. Le « o » encerclait son sein gauche comme un halo rouge aux gouttes de sang symétriques sur sa chair pâle. Sans savoir pourquoi, cela lui rappela un hula-hoop rouge et blanc avec lequel jouait sa sœur lorsqu'elle était enfant. L'écriture était saccadée et penchait vers le bas – un boulot fait à la hâte, conclut-il, par un tueur qui ne maîtrisait pas encore très bien cet aspect de sa tâche.

Le sang avait séché et coagulé, formant de petites croûtes cramoisies sur la pâleur de sa peau. Le mot « cieux » était gravé au couteau sur son abdomen, juste au-dessus de la fine couche de poils pubiens. Il y avait peu de sang autour de l'autel, et aucun signe de lutte, ce qui semblait indiquer qu'elle avait été tuée ailleurs.

— Que t'est-il arrivé ? murmura Lee. Qui t'a fait ça ?

Même à l'état de murmure, sa voix résonna, flottant tel un fantôme au milieu des grandes colonnes de pierre de la chapelle. Lee n'était jamais venu sur le campus de l'université de Fordham, dans le Bronx, et il était surpris par la taille de sa chapelle. Néanmoins, Fordham était une école catholique, et le séminaire de la faculté se trouvait juste de l'autre côté de la cour.

Lee étudia le visage de la jeune morte, s'attendant à voir ses yeux s'ouvrir d'un battement de cils, et prit conscience qu'elle ressemblait à sa sœur – les cheveux bruns bouclés, la peau blanche. Il avait souvent imaginé voir Laura ainsi, se demandant ce qu'il ferait ou dirait, mais son corps n'avait jamais été retrouvé. Cette rencontre était donc suspendue dans le temps, l'attendant dans un avenir plus ou moins proche. Il baissa les yeux sur Marie, froide et immobile sur l'autel, aucune ride ne venant froisser la douceur de ses joues. Sa jeunesse s'affichait comme un reproche envers celui qui lui avait ôté la vie. Une telle intimité avec la mort était une chose relativement nouvelle pour Lee, et elle comportait une fascination qu'il savait ne pas être très saine.

Mais Leonard Butts, l'inspecteur du Bronx chargé de cette affaire, n'avait pas la même fascination, ni l'esprit enclin au sentimentalisme.

— OK, Doc, dit-il en approchant de Lee. Vous avez bientôt fini ? Le légiste est là, et on aimerait emmener la victime dès que possible.

Butts désigna plusieurs hommes qui déchargeaient une civière d'une camionnette garée devant la chapelle. Lee vit les mots « Médecin Légiste » inscrits en grandes lettres jaunes au dos de leur veste bleue lorsqu'ils arrivèrent avec la civière, dont les roulettes claquaient sur le sol de pierre. Deux membres de l'équipe de la police scientifique levèrent brièvement les yeux, puis continuèrent leur travail, passant leur pinceau ici ou là, prenant des photos et inspectant le moindre recoin. Ils travaillaient avec des gestes rapides et expérimentés, évoluant à un rythme régulier sur la scène de crime pour recueillir les preuves. Une jeune femme asiatique à la silhouette longiligne photographia Marie sous tous les angles, le visage figé dans une expression stoïque et professionnelle.

En regardant autour de lui, Lee eut la sensation de ne pas être à sa place – à lui seul, il n'avait rien à apporter, rien à offrir pour résoudre ce terrible crime, cette offense faite à la société et à la décence. Il se demanda si son ami Chuck Morton, le commissaire divisionnaire de l'Unité des enquêtes prioritaires, n'avait pas commis une erreur en le faisant venir sur la scène de crime avant l'aube. Après avoir passé deux ans en tant que seul profiler à plein temps de la police de New York, Lee avait encore des doutes sur ses capacités à se montrer à la hauteur de sa fonction.

— Alors Doc, qu'est-ce qu'vous en dites ?

L'accent du Bronx de l'inspecteur Butts brisa l'atmosphère solennelle de la chapelle.

Lee leva les yeux vers l'inspecteur, qui avait un cigare non allumé au coin des lèvres. Il lui avait déjà dit deux fois qu'il avait un doctorat en psychologie et qu'il n'était pas médecin, mais Butts s'entêtait à l'appeler Doc. Avec sa barbe de plusieurs jours et ses cheveux ébouriffés, l'inspecteur ressemblait au genre de types qu'on voit rôder chez les bookmakers. On ne pouvait pas lui en vouloir pour le début de barbe, après tout, il était six heures du matin, et il sentait que son propre menton commençait à piquer. Mais il soupçonna que même après s'être rasé et fait couper les cheveux, Butts aurait toujours l'air d'un type peu recommandable.

Au lieu des beaux traits du flic irlandais stéréotypé, l'inspecteur avait un visage franchement irrégulier – les joues flasques, une lèvre inférieure proéminente, de petits yeux et un teint qui ressemblait à une route gravillonnée mal entretenue. Il n'y avait aucune différence d'épaisseur perceptible entre le haut de son crâne et la base de son cou ; son cou formait une ligne continue jusqu'au haut de sa tête, sa peau brune parcheminée se transformant en cheveux gris coupés ras. Cela rappela à Lee les mesas qu'il avait vues en Arizona. Il ressemblait à Elmer Fudd en imperméable. Lee pensa aussi que le cigare éteint était un peu exagéré, comme s'il essayait délibérément de ressembler à un personnage de bande dessinée.

— Qu'est-ce qu'vous en dites ? répéta-t-il. C'est l'petit ami qui a fait le coup ?

— Non, répondit Lee. Je ne pense pas.

— La strangulation, c'est typique des affaires de violence familiale, v'savez, dit Butts en plissant davantage encore les yeux dans la pénombre de la chapelle.

Comme Lee ne répondait pas, il ajouta :

— Vous connaissez le pourcentage de victimes de meurtre qui connaissaient leur tueur ?

— Quatre-vingts pour cent, répondit Lee, se penchant à nouveau sur Marie.

— Ouais, dit Butts, semblant surpris qu'il connaisse la réponse.

Lee se redressa et étira ses muscles endoloris. Du haut de ses un mètre quatre-vingt-sept, il faisait quinze centimètres de plus que l'inspecteur. Il passa la main dans ses cheveux noirs bouclés, de plus en plus ébouriffés.

Butts fronça les sourcils et mordit son cigare avec une vigueur accrue.

— Alors, qui est-ce qui l'a tuée, d'après vous ?

Lee s'écarta lorsque les hommes du bureau du légiste portèrent le corps sur la civière. Partout autour de lui, les membres de la police scientifique continuaient de travailler – silencieux et efficaces, ils étaient l'exact opposé de l'inspecteur trapu au cigare fatigué et à la vilaine peau.

Lee se sentit inutile.

— Je ne sais pas, répondit-il.

Butts proféra un son à mi-chemin entre le grommellement et le soupir.

— Hum… OK, Doc – bon, quand vous aurez des idées, faites-moi signe.

— Oh, j'ai des idées, répondit Lee. Mais je ne sais pas encore trop où elles mènent.

Butts fit passer le cigare de l'autre côté de sa bouche.

— Ah ouais ? Eh bien, allez-y.

— Il est trop tôt pour tirer un grand nombre de conclusions, mais je ne pense pas que l'agresseur connaissait sa victime.

— Vraiment ? demanda Butts d'une voix qui indiquait sa désapprobation et son dédain.

— Ce n'est pas un crime personnel – c'est un meurtre rituel.

Butts pencha la tête, laissant le cigare pendre au bout des lèvres.

— Qu'est-ce qui vous fait dire ça ?

— Regardez la position du corps – tout est mis en scène. Il veut nous choquer. Et puis, il y a les entailles au couteau.

— Ouais, ça je l'ai vu, dit l'inspecteur d'une voix irritée. J'dis pas que le meurtrier n'est pas un sale type. Si vous voyiez ce que j'ai vu ces mecs faire à leur petite amie…

— Avant de la laisser dans une église ?

Butts renifla le corps comme un chien de chasse.

— Elle n'a pas été tuée ici – elle a été transportée après.

— C'est exactement là où je voulais en venir.

— De nos jours, y'a pas mal de cinglés. On sait jamais de quoi ils sont capables.

— Qui a identifié le corps ?

— Le prêtre de la chapelle. C'est lui qui l'a découverte. Il a dit qu'il est venu pour les prières du matin et qu'il l'a trouvée là, dit l'inspecteur en baissant la voix, comme s'il avait peur qu'on l'entende. Vous savez, une fois j'suis tombé sur un type qui a tué sa mère, et qui l'a ensuite habillée pour aller à la messe.

— Quelqu'un qui tue de cette manière déplace sa rage sur un inconnu. Le corps est exposé de façon rituelle – c'est impersonnel.

Butts ôta le cigare de sa bouche et le fourra dans la poche de sa chemise.

— OK, Doc, c'est vous qui avez le diplôme, dit-il, jetant un coup d'œil en direction de l'équipe de la police scientifique. Vous avez bientôt fini ? J'commence à avoir les crocs, ajouta-t-il avant de se tourner vers Lee. Vous voulez venir manger des œufs ? J'connais un chouette endroit dans Arthur Avenue.

Lee prit sur lui pour ne pas être agacé par ce petit inspecteur dépourvu de charme qui avait une attitude si détachée vis-à-vis de la mort.

— Merci, peut-être une autre fois.

L'inspecteur ne parut pas prendre son refus de façon personnelle. Il se dirigea vers la sortie d'un pas traînant en se grattant le menton.

— OK, Doc, à plus tard.

— Je sors dans une minute, attendez-moi, lui cria Lee.

Ce fut à cet instant seulement qu'il remarqua le jeune prêtre tapi dans un coin, les bras croisés, le visage mélancolique.

Il avança vers l'homme, qui semblait encore plus jeune de près. Il avait la peau glabre et des cheveux noirs lisses et brillants. Il paraissait presque trop jeune pour être en âge de se raser.

— Vous connaissiez la victime, Père... ? demanda Lee.

Les yeux du prêtre étaient sombres et suppliants, comme ceux d'un chiot.

— Michael. Père Michael Flaherty.

— Avez-vous pu identifier le corps ?

— Comme je l'ai dit à votre collègue, je la connaissais parce qu'elle était une de mes...

— Ouailles ?

— Une de mes étudiantes en religion comparée, dit-il d'une voix grêle et inégale, avant de détourner les yeux, peut-être pour ravaler ses larmes.

— Je vois.

— Comme je l'ai dit à l'inspecteur, elle ne faisait pas partie des fidèles de l'église. Elle se rendait dans une autre église, je crois, dit-il avant de pousser un soupir, et de se frotter les yeux. Ralph va être dévasté quand il apprendra la nouvelle.

— Ralph ?

— Son petit ami. Un gentil garçon, un étudiant en sciences. (Le père Flaherty laissa retomber ses mains le long de son corps, en signe d'impuissance.) Je... J'étais juste venu prier et ranger l'autel, dit-il en jetant un coup d'œil aux vases de lys fanés situés d'un côté de l'autel, sur lesquels un agent du CSI[1] cherchait des empreintes. Et... ajouta-t-il avec difficulté, elle était là.

Il posa sur Lee un regard pénétrant. Il était évident qu'il l'observait pour voir comment son explication était perçue. Le prêtre était manifestement soucieux de faire établir sa propre innocence, mais cela ne voulait pas nécessairement dire qu'il avait quoi que ce soit à cacher. Lee savait que les gens innocents étaient souvent nerveux en présence de la police.

---

1 CSI, *Crime Scene Investigation.* (NdT)

— OK, merci, père Michael, dit-il en lui tendant sa carte de visite. Voici ma carte, au cas où autre chose vous reviendrait en mémoire.

Le prêtre regarda la carte.

— L'inspecteur m'a déjà donné la sienne. Vous ne travaillez pas ensemble ?

— Si, sauf que… il nous arrive parfois de travailler sur une affaire… en l'abordant sous un angle différent.

Il espéra que cette explication satisferait le prêtre. Il n'avait aucune envie de s'étendre sur les tensions existant entre les profilers et les représentants de la loi.

Le prêtre sortit un mouchoir de sa poche et s'essuya le nez.

— Très bien. Il m'a déjà posé les questions habituelles – si je connaissais quelqu'un qui pouvait lui vouloir du mal, et ce genre de choses. Et je ne vois vraiment pas.

Lee n'était pas surpris. Il commençait à penser que personne ne verrait qui pouvait vouloir du mal à cette fille malchanceuse – sauf, bien sûr, le tueur. Il frémit lorsque l'équipe du bureau du légiste glissa la pauvre Marie dans une housse mortuaire noire et brillante. *Marie*. Il se força à répéter son nom, pour penser à elle en tant que personne, et non seulement comme « la victime », ainsi que l'appelaient le plus souvent les inspecteurs. Il était plus douloureux de penser à elle en tant que personne, mais cela l'aidait à se motiver. Lee retint son souffle quand ils refermèrent le zip de la housse mortuaire. Il détestait le bruit des dents de métal qui s'imbriquaient les unes dans les autres, c'était si froid, si définitif – une jeune vie réduite à ce bruit terrible et triste, métal contre métal.

Il s'approcha d'un des techniciens du bureau du légiste, la jeune femme asiatique qui prenait des photos un peu plus tôt. Sa peau était aussi lisse et parfaite que celle de Marie – il pensa qu'elle était peut-être Coréenne, ou Chinoise. Ses cheveux noirs brillants étaient attachés en une queue de cheval, et sa combinaison semblait deux tailles trop grande pour son corps filiforme.

LE CRI DE L'ANGE

— Pouvez-vous me dire si les blessures ont été faites post-mortem ou…, commença Lee.

Elle répondit rapidement, comme si elle voulait en finir avec tout cela aussi vite que possible.

— Très probablement post-mortem. Il n'y avait pas de saignement important.

— Très probablement ? Y a-t-il une chance… ?

Elle secoua la tête, sa queue de cheval fendant l'air.

— Cela peut être difficile à dire, mais ici, on voit où le filet de sang s'arrête. Je ne peux pas l'affirmer, mais mon sentiment est que les blessures ont eu lieu post-mortem… Je l'espère en tout cas, ajouta-t-elle à voix basse.

Lee eut l'impression de la voir frémir dans sa combinaison trop grande pour elle.

— Et l'arme ?

Elle fronça les sourcils.

— C'est difficile à dire de façon certaine, mais rien de sophistiqué – peut-être un couteau ordinaire, le genre qu'on peut se procurer n'importe où.

— Merci, dit-il, avant de s'éloigner.

Entendant des pas, il se retourna et vit un homme au fond de l'église. Il portait un bleu de travail et tenait une caisse à outils à la main.

— Qui est-ce ? demanda-t-il à Butts qui s'était arrêté près de la sortie située sur le côté de la chapelle pour parler à un des techniciens de la scène de crime.

— Sais pas, répondit l'inspecteur, avant de se diriger au fond du bâtiment.

Il conversa avec l'homme, puis rejoignit Lee.

— Un serrurier, dit-il. Il a reçu un appel de l'université lui indiquant qu'un verrou du bâtiment avait besoin d'être remplacé. Je lui ai dit de revenir demain.

Lee se tourna vers le père Michael, qui s'était approché d'eux.

Le prêtre semblait perdu, et avait les yeux hagards d'une personne en état de choc.

— Saviez-vous qu'un des verrous du bâtiment était cassé ?

Le père Michael secoua la tête.

— Non. Mais l'équipe d'entretien a peut-être passé un coup de fil pour le prévenir. Il faudrait que vous leur demandiez.

— OK, dit Butts en prenant des notes sur son calepin. Pensez-vous qu'il y ait un lien ? demanda-t-il à Lee.

— Je n'en vois aucun, franchement. Je veux dire, le tueur est entré par la porte située sur un des côtés du bâtiment qui n'était pas fermée à clé, et il est sans doute reparti par le même chemin.

— Je vérifierai quand même, dit Butts.

— Bien sûr – bonne idée. On ne sait jamais.

Lorsqu'ils quittèrent la chapelle, un coup de vent vint frapper les chevilles de Lee, faisant voler les pans de son manteau et tourbillonner quelques feuilles mortes, comme une mini-tornade. La rafale cinglante lui coupa le souffle. Il frissonna et mit les mains dans les poches de son pardessus en tweed vert. Le jour se levait à peine dans le ciel lorsqu'il baissa les yeux vers le sud de Manhattan, là où il ne restait plus que des ruines, à l'endroit où autrefois s'élevaient des tours majestueuses. Cela faisait à peine cinq mois que les avions étaient tombés du ciel, comme des animaux mystiques crachant le feu et la destruction… ainsi que le désespoir…

Il fit un effort pour ramener son esprit dans le présent.

— Il a pris quelque chose, murmura-t-il pour lui-même, mais quoi ?

L'inspecteur Butts arriva derrière lui.

— Qu'est-ce qu'vous voulez dire par « il a pris quelque chose » ?

Lee promena son regard sur le paysage blessé de la ville, s'imprégnant de sa beauté désolée et terrible.

— Un souvenir.

— Bon Dieu, pour quoi faire ?

Lee se retourna pour lui faire face.

— Quel est le dernier voyage que vous ayez fait ?

Butts tira son chapeau usé en arrière et se gratta la tête. Il fit penser à Lee à un personnage des comédies des années 1940.

— J'sais pas… C'était dans les Adirondacks, je crois.

— Et avez-vous acheté quelque chose sur place ?

— Heu… Ma femme a acheté des torchons.

— Avait-elle besoin de torchons ?

— Qu'est-ce que j'en sais ? lança Butts, avant de plisser le front. En fait, maintenant que j'y pense, elle en a des dizaines. Elle en achète à chaque fois qu'on va quelque part.

— Très bien. Alors, pourquoi acheter quelque chose dont on n'a pas besoin ?

Butts haussa les épaules.

— Écoutez, Doc, j'ai appris y'a un bon bout de temps qu'en ce qui concerne les femmes, il vaut mieux ne pas poser certaines questions, vous voyez c'que je veux dire ?

— Mais il y a une réponse à cette question.

— J'en sais rien. Elle dit que ça lui rappelle le voyage.

— Exactement. C'est pour cela que les criminels sexuels prennent souvent quelque chose à leur victime – en souvenir. Ce sont comme des trophées de chasse – ils n'ont aucun autre but que de leur rappeler le crime. Les souvenirs les aident à se rappeler l'événement, encore et encore.

Butts se rongea un ongle et le recracha.

— Merde, c'est plutôt tordu. La plupart du temps, je ne m'occupe que d'homicides, vous savez. Des deals de drogue qui ont mal tourné, des petits amis violents, des disputes familiales qui dégénèrent – les trucs ordinaires. Là, c'est carrément plus bizarre.

— Oui.

Butts regarda Lee d'un air méfiant.

— Tous ces trucs ne vous empêchent pas de dormir ?

— Parfois. Mais le fait de savoir que ces gens sont toujours en liberté m'empêche encore plus de dormir.

— Ne le prenez pas mal, Doc, mais vous n'avez pas l'air d'être le genre… Je veux dire, comment vous êtes-vous lancé là-dedans ?

— C'est assez personnel.

— Oui, bien sûr, répondit l'inspecteur, dont le visage sans attrait se figea un peu, par égard pour lui. Aucun problème, je comprends. Je ne voulais pas être indiscret.

Lee détourna les yeux – il n'avait pas confiance en ses propres réactions lorsqu'il était entouré de gens. Il ne maîtrisait pas encore très bien ses propres émotions, ne s'étant pas encore complètement remis de sa dépression.

Les deux hommes se tenaient côte à côte, regardant vers le sud la mince fumée grise qui montait en ondulant de la terre en ruines.

Butts se dandina d'un pied sur l'autre.

— Bon, ben je vais y aller. Heu…, à plus tard. Je vous appellerai quand on aura retrouvé le petit ami.

— Entendu, à plus tard.

Il regarda l'inspecteur s'éloigner bruyamment en direction de l'équipe de la police scientifique, son imperméable gris agité par le vent.

Lee ferma les yeux et laissa sa tête partir en arrière. Il entendait des cornemuses au loin – leur ton plaintif résonnait depuis l'autre côté de l'East River. Il imaginait souvent entendre des cornemuses pendant les périodes de stress et de tristesse, et il avait fini par se réjouir de les entendre, au lieu d'y voir le signe d'une maladie mentale qui s'aggravait peu à peu. Cela le réconfortait, le ramenant aux collines de ses ancêtres celtes, là où les montagnes se dressaient, depuis le lit du fleuve qui jaillissait en contrebas – un paysage âpre et mystérieux qui coulait dans ses veines aussi sûrement que son propre sang.

Il leva les yeux vers le ciel, où un corbeau volait péniblement vers le nord, noir et solitaire dans l'aube naissante.

Chapitre 2

Le petit ami ne fut pas difficile à localiser. Moins d'une heure plus tard, Lee se trouvait à l'extérieur de la salle d'interrogatoire crasseuse d'un commissariat du quartier du Bronx, regardant à travers le miroir sans tain en attendant que Butts interroge le jeune homme. La salle d'interrogatoire était petite et mal aérée, et ses murs vert pâle étaient couverts de taches et d'éraflures. Lee imagina les scènes qui avaient eu lieu dans cette pièce – les accès de rage, les coups de poing, de botte, ou les deux. Certaines des traînées noires sur les murs semblaient provenir de coups de pied – elles étaient à la bonne hauteur et de taille adéquate – tandis que d'autres étaient plus mystérieuses. On discernait des éclaboussures de café, quelques filets d'encre, et même quelques taches rouges inquiétantes, qui avaient pris une couleur rouille en séchant.

Le jeune homme présent dans la pièce était assis calmement, les mains serrées sur les genoux. Il était mince, avec des épaules étroites – un garçon qui passait inaperçu dans une foule. Lee fit l'inventaire de ses traits réguliers mais quelconques – des cheveux bruns, une bouche fine et sensible, des yeux bruns et tristes. Sous la lumière des néons, son visage avait une pâleur grise maladive et les cernes sous ses yeux étaient prononcés. Il paraissait jeune – encore plus que la pauvre Marie – et très, très effrayé. Mais pas de façon coupable, pensa Lee, il avait juste peur. Il était prêt à parier qu'il n'avait jamais vu l'intérieur d'un commissariat avant, en tout cas sans doute jamais en tant que suspect.

Du plus loin qu'il se souvenait, Lee avait la capacité peu

commune de lire à travers les gens comme dans un livre ouvert. Il avait d'abord pensé que tout le monde en était capable, mais ce n'est qu'après sa formation en psychologie qu'il avait compris à quel point ce don était rare. Il avait étudié les divers aspects du comportement humain dans des manuels expliquant des choses qu'il avait toujours sues d'instinct. Il voyait ce qu'il se passait dans la tête des gens – il perçait leur âme à jour, en quelque sorte.

À présent, regardant le jeune homme apeuré assis devant lui, Lee était à peu près certain qu'il n'était pas coupable du meurtre de sa petite amie.

L'inspecteur Butts entra dans la pièce avec deux gobelets de café. Il en fit glisser un vers le garçon, de l'autre côté de la table en formica usagée.

— J'ai pensé que vous aviez peut-être envie d'un café vous aussi, dit-il en s'asseyant face à lui. J'espère que vous aimez le café.

— Merci, répondit le garçon d'une petite voix, sans toutefois y toucher.

Butts ôta le couvercle en plastique de son gobelet d'un geste expérimenté et commença à boire de façon bruyante.

— Ça va mieux, dit-il, s'adossant à sa chaise, semblant s'amuser de la situation. Je déteste commencer la journée sans café, ajouta-t-il.

Le jeune homme dévisagea Butts, le visage encore paralysé par la peur. Il rappela à Lee un renard acculé qu'il avait vu un jour – l'animal avait la même expression de méfiance et de panique. Cet entretien allait être une perte de temps – il savait que Butts voulait faire l'intéressant, cherchant à l'impressionner avec ses talents en matière d'interrogatoire. *D'abord le baratiner, devenir son ami, puis resserrer l'étau autour de lui avant de lui asséner le coup de grâce.* Cette technique semblait si évidente que Lee ne pouvait imaginer que le moindre criminel – même un simple voleur à l'étalage – ne puisse le voir venir à des kilomètres. Le gamin n'était pas un criminel cependant, et il se dit que Butts le savait –

mais la procédure était la procédure. Il fallait en passer par là.

— OK, dit l'inspecteur, reposant son café tandis qu'il baissait les yeux sur le dossier posé sur la table. Monsieur… Winters. C'est vraiment pas de chance, désolé pour ce qui est arrivé à votre petite amie.

— Oui, répondit doucement Winters.

— Puis-je vous appeler Ralph ?

— OK, répondit le jeune homme, d'une voix une fois encore à peine plus élevée qu'un murmure.

Lee eut envie d'intervenir, mais c'était hors de question. C'était l'enquête de Butts, et la dernière chose qu'il voulait, c'était de se mettre à dos le robuste inspecteur.

Ralph resta assis à regarder fixement le café intact posé devant lui. Un mince filet de vapeur s'échappait en spirale du minuscule trou du couvercle.

— OK, Ralph, dit Butts, pourquoi ne pas me dire tout ce qui vous vient à l'esprit qui pourrait nous aider ?

Ralph déglutit deux fois, révélant avec netteté sa pomme d'Adam qui montait et descendait à l'intérieur de son cou gracile. Il semblait au bord des larmes.

— Il est indiqué ici que vous êtes étudiant en chimie, ajouta Butts, peut-être, pensa Lee, pour lui éviter l'embarras des larmes.

Quel que fût son motif, cela sembla efficace. Le jeune homme se pencha en avant, semblant fixer les yeux sur Butts pour la première fois. Il saisit le café, les mains tremblantes.

— Oui, en chimie organique. Je fais des études pour devenir pathologiste, dit-il avant d'avaler une gorgée de café.

— Oh, vraiment ? demanda Butts sur un ton amical. Vous vous intéressez à la médecine médico-légale ?

— Oui, je veux me spécialiser dans le domaine des maladies en fait.

— Très bien, répondit Buts en souriant. Vous devez être drôlement intelligent pour étudier ce genre de trucs. Moi, j'étais mauvais en sciences. J'envie les types comme vous.

Ralph sembla se méfier de sa tentative de lui cirer les pompes. Il resta assis à regarder Butts, enserrant le gobelet en papier entre ses mains.

— Alors, Ralph, que pouvez-vous me dire ? dit Butts, dont le ton indiquait clairement qu'il était temps de passer aux choses sérieuses. Depuis combien de temps connaissiez-vous Marie ?

— Depuis le dernier semestre. Nous… nous étions dans la même classe de littérature comparée.

Butts fronça les sourcils.

— Mais vous êtes étudiant en sciences ?

— C'est une matière obligatoire. J'en ai besoin pour passer mon diplôme.

Butts pencha la tête de côté.

— Je comprends. Et Marie était étudiante en religion ?

— En religion comparée, oui. Elle n'était pas super croyante – elle voulait devenir enseignante.

— Je vois. Alors vous vous êtes bien entendus ?

Ralph grimaça de douleur.

— Oui. D'abord j'ai eu du mal à croire qu'une fille comme elle puisse s'intéresser à moi – je veux dire, elle est si jolie et gaie et… je ne suis qu'un passionné de sciences, juste un geek, vous savez.

Butts but une autre gorgée de café.

— Ouais, je vois ce que vous voulez dire – je n'ai jamais pu comprendre ce que ma femme me trouve. Les femmes sont un mystère.

Cet aveu sembla mettre Ralph plus à l'aise, et il but quelques gorgées de café, sans toutefois quitter l'inspecteur des yeux.

— Bon, écoutez Ralph, dit Butts. Je ne vais pas vous garder ici très longtemps, mais d'après vous, y a-t-il quelqu'un qui vous vienne à l'esprit qui ait pu vouloir faire du mal à Marie ? Qui que ce soit ?

— Eh bien, elle était vraiment gentille et elle faisait confiance aux gens. Je ne vois personne qui ne l'aimait pas. Enfin, elle ne cherchait pas à être populaire, mais les gens l'aimaient, vous voyez ce que je veux dire ?

— Oui, bien sûr.

Ralph se dandina sur sa chaise.

— Il y avait bien une chose…

— Ah oui ? De quoi s'agit-il ?

— Eh bien, j'ai eu l'impression qu'elle voyait quelqu'un – quelqu'un d'autre je veux dire. Je n'ai pas vraiment de preuve – c'était plus une intuition, je suppose.

— OK. Une idée de qui cela pourrait être ?

Ralph baissa les yeux sur ses mains étroitement serrées sur ses genoux.

— Non, j'avais l'intention de lui poser la question, mais… Je suppose que je ne voulais pas être indiscret. Ce n'est pas comme si nous étions fiancés ou ce genre de choses, vous savez.

— Oui, bien sûr. Voulez-vous m'excuser une minute ?

Il se leva et sortit de la pièce d'un pas lourd, refermant la porte derrière lui. Il avança vers Lee et appuya son corps imposant contre le mur.

— Ce gosse est aussi clean que la cuisine de ma belle-mère. Il n'y a aucune chance que ce soit lui le meurtrier, ni qu'il ait la moindre idée de son identité.

Butts sortit un cigare de la poche de sa chemise. Le plaçant entre ses dents solides, il le mordit avec force.

— Est-ce qu'il vous arrive de fumer ces trucs ? demanda Lee.

— Plus maintenant. Ma femme détestait l'odeur, elle disait que ça s'imprégnait partout, alors j'ai arrêté. C'est le seul truc qui me reste qui ressemble plus ou moins à un vice… ça me manque, mais je peux vous dire que je fais des économies ! J'avais l'habitude d'acheter de super bons cigares, des cubains – quand j'arrivais à les trouver – et il fallait casquer un ou deux dollars par cigare.

Butts fit passer le cigare de l'autre côté de sa bouche.

— Cet autre type dont il a parlé, ça pourrait être une piste – enfin, si elle voyait vraiment quelqu'un d'autre.

— Peut-être, répondit Lee. Je me demandais si vous pourriez me laisser lui poser quelques questions ?

Butts haussa les épaules.

— Allez-y, faites-vous plaisir. Ensuite, on devrait laisser le pauvre bougre rentrer chez lui.

— Merci.

Lee entra dans la salle d'interrogatoire, et ressentit le caractère oppressant du silence de la pièce sans fenêtre. Le miroir sans tain derrière lequel Butts se tenait maintenant ne faisait qu'ajouter à la sensation d'isolement et de paranoïa que les suspects devaient ressentir.

Ralph Winters le regarda avec appréhension quand il entra dans la pièce. Lee essaya de dissiper sa peur avec un sourire amical, mais le corps du jeune homme était toujours aussi raide lorsque Lee s'assit face à lui.

— Bonjour, je suis Lee Campbell. J'apporte mon aide dans cette enquête.

Ralph répondit d'un petit mouvement de tête et resserra les mains autour de sa tasse de café.

— Écoutez Ralph, dit doucement Lee, nous allons bientôt vous laisser partir. Je voulais juste voir s'il y avait quoi que ce soit que vous puissiez me dire à propos de Marie qui pourrait nous aider à arrêter son meurtrier.

Le visage du jeune homme s'empourpra et les larmes lui montèrent aux yeux.

— Vous… Vous ne pensez pas que c'est moi qui ai fait ça, alors ?

— Non, on ne le pense pas. Nous espérons que vous pourrez nous aider en nous parlant de Marie – quoi que ce soit qui vous viendrait à l'esprit.

La gorge de Ralph se serra.

— Eh bien, comme je l'ai dit à l'autre inspecteur, elle était vraiment sympa et tout le monde l'aimait.

— Oui, répondit Lee, je sais.

Au dernier jour de sa vie, le destin s'est abattu sur elle, un coup venu de nulle part, un choc soudain alors qu'elle abordait le dernier tournant de sa vie. C'était le vers d'un poème qu'il avait écrit à propos de sa sœur, et il secoua la tête.

— Pourquoi ne pas me dire ce que vous pouvez à propos de Marie ?

— Elle était plutôt croyante – catholique.

— Allait-elle souvent à l'église ?

— Oh, pas plus de deux fois par semaine. Elle y allait le dimanche, et parfois le mercredi, pour la messe de minuit. Mais elle n'aimait pas les gens qui juraient et citaient le nom du Seigneur à tort et à travers, vous savez. Et il y avait un crucifix au-dessus de son lit – ça me foutait plutôt les jetons, si vous voulez savoir, mais je n'ai pas été élevé dans la religion. (Sa lèvre inférieure trembla.) Ont-ils déjà prévenu ses parents ?

— Nous nous en occupons. Ils habitent dans le New Jersey, je crois ?

— Ouais. À Nutley, dit-il, la gorge serrée, avant de boire une gorgée de café.

— Avait-elle des amis en particulier à l'église ?

— Non, je ne vois pas. Elle ne fréquentait pas énormément de gens – elle avait deux amies filles. Elle était bénévole pour servir à manger aux SDF une fois par mois.

— Y alliez-vous avec elle ?

— Parfois.

— Vous avez mentionné ses amies : étaient-elles croyantes ?

— Je ne pense pas.

— Mais Marie l'était ?

— Ouais, plutôt. Elle portait tout le temps une croix autour du cou.

— Pouvez-vous la décrire ?

— Heu, ouais… Elle était en or… Oh, avec une toute petite perle au milieu.

— Une perle blanche ?

— Ouais, elle ne l'enlevait jamais.

Lee sentit les battements de son cœur s'accélérer. Il avait en tête une image très précise de Marie, et il était prêt à jurer qu'elle ne portait pas de croix autour du cou quand ils l'avaient retrouvée.

— Jamais ?

— Non. Elle la gardait même sous la douche – elle disait que c'était comme garder Jésus sur elle en permanence. Je me rappelle avoir été griffé une fois, pendant qu'on… (Son visage se décomposa, et ses frêles épaules s'affaissèrent sous le poids de son chagrin.) Oh, mon Dieu ! s'écria-t-il, avant d'éclater en sanglots, se couvrant le visage avec les mains.

Lee posa une main sur son épaule juste à l'instant où Butts revenait dans la pièce.

— Allez mon petit, on a trouvé une voiture pour vous ramener chez vous.

Ralph leva la tête et regarda le détective, les yeux baignés de larmes.

— Vous n'avez plus de questions à me poser ? demanda-t-il, semblant presque déçu.

— Pas pour l'instant. Nous savons où vous trouver, en cas de besoin, dit Butts, avant de cracher un bout de cigare dans la corbeille, et de tendre sa carte de visite à Ralph. Appelez-moi si autre chose vous revenait à l'esprit. Surtout si vous pensez avoir une idée de qui pourrait être l'autre type. Désolé d'avoir dû vous imposer ça.

— De rien, dit Ralph saisissant son gobelet de café tout en se levant de façon mal assurée.

— L'agent Lambert va vous raccompagner chez vous, dit Butts en désignant un policier mince au teint cireux qui se tenait sur le pas de la porte.

— Ça ira ? demanda Lee.

— Oui, merci, répondit Ralph, avant de suivre docilement l'agent Lambert dans le couloir.

— Je sais ce qu'il a pris.

— Qui a pris quoi ?

— Le tueur. Je sais ce qu'il a pris comme souvenir.

— Ah, ouais ? Quoi ?

— La croix en or. Celle qu'elle n'enlevait jamais.

— Mais elle ne portait pas de croix quand on l'a trouvée.

— Précisément.

Butts leva les yeux au ciel.

— OK, donc tout ce qu'il nous reste à faire, c'est de trouver un pervers qui porte cette croix de fille.

— Non, il ne la porterait pas lui-même. Il pourrait soit la ranger dans un tiroir, soit la donner à une femme qui fait partie de sa vie – une femme importante pour lui, quelqu'un qu'il veut impressionner.

Butts frémit.

— Un peu comme mon chat lorsqu'il rapporte une tête de souris pour la déposer sur mon oreiller.

— C'est une bonne analogie, à vrai dire.

— Est-ce que les salauds dans son genre ont une petite amie ?

— Certains, oui. Mais je doute fort que ce type en ait une.

— Une sœur, peut-être ?

— Peut-être. C'est un introverti cependant, et je parierais que s'il donne son trophée à qui que ce soit, ce sera à sa mère.

Butts frémit de nouveau.

— Oh, merde, c'est carrément bizarre.

Lee ressentit lui aussi un frisson dans le dos.

— Oui, on a affaire à un type qui est profondément dérangé.

Chapitre 3

Une heure plus tard, Lee rentra dans son appartement vide de l'East 7ᵗʰ Street à la nuit tombante, savourant le calme des lieux avant d'allumer le couloir. Il enleva son manteau, le suspendit au portemanteau victorien en bois – un cadeau de sa mère. Elle aimait tous ces trucs victoriens – les tentures en velours rouge, les foulards chinois bordés de satin avec des petits anges potelés et riants, les rideaux en dentelle, les services à thé chinois, les capes d'opéra. Les hommes étaient peu fiables et les histoires d'amour ne duraient pas, mais l'ère victorienne avait une imposante solidité sculptée dans le chêne qui semblait lui apporter un certain réconfort.

— Enfin, en théorie en tout cas, marmonna Lee en entrant dans la cuisine.

Son piano qui était dans un coin de la pièce, sous la fenêtre, l'attendait. Mais pour l'instant il avait envie d'une tasse de café, fort, amer et bien chaud, avec une goutte de lait et une cuillère à café de sucre. Il avait une boule au creux de l'estomac, à force de fouiller parmi les démons qui continuaient de le tourmenter. Il y avait quelque chose dans un coin de son esprit, quelque chose qu'il n'arrivait pas à saisir. Il avait la sensation que c'était lié à la mort de Marie, d'une certaine façon. Tandis qu'il mettait l'eau à bouillir, le téléphone sonna. Le bruit résonna d'une façon discordante, contrastant avec le calme de l'appartement. Il décrocha et retint son souffle.

— Allô ?

— Bonjour, mon chéri.

C'était sa mère, vive et enjouée, comme à son habitude. Sa voix était une sorte d'écran de protection, avec un vernis de chaleur et d'optimisme, mais il percevait la peur et la tristesse sous le vernis.

— Alors, comment ça va ? enchérit-elle.

La gaieté de sa mère était résolue, implacable – en un mot, inébranlable.

— Ça va, maman.

Il n'y avait qu'une seule réponse à cette question dans la famille Campbell. Rien d'autre n'était acceptable. *Ça va, maman. Tout va bien. Le meurtrier de Laura est toujours dans la nature, et une étudiante est à la morgue, la poitrine massacrée à coups de couteau, mais tout va bien.*

— Il fait vraiment un temps épouvantable, tu ne trouves pas ? Il est difficile de croire qu'on n'est qu'à six semaines du printemps.

La météo. Un sujet sans danger. La météo, la nourriture, le bricolage, le jardinage – des sujets dépourvus de risque pour Fiona Campbell.

— Je suis très impatiente de planter mes roses, j'ai commandé un assortiment de couleur rose thé cette année.

Elle était toujours en train de planter quelque chose – des roses, des bégonias, des pétunias.

— Oh, très bien.

— Stan dit qu'il est encore trop tôt, il dit qu'il va encore geler, mais je n'y crois pas beaucoup.

Stan Paloggia était son voisin le plus proche ; il la suivait sans arrêt, comme un petit chien. En fait, il avait tout du chiot : petit et trapu, avec un appétit vorace et un ventre proéminent. Sa voix, elle aussi, était une sorte de braiment, un peu comme l'aboiement enroué d'un chien de chasse. Il suivait Fiona Campbell inlassablement, se rendant aussi utile que possible, qu'il s'agisse de conseils de jardinage ou de réparations de plomberie. Lee avait souvent eu envie de dire à l'homme qu'il perdait son temps – sa mère n'était attirée que par les hommes distants et élégants, comme son père. Le grand, beau et séduisant Duncan Campbell était en tous points l'opposé de Stan – mais Stan semblait apprécier de lui faire la cour, haletant, chaque fois que l'occasion se présentait. Sa mère tolérait ses attentions, et le traitait à peu près aussi bien qu'elle traitait le reste du monde.

— Eh bien, si Stan le dit, tu ferais peut-être mieux de l'écouter, dit Lee en déversant des grains de café dans le moulin à café Krups blanc.

— Je ne sais pas, j'ai juste horreur d'attendre, répondit sa mère.

Lee mit le moulin en marche et partit dans le salon, le téléphone à la main, tandis que l'appareil commençait à vrombir, crissant bruyamment à mesure que les grains s'entrechoquaient.

— Comment va Kylie ? demanda-t-il.

— Oh, elle va bien – elle pousse comme du chiendent, tu sais. J'ai du mal à croire qu'elle a presque sept ans !

Lee regarda une des photos de Laura encadrées dans le salon. Elle avait été prise devant la maison de sa mère et la fillette plissait les yeux à cause du soleil, la main levée pour repousser une mèche de ses longs cheveux bruns. Il se souvenait très bien de cette journée – il avait pris cette photo peu de temps après que la mère de la petite avait obtenu son diplôme universitaire.

Mais sa nièce n'avait aucun souvenir d'elle – elle ne connaissait sa mère qu'à travers des photos comme celle-ci, ou grâce aux histoires qu'on lui avait racontées. Kylie vivait avec son père, mais elle passait les samedis et dimanches chez sa grand-mère, étant donné qu'il travaillait aux urgences de l'hôpital le plus proche presque tous les week-ends. George Callahan était un homme grand et carré qui était incapable d'avoir une mauvaise pensée. Lee avait toujours regretté que Laura ne l'ait pas épousé, mais il n'était pas son genre. Stable, peu passionnant et trop gentil pour son propre bien, George n'avait rien de comparable au père vain et irritable que Laura n'avait cessé de chercher chez les hommes avec lesquels elle sortait. Même après la naissance de Kylie, Laura avait refusé d'épouser George, malgré les supplications de celui-ci.

— Tu as toujours l'intention de passer la journée de samedi avec elle, n'est-ce pas ? demanda sa mère sur le ton de la méfiance, étant donné que ces derniers temps, Lee s'était montré moins fiable.

— Oui, bien sûr.

— Veux-tu lui dire bonjour, elle est près de moi ?

— Oui.

En bruit de fond, Lee entendait sa nièce parler au chat de sa mère, Groucho. Il imaginait très bien la scène : Fiona était dans la cuisine, sans doute en train de préparer le dîner, son téléphone sans fil coincé au creux de son épaule tandis qu'elle faisait sauter des pommes de terre, et Kylie était assise dans un coin de la cuisine, Groucho sur ses genoux, en train d'essayer de l'habiller avec des vêtements de bébé.

Il y eut un silence, puis il entendit sa mère en arrière-fond sonore.

— Pose le chat maintenant, il n'aime pas qu'on le tienne comme ça.

Il sourit. Kylie était comme sa sœur, férocement indépendante et têtue – à six ans et demi, elle avait déjà l'intelligence teintée d'ironie de Laura. Il entendit le bruit du chat qui crachait, puis un petit cri aigu, et le bruit d'une chaise qui tombe. Quelques instants plus tard, sa nièce vint au téléphone.

— Bonjour, oncle Lee.

— Salut, Kylie. Que faisais-tu avec le chat ?

— Je jouais, dit-elle avec un soupçon de culpabilité jubilatoire dans la voix.

— Vraiment ? À quel genre de jeu jouais-tu ?

— Heu… à s'habiller.

— Tu habillais Groucho ?

— Heu… Oui.

— Et ça lui a plu ?

— Pas vraiment. Il a essayé de s'échapper.

— Mais tu l'en as empêché ?

— Oui, mais il m'a mordu la main.

— Ça a dû te faire mal.

— Oui… mamie est en train de mettre un pansement dessus.

La relation entre Kylie et Groucho était celle du chasseur et du chassé – et, quand elle arrivait à le coincer, c'était celui du bourreau et de la victime. Son jeu favori était de l'habiller dans des tenues humiliantes. Le chat tigré vieillissant et dyspepsique était loin d'être l'ami des enfants, mais Fiona Campbell l'avait depuis des années et elle n'était pas prête à s'en séparer.

— Il y a Winnie l'Ourson sur mes pansements, dit Kylie.

— Oh, c'est super. C'est ta mamie qui te les a achetés ?

— Oui, oui, mais c'est moi qui les ai choisis.

Lee entendit le sifflement de la bouilloire, et retourna dans la cuisine.

— C'est chouette. Je parie que tu as déjà moins mal.

— Oui.

Il y eut un silence. Parler à un jeune enfant au téléphone était un sacré boulot. Il fallait constamment trouver de nouveaux sujets pour relancer la conversation. Tandis que Lee faisait couler l'eau chaude sur le café, il nota qu'il y avait quelque chose, enfoui dans un recoin de son esprit, qui essayait d'émerger, mais il ne parvenait pas à déterminer ce dont il s'agissait exactement – une pensée, une idée ou une sorte d'image.

— Tu t'amuses bien à l'école ? dit-il dans le combiné du téléphone.

— Euh, oui.

— Qu'est-ce que tu préfères ?

— Le dessin. J'ai fait des dessins de maman aujourd'hui.

— Ah oui ?

— Oui. On était sposés apporter une photo et en faire un dessin, alors j'en ai apporté une de maman que j'ai prise dans l'album.

Kylie avait du mal à prononcer certains mots, et elle disait « sposer » au lieu de « supposer ». Elle disait aussi « Francanscisco » au lieu de « San Francisco » et « pissghetti » au lieu de « spaghetti ».

Lee trouvait toutes ces expressions enfantines charmantes, et il était triste de penser qu'un jour, sa nièce grandirait et ne les prononcerait plus.

Il y eut un nouveau silence, et Lee ne trouva rien à dire. Il savait que sa mère gardait un album rempli de photos de Laura, mais il ne savait pas que Kylie l'avait vu.

— Et comme ça, quand elle reviendra, je pourrai lui montrer.

Lee se mordit la lèvre. C'était déjà assez triste que sa mère n'ait jamais accepté la mort de Laura, mais cela le rendit furieux qu'elle partage ses espoirs irréalistes avec sa petite-fille.

— OK, eh bien, je te dis à demain. Est-ce que je peux parler à ta grand-mère maintenant ?

— OK. Mamie !

Sa mère vint au téléphone.

— Oui, mon chéri ?

Lee voulait l'engueuler pour ce qu'il considérait être une attitude irresponsable, mais il n'avait pas l'énergie nécessaire. Tout ce qu'il avait envie de faire, c'était de s'allonger, de tirer les couvertures sur sa tête et de tout chasser de son esprit.

— Tu voulais me dire quelque chose ?

— Non, je voulais juste te dire au revoir.

— Très bien. Prends soin de toi – et n'oublie pas de manger !

Sa mère terminait souvent les conversations ainsi. Il avait perdu tellement de poids pendant sa dépression qu'elle avait commencé à s'inquiéter.

— D'accord. Salut.

Lee raccrocha et ôta le filtre de sa tasse de café. Le liquide à l'intérieur était chaud, fort et noir – opaque et impénétrable, comme sa mère. De nouveau, la pensée terrée dans un coin de son esprit essayait péniblement de remonter à la surface. Il mit une goutte de lait dans son café et alla s'asseoir près de la fenêtre. C'était quelque chose qui concernait Marie, mais pas directement. C'était quelque chose qui était lié à sa mort… mais quoi ? Il repensa à cette matinée grise de février. Dehors, ce soir-là il tombait une pluie fine et il remarqua que les lumières de l'église ukrainienne qui se trouvait de l'autre côté de la rue étaient allumées. Soudain, il se souvint de ce qui l'avait tracassé toute la matinée.

Il décrocha le téléphone et composa le numéro de l'Unité des enquêtes prioritaires du Bronx.

Chapitre 4

Le campus est calme, aussi silencieux qu'une tombe. Cette pensée traversa l'esprit de Samuel tandis qu'il avançait dans la cour sur la pointe des pieds en se dirigeant vers les dortoirs, où une seule fenêtre était allumée, à l'angle du premier étage. La lumière projetait un halo jaune vaporeux autour de la fenêtre, telle une aura protégeant les habitants de la chambre. Il frémit à mesure qu'il se rapprochait. Il entendait de la musique – un morceau classique, avec des flûtes et des violons. Deux autres chambres du troisième étage étaient illuminées – sans doute des étudiants qui travaillaient tard, supposa-t-il.

Il se tenait debout sous la fenêtre et observa les occupants. Trois étudiants, d'après ce qu'il pouvait distinguer, assis autour d'une table basse, qui parlaient et riaient. Il regarda les filles qui passaient devant les fenêtres, les contours de leur corps semblant flous à travers les rideaux de dentelle blanche, leur visage muet et indistinct, comme dans un rêve. Pourquoi ne voulaient-elles pas de lui – pourquoi ne voyaient-elles pas à quel point il était spécial ? Il osait à peine les désirer, mais tandis qu'il était assis à regarder leurs douces formes éclairées à contre-jour, telles des sirènes nébuleuses et translucides, le léger souffle du vent lui caressant les joues, tout cela provoquait en lui un état de transe dans lequel il flottait, pris dans la douce toile du désir.

Puis, une des filles rejeta la tête en arrière, riant de propos qu'il n'arrivait pas à comprendre, offrant sa gorge aux regards. Il regardait la lumière tomber sur la courbe de son cou, soudain si dégagé, si vulnérable. Il imagina ses mains entourant ce cou blanc, appuyant, serrant, de plus en plus, jusqu'à ce que la vie s'éteigne entre ses doigts. Il imagina ses mains devenant plus puissantes à mesure que la force de vie quittait le corps de la fille et qu'il se l'appropriait.

C'était une pensée exaltante – et elle s'empara de lui avec une violence qui le secoua profondément. Il tremblait, transpirait, une flamme intense brûlait en lui, en un lieu dont il n'avait jamais soupçonné l'existence jusque-là, *un lieu que sa mère ne pouvait voir, ni même imaginer*. C'était son secret, son délicieux fantasme. Il trembla à l'idée de cacher quoi que ce soit à sa mère – mais il se gonfla d'orgueil à l'idée d'être un homme. Il se détourna et s'éloigna de la fenêtre, posant la main sur le porte-clés qui pendait à sa ceinture pour empêcher les clés de cliqueter.

Pour la première fois de sa vie, il se sentit fort.

Chapitre 5

Le commissaire Chuck Morton se cala au fond de son fauteuil et étudia l'homme assis de l'autre côté de son bureau. Il semblait mince, encore plus que la dernière fois que Chuck l'avait vu, deux mois plus tôt, et bien plus maigre que du temps où ils partageaient une chambre à Princeton, il y avait pas mal d'années déjà. Le beau visage anguleux de son ami était pâle et il avait les traits tirés. Son corps long était penché en avant, les coudes appuyés sur les bras du fauteuil. Chuck savait que Lee avait dû se lever bien avant l'aube. Morton se pencha en avant et tripota nerveusement le presse-papiers en verre posé sur son bureau. C'était un papillon déployé sous un prisme scintillant, et cela lui donnait la chair de poule, mais c'était un cadeau de son fils, alors il le gardait sur son bureau. Les ailes multicolores du papillon brillaient comme de petits arcs-en-ciel sous une lumière fluorescente.

Il poussa un soupir et regarda Lee Campbell – même assis là, en train d'observer des photos de crime, son ami lui donnait l'impression d'être agité. L'époque insouciante de Princeton était loin à présent, le temps où tout ce qui semblait avoir de l'importance était le rugby, les filles et les études – dans cet ordre. À présent, Lee semblait tout sauf insouciant – Chuck voyait ses longs doigts trembler en serrant les photos. Chuck eut de la peine pour son vieil ami – ce n'était pas le Lee Campbell qu'il avait connu à Princeton.

Le dingue. C'est ainsi que certains flics usés l'appelaient dans son dos, mais Chuck éprouvait une loyauté à toute épreuve envers cet homme passionné et sincère au regard tourmenté et aux mains tremblantes ; une loyauté qui allait au-delà de l'époque où ils arpentaient le terrain de rugby de Princeton. Lee était le capitaine de l'équipe, il avait des gestes rapides, et un esprit plus vif encore, jouant au poste clé de demi d'ouverture, tandis que Chuck jouait en tant qu'ailier, ou centre extérieur. Peut-être était-ce leur tempérament qui rendait leur amitié possible – Lee étant toujours surexcité, charismatique, passionné, tandis que Chuck brûlait d'une flamme moins intense et plus régulière. Lee était un leader-né, et lui un éternel second. Ils se lièrent l'un à l'autre dès la première année de Blair Hall, et même les femmes ne pouvaient s'interposer entre eux, même si Chuck se demandait encore de temps à autre si Susan avait jamais regretté de l'avoir épousé lui, au lieu de Lee.

— Tu sais, dit Chuck, peut-être que je n'aurais pas dû t'appeler sur cette affaire. Peut-être que c'était…

— Une erreur ? l'interrompit Lee. Arrête, Chuck, il est évident qu'il y a besoin d'un profiler sur cette affaire.

— Non, ce n'est pas ce que je veux dire. Je pensais juste ça à cause de…

Chuck s'interrompit, incapable de prononcer les mots. Il se sentit lâche.

— Nom de Dieu, Chuck, tu ne peux pas essayer d'anticiper mes réactions sur toutes les affaires sur lesquelles je bosse, au cas où cela risquerait de raviver les souvenirs de la disparition de ma sœur.

Cinq ans plus tôt, Laura, la sœur cadette de Lee Campbell, avait disparu sans laisser de trace de son appartement de Greenwich Village, et tout avait changé. Il n'avait plus jamais été le même depuis lors. C'était comme si on avait touché une corde sensible et sombre de son âme, qui, depuis, n'avait jamais cessé de résonner. À l'époque, il exerçait en tant que psychologue et son activité était florissante. Chuck fut surpris lorsque Lee l'appela, quelques mois après la disparition de sa sœur, pour lui dire qu'il suivait des cours à l'université John Jay pour préparer un diplôme de psychologue judiciaire. Ce n'est qu'ensuite qu'il avait pris conscience que la disparition de la sœur de Lee avait affecté son ami dans des proportions qu'il ne pouvait mesurer. Une fois que Lee eut obtenu son diplôme, Chuck avait joué un rôle clé pour lui obtenir son poste actuel – le seul profiler à plein temps du NYPD[2]. Mais ces derniers temps, il s'était demandé s'il n'avait pas commis une erreur – d'un point de vue émotionnel, son ami ne semblait pas en état de faire ce genre de boulot.

Chuck jeta un coup d'œil par la fenêtre crasseuse de son bureau, touchant distraitement le presse-papiers.

— Alors, aucun signe d'agression sexuelle, c'est ça ? marmonna Lee, observant toujours les photos.

— C'est bien ça, dit Chuck. Le rapport du labo vient juste d'arriver. Mais comment as-tu… ?

— Je te dis, Chuck, que le type qui a tué la première victime a aussi tué Marie Kelleher la nuit dernière !

Chuck le regarda.

— Tu penses vraiment que les deux crimes sont liés ?

— Oui.

Morton secoua la tête.

— Je ne sais pas, Lee. Ça m'a l'air un peu tiré par les cheveux.

Lee passa une main dans ses cheveux noirs bouclés, chose qu'il faisait quand il était contrarié. Les cheveux de son ami étaient plus longs qu'avant, pensa Chuck, il les trouva même un peu trop ébouriffés à son goût. Lui, portait ses cheveux blonds courts – en brosse, disait sa femme. Il avait quitté son corps doux et chaud à contrecœur, ce matin-là. Au moment de se lever, la maison encore baignée dans l'obscurité et le calme, Susan avait essayé de le retenir en râlant légèrement, et il n'avait eu qu'une envie – revenir sous la couette avec elle et la couvrir de baisers.

Les photos que Lee étudiait correspondaient à un crime non

---

2 Le *New York Police Department* est le service de police de la police de New York. (NdT)

élucidé qui avait eu lieu dans le Queens, quelques semaines plus tôt – L'inconnue n°5, selon le nom qu'ils lui avaient attribué. Elle était très soignée et n'était pas habillée comme une prostituée. Il était étrange que personne n'ait signalé sa disparition.

À l'extérieur de son bureau, Morton entendait les flics de l'équipe de jour arriver. L'odeur du café frais se répandait à travers les bureaux, faisant saliver Morton. Il regarda sa tasse vide sur son bureau et se frotta les yeux, irrités par le manque de sommeil.

— Je sais qu'ils sont liés, Chuck, disait Lee, dont les yeux sombres brillaient sous la lumière du néon. La position des corps…

— Mais le premier corps n'a pas été mutilé, protesta Chuck.

— Non, parce qu'il n'était pas encore assez à l'aise – c'était probablement son premier meurtre.

— OK, OK, répondit Morton. Je te crois. Le problème, c'est que je ne sais pas qui d'autre te croira.

Lee se leva et fit les cent pas dans le petit bureau.

— Le type qui a tué cette fille dans le Queens est aussi le meurtrier de Marie Kelleher. Je le sais ! lança-t-il en tendant une photo devant le visage de Chuck.

Le tirage brillant montrait une jeune femme nue allongée sur le dos, les bras écartés, de telle façon que si on la mettait debout, elle aurait été dans la même position que la victime d'une crucifixion. Mais il n'y avait aucune croix en vue – le corps était étendu dans un fossé, aux abords du cimetière Greenlawn, dans le Queens.

— Regarde ça ! dit Lee d'une voix étranglée par l'émotion. Regarde la position du corps ! Elle est exactement identique à celle de Marie Kelleher, sauf que cette fois, il a réussi à se rapprocher de son fantasme.

— Et quel est ce fantasme ?

— Laisser le corps dans l'église. Ça n'avait rien de fortuit. Et les lettres gravées au couteau – ça fait aussi partie du fantasme.

Chuck s'adossa à son fauteuil.

— Je ne sais pas, Lee. Ça semble un peu mince.

— Et je vais te dire autre chose. Il n'arrêtera pas tant qu'il ne se fera pas prendre.

— Donc, tu veux dire qu'on a affaire à un tueur en série ?

— C'est ça.

Quelque chose dans sa voix poussa Morton à le croire.

— S'il te plaît, Chuck, j'ai besoin d'étudier le dossier du meurtre du Queens.

Morton se leva. Il se sentit raide, vieux et fatigué. Et voir son ami ainsi ne l'aidait pas.

— OK, dit-il. J'ai dû demander une faveur, uniquement pour obtenir une copie de ces photos. Laisse-moi présenter ça là-haut, OK ? Je n'ai pas besoin de te dire que les inspecteurs peuvent avoir tendance à défendre leur territoire quand ils sont sur une affaire.

— D'accord.

— Alors, dit Chuck après un silence dans lequel l'un et l'autre risquaient de sombrer, comment va la *Frau Ohne Schatten* ?

L'ancien Lee Campbell aurait souri. Mais maintenant, son ami se contentait de hausser les sourcils, et son visage ne trahissait aucun amusement.

— Oh, certaines choses ne changent pas, tu sais. Elle est plus active que jamais.

Lee avait donné ce surnom à sa mère après avoir vu l'opéra de Strauss à l'université. Chuck, qui avait des ancêtres allemands du côté de sa mère, avait trouvé cela amusant, connaissant déjà la gaieté perpétuelle de Fiona Campbell. Ils avaient l'habitude de plaisanter à ce sujet, disant qu'elle était la véritable *Frau Ohne Schatten* – la femme sans ombre. Mais à présent, les ombres pesaient lourdement sur son ami.

Campbell fit demi-tour, s'apprêtant à quitter la pièce, mais il vacilla, et se rattrapa à la poignée de la porte.

— Ça va ? demanda Chuck, tendant la main pour le soutenir.

Lee lui fit au revoir d'un signe de la main.

— Ça va. Je suis juste un peu fatigué, c'est tout.

Morton n'en crut pas un mot, mais ne dit rien. Il se rappela le stoïcisme presbytérien de Lee, le jour où il avait refusé d'abandonner un match après s'être cassé le nez suite à un tacle. Son nez pissait le sang, mais il avait insisté pour finir le match, marmonnant qu'il devait « donner l'exemple ». Chuck trouvait que c'était du masochisme, mais jamais il n'aurait dit cela à son ami.

— Est-ce que je peux parler au légiste qui s'est chargé de l'autopsie de Marie ? demanda Lee.

— Je ne vois pas pourquoi tu ne pourrais pas. Je t'appellerai, ajouta-t-il.

— Entendu, dit Campbell.

Il marqua une pause devant la porte du bureau de Chuck, comme s'il était sur le point d'ajouter quelque chose, puis fit demi-tour, ouvrit la porte, avant de disparaître.

Morton se cala au fond de son fauteuil, passant une main dans ses cheveux en brosse. Puis il se leva, prit sa tasse et sortit de son bureau, en direction de la machine à café. La tasse, un cadeau de sa fille, proclamait qu'il était « le meilleur papa du monde », mais ce jour-là, il ne se sentait pas le meilleur en quoi que ce soit.

Quand il arriva près de la machine à café, il vit quelques flics rassemblés dans un coin, tête baissée, parlant à voix basse, et il entendit l'un d'eux ricaner. Puis, un autre dire :

— Ouais, un vrai cinglé, je suppose.

Puis, tous se mirent à rire, jusqu'à ce qu'un des conspirateurs voie Chuck et donne un coup de coude aux autres, après quoi tous cessèrent brusquement de rire. Chuck sentit la rage monter en lui, sa gorge se serrer et son front devenir brûlant. Il passait pour quelqu'un au caractère égal la plupart du temps, mais quand il sortait de ses gonds, il ne faisait pas semblant.

— Bon sang, qu'est-ce que tu regardes, Peters ? hurla-t-il.

Tout le monde au commissariat arrêta ce qu'il était en train de faire et le regarda. Il avança vers le groupe de subalternes, qui eurent un mouvement de recul, détournant les yeux tandis qu'il approchait.

— Laissez-moi vous dire une chose, dit-il d'une voix froide et menaçante. Si vous ne retournez pas travailler immédiatement, il y a des têtes qui vont tomber par ici. Vous me comprenez ? demanda-t-il, s'adressant à Jeff Peters, un jeune brigadier.

— Oui, monsieur, répondit le jeune homme aux cheveux noirs coupés court, bâti comme un taureau de compétition.

Chuck sentit le rouge lui monter au visage.

— Je ne vous ai pas entendu, Peters !

— Oui, monsieur.

— Et vous, O'Connel, avez-vous quelque chose à me dire ?

— Non, monsieur.

Danny O'Connel était un grand roux maigre qui suivait l'exemple de Peters, quoi qu'il fasse. Une des règles de la dynamique de groupe – qui valait dans les commissariats, tout comme dans les vestiaires des universités – était de se moquer des autres pour se prémunir contre le risque de devenir la cible des railleries. Peters était le meneur, comme d'habitude, et Chuck savait qu'il avait un mauvais fond. Il était issu d'un foyer instable, avait un raté alcoolique en guise de père et en voulait au monde entier. Chuck approcha son visage de celui de Peters, si près qu'il sentit l'odeur camphrée de son après-rasage.

— À moins que vous ne vouliez être muté et quitter la crim ? Parce que ça peut s'arranger.

— Non, monsieur.

— Vous en êtes sûr ?

— Oui, monsieur.

— Alors vous feriez mieux de vous tenir à carreau. Est-ce que je me fais bien comprendre ?

— Oui, monsieur.

Chuck jeta un coup d'œil autour de lui dans le commissariat, pour voir s'il contrôlait la situation. Tout le monde le regardait avec un respect mêlé de peur, et c'était ce qu'il voulait. Il aurait l'opportunité de plaisanter plus tard, de lâcher un peu les rênes, mais pour l'instant c'était de respect dont il avait besoin. Il jeta un dernier coup d'œil à Peters, puis retourna dans son bureau l'air furieux, s'assurant de claquer la porte derrière lui.

Une fois à l'intérieur, il baissa les stores vénitiens et se laissa tomber dans son fauteuil. Commander comportait une part de théâtre, une part d'intimidation et une autre part, consistant à montrer l'exemple. Il n'appréciait ni le théâtre ni l'intimidation, mais il redoutait encore plus de perdre le contrôle de ses hommes. Si cela arrivait un jour, il savait qu'il serait temps de donner sa démission.

Naturellement, il n'avait pas un tempérament de leader, il le savait. À Princeton, Lee était toujours le mâle dominant, et Check s'était toujours complu dans le rôle d'acolyte. Mais c'est alors qu'un miracle s'était produit – il avait fini par attirer l'attention de Susan Beaumont, la femme la plus glamour et séduisante qu'il ait jamais rencontrée. Pendant un moment, elle semblait avoir jeté son dévolu sur Lee, puis ils s'étaient séparés et elle avait commencé à lui tourner autour. Même maintenant, cela lui semblait comme un rêve dont il se réveillerait un jour, mais jusque-là, il avait décidé de faire tout ce qui était en son pouvoir pour qu'elle ne se lasse pas de lui. Être un policier modeste n'aurait pas convenu à une femme comme elle, il avait donc visé le poste de commissaire, et il l'avait obtenu, même s'il n'était pas naturellement fait pour ça. Chuck Morton était un second dans l'âme, il était diligent, honnête, intelligent, mais pas particulièrement imaginatif, ni charismatique. Malgré tout, il travaillait dur – plus dur que tous ceux qu'il avait rencontrés – pour obtenir ce qu'il voulait, satisfaire Susan, et qu'elle soit fière de lui.

Et il avait donc fini par devenir le commissaire de l'Unité des enquêtes prioritaires du Bronx. C'était un boulot accaparant, surtout maintenant, après ce qui s'était passé au sud de Manhattan, à peine quelques mois plus tôt. Tout le monde était nerveux, et ses hommes attendaient qu'il montre l'exemple. Et il était bien déterminé à le faire, même si ça devait le tuer.

Il regarda par la fenêtre le rebord couvert de suie, où un pigeon picorait d'invisibles miettes. Il aurait voulu pouvoir faire quelque chose pour alléger la peine de son ami, mais il savait que les démons qui dansaient dans l'âme de Lee étaient hors de sa portée. Mais il pouvait au moins empêcher ses hommes de se moquer de lui dans son dos. Il baissa les yeux sur sa tasse de café vide – il avait oublié de la remplir. Il poussa un soupir, et se cala dans son fauteuil. Retourner maintenant à la machine à café aurait gâché l'effet dramatique de sa sortie houleuse. Le café allait devoir attendre.

Lee Campbell sortit du commissariat en cette journée maussade de février, à cette période de l'année où l'effervescence des vacances était retombée, laissant place à un frémissement de mélancolie. Les journées étaient encore courtes, et le temps froid un brusque rappel que le printemps était encore une réalité lointaine.

Cette année-là, les périodes de réjouissance avaient été rares à New York, les retrouvailles des vacances ayant été marquées par le sentiment de deuil, de ceux qui étaient partis de façon si soudaine, brutalement arrachés à la vie, comme une conversation interrompue au milieu d'une phrase. On avait beaucoup parlé de période d'apaisement dans les médias, et d'un « retour à la normale », mais il savait que pour beaucoup de gens à travers le monde, ces mots étaient vides de sens. Le processus d'apaisement serait sans fin, et la « normalité » ne viendrait jamais. Il ne savait pas ce qu'il en était pour le reste du pays, mais les New-Yorkais vivaient maintenant dans deux zones temps – avant et après.

Lee s'emmitoufla dans son manteau et se dirigea vers le métro. Comme beaucoup des plus belles choses qu'il possédait, le manteau en tweed écossais était un cadeau de sa mère, ramené d'un de ses récents voyages à édimbourg. Il aperçut brièvement son reflet dans la vitrine d'un magasin, et son visage défait lui sembla être en contradiction avec l'élégance du manteau.

Il baissa la tête pour se protéger du vent cinglant et pressa le pas. Dans des moments tels que celui-ci, il n'y avait qu'un homme vers lequel il pouvait se tourner, qui semblait toujours savoir quoi dire, et quoi faire. Il sourit, et franchit le tourniquet, pour faire un trajet parcouru des centaines de fois, du temps où il était étudiant à l'université de justice pénale de John Jay. Il avait besoin de voir son vieux mentor – le légendaire, irascible, brillant, lunatique et misanthrope John Paul Nelson.

Chapitre 6

Le professeur John Paul Farragut Nelson n'était pas content.

— Nom de Dieu, Lee ! Tu ne peux pas faire un break ? Tu sors à peine de l'hôpital, bon sang !

Nelson écrasa rageusement sa cigarette à moitié fumée dans le cendrier en verre posé sur son bureau, et alla jusqu'à la fenêtre. Son bureau de l'université John Jay était spacieux mais encombré de livres, de papiers empilés sur le sol, de chaque côté de son bureau.

Lee remua sur sa chaise, mal à l'aise, puis regarda ses pieds. Il s'était attendu à se faire engueuler, mais son vieux professeur s'était montré plus irascible qu'il ne l'avait escompté. Nelson enfonça une main dans la poche de son pantalon et passa l'autre dans ses cheveux châtains ondulés.

— Est-ce que tu penses *vraiment* pouvoir être d'une quelconque utilité sur cette affaire ?

— Eh bien…

— Tu sors à peine d'une dépression, nom de Dieu ! Et tu penses que tu peux tranquillement retourner travailler quelques semaines plus tard, comme si de rien n'était ?

Lee garda les yeux rivés au sol. Il connaissait assez bien Nelson pour savoir que lorsqu'il était dans cet état, le contredire l'aurait simplement rendu plus furieux encore, un peu comme s'il avait agité un chiffon rouge devant un taureau. À vrai dire, Nelson ressemblait à un taureau à cet instant – son corps petit et trapu était tendu, il avait les narines dilatées, et le visage plus rouge que jamais – plus rouge encore que cette nuit légendaire où Nelson avait fait la tournée des bars et bu un nombre incalculable de whiskys.

Un étudiant grand et maigre avec une coupe punk et un anneau argent dans le nez s'arrêta devant le bureau et passa la tête par la porte – mais dès qu'il aperçut le visage de Nelson, il recula. Lee regarda les cheveux orange en brosse du gamin s'éloigner dans le couloir. Puis, il se tourna à nouveau vers Nelson, qui farfouillait dans son bureau – sans doute à la recherche de cigarettes. Il ne semblait jamais se rappeler dans quel tiroir il les rangeait. Lee avait toujours été déconcerté par l'intérêt que lui portait le célèbre professeur Nelson, un intérêt qui avait débuté le premier jour où il avait assisté au cours de criminologie de Nelson. C'était une matière obligatoire, même pour les techniciens des scènes de crime, les agents du CSI, qui étaient en général considérés comme des geeks par les autres étudiants.

Le style d'enseignement de Nelson reflétait sa personnalité. Impérieux, brillant et impatient, il pouvait s'emporter aussi soudainement que les eaux de Killarney Bay – le lieu d'où provenaient ses ancêtres, d'après lui – par temps orageux. Une rumeur courait selon laquelle son père avait été membre des Westies, un gang d'Irlandais meurtriers qui avait prospéré dans le quartier Hell's Kitchen de New York au milieu du XXᵉ siècle. On disait à l'époque que leur cruauté et leur brutalité faisaient passer la Mafia italienne pour des enfants de chœur.

En dépit de sa réputation d'être quelqu'un de distant, Nelson lui avait porté un intérêt immédiat et paternel. Lee avait pensé que c'était peut-être parce qu'il avait une bonne dizaine d'années de plus que l'étudiant lambda, ou en raison de leur héritage celte commun. Nelson avait traité Lee avec une gentillesse qu'il ne manifestait pas auprès des autres étudiants. En fait, il ne semblait pas considérer la race humaine digne de l'affection qu'il réservait en général à son setter irlandais, Rex. Nelson adorait cet animal et le gâtait de façon extravagante.

L'intérêt que Nelson portait à Lee s'était poursuivi après le départ de ce dernier pour rejoindre le NYPD et devenir leur unique profiler – un poste qu'il avait obtenu grâce à l'aide de Nelson. La tournée des bars avait continué, tout comme les discussions tardives où il était question des compositeurs allemands, des philosophes français et des poètes celtes.

Pourtant, en cet instant, Nelson ne semblait pas du tout satisfait de son étudiant préféré.

— Je pensais que tu avais plus de bon sens que ça, franchement, dit-il en allumant la cigarette qu'il avait dénichée dans un recoin de son bureau.

Lee ne put s'empêcher de remarquer que Nelson avait les mains qui tremblaient. Tirant longuement sur sa cigarette, il fit tourner l'alliance qu'il portait à la main gauche d'un air absent. Sa femme était morte depuis presque trois mois, mais Nelson continuait de porter son alliance. Lee se demanda pourquoi – pour tenir les femmes à distance ? Par loyauté envers la mémoire de sa femme ? Nelson parlait rarement de Karen, mais sa photo était toujours accrochée dans le salon de son spacieux appartement, le visage reposé et souriant, se tenant à la poupe d'un yacht, les courts cheveux bruns et bouclés flottant au gré du vent – sans le moindre indice du cancer qui allait la ronger dans les années à venir.

Nelson avait été très affecté. Il exhala une bouffée de fumée et s'assit derrière son bureau, puis mit les mains derrière le cou.

— Très bien, qu'est-ce que cette affaire a de si fascinant pour ne pas pouvoir attendre ?

Lee était habitué aux brusques changements d'humeur de Nelson.

— C'est juste que j'ai l'impression que je peux être utile, que je… Disons qu'il y a quelque chose chez ce tueur que je ressens, que je comprends.

Nelson se pencha en avant et observa l'homme plus jeune que lui.

— Je ne suis pas sûr que ce soit nécessairement une bonne chose.

— Oui, je sais. Je suis conscient du danger que…

— Que ton objectivité soit compromise.

À présent, c'était au tour de Lee d'être en colère.

— Cette notion d'objectivité n'est qu'un fantasme, tu sais.

Nelson sembla surpris, mais Lee poursuivit :

— Ça n'existe pas ! C'est une illusion réconfortante créée par les gens qui ne veulent pas devenir trop proches des choses qui volent en éclats la nuit venue.

Nelson tira à nouveau sur sa cigarette.

— Si tu suggères que c'est une notion relative, je suis d'accord avec toi.

— Non, ce que je suggère, c'est que ça n'existe pas du tout. Tout ça, c'est une idée dépassée qui date du siècle des Lumières, une sorte de modèle classique qui a disparu en même temps que les perruques poudrées et les hauts-de-chausses – mais on n'en a pas encore pris conscience. C'est un idéal impossible.

Nelson grommela et écrasa sa cigarette sur le sol.

— Impossible ou non, en tant que membre de la police judiciaire, tu dois à tes victimes – et à toi-même – d'être aussi objectif que possible. Autrement, tes déductions sont brouillées par l'émotion.

Lee sentit ses épaules se raidir lorsqu'il leva les yeux sur Nelson.

— Que veux-tu dire ?

Nelson soutint son regard.

— Je pense que tu le sais.

Lee ne répondit pas, et le silence entre eux devint aussi épais que les livres et les manuscrits entassés partout dans le bureau en désordre. Il jeta un coup d'œil aux bustes en cuivre de Bach et de Beethoven posés sur le bureau de Nelson. Le visage de Beethoven était tragique – les lèvres pincées et le nez large, le regard orageux et funeste sous une crinière de cheveux en bataille ; le menton opiniâtre saillant comme une défense contre le monde, comme s'il se préparait à ce que le destin allait lui réserver... Il était la détermination personnifiée, le triomphe de la volonté humaine face à l'adversité. Quel contraste avec le contentement bourgeois de

Bach, avec son nez imposant et son visage encadré d'une perruque de boucles baroques. Nelson nourrissait une passion particulière pour Beethoven. Il avait lu à Lee des extraits du testament d'Heiligenstadt, la lettre tragique que Beethoven avait adressée à son frère après avoir appris la nouvelle de son handicapante surdité.

Lee posa une main sur le buste de Beethoven, sentant le métal froid et dur sous sa paume.

— Tu penses que mon obstination a un lien avec ma sœur, n'est-ce pas ?

Nelson fronça les sourcils.

— La victime a à peu près le même âge que Laura au moment où…

Il détourna les yeux, comme s'il était gêné. Lee resserra son étreinte sur le buste, et dit :

— Au moment de sa mort.

Même si le corps de Laura n'avait jamais été retrouvé, Lee était certain que sa sœur était morte. Il l'avait su dès le jour de sa disparition, de façon si définitive et irrévocable que les innombrables questions et spéculations de ses amis, des membres de sa famille et des journalistes bien intentionnés étaient devenues intolérables. *Elle est morte !* avait-il envie de leur crier. *N'est-ce pas évident ?* Mais le déni de sa mère avait érigé comme un mur de granit entre eux.

Il n'avait pas besoin de faire semblant avec Nelson, qui comprenait ce qui se passait dans l'esprit d'un criminel mieux que quiconque. Regarder en face les dures vérités humaines, c'était ce que faisait un criminologue, sa raison d'être.

— Elle est morte, tu sais, dit Lee d'une voix aussi calme que possible. Et que ça te plaise ou non, dans une certaine mesure, pour moi dans chaque affaire, il est question de Laura.

Nelson poussa un soupir.

— Très bien. Je pense juste que peut-être tu t'impliques trop, et trop tôt.

Lee arpenta la petite pièce avec impatience.

— Je sais que je peux le comprendre, si seulement on pouvait me donner une chance ! Je commence déjà à identifier son mode opératoire.

— Quel mode opératoire ? Il n'y a eu qu'un seul corps.

Il arrêta de faire les cent pas et fit face à Nelson.

— Oh, non, c'est là où tu te trompes. Il y en a un autre – j'en suis sûr.

— Je n'ai pas entendu parler…, dit Nelson, avant de porter la main à son front. Attends une seconde, on a retrouvé une fille dans le Queens, il y a quelques semaines, une victime non identifiée. C'est à elle que tu penses ?

— Oui, répondit Lee. Ils l'ont appelée L'inconnue n°5. Je suis certain que les deux affaires sont liées.

— Même signature ?

— Pas exactement, mais…

— La fille du Queens n'a-t-elle pas été retrouvée à l'extérieur – pas très loin du cimetière de Greenlawn, si je me souviens bien ?

— Si, mais elle n'était pas loin d'une église, et je suis convaincu que c'est là qu'il l'aurait laissée si quelque chose ne l'en avait pas empêché.

Nelson se frotta le menton.

— Ça alors ! Je me demande s'il y en a d'autres ?

— Je ne pense pas. Le meurtre du Queens est opportuniste, fait à la va-vite. Je ne serais pas surpris qu'il n'ait absolument pas été prémédité. Celui qui a été commis hier était bien plus organisé, préparé de façon très minutieuse. Et il a…

Lee marqua une pause et regarda Nelson.

— Il a quoi ?

— Cela n'a pas été divulgué au public, mais il a taillardé son corps au couteau.

Nelson inspira une grande quantité de fumée et fit tomber sa cendre dans un gros cendrier en jade rapporté de Turquie.

— Continue, dit-il doucement.

— Il a gravé les mots du *Notre Père*, la prière – ou du moins le début de la prière. Post-mortem, Dieu merci.

— Merde.

— Ça a dû prendre un certain temps.

Nelson se passa la main sur le visage.

— Nom de Dieu, Lee, j'ai peur que tu perdes pied avec cette affaire. Tu prends toujours tes médicaments ?

Lee sortit un flacon de pilules de sa veste et la mit sous le nez de Nelson. Nelson étudia le flacon.

— Ça n'est pas un dosage très important, quand Karen était malade, j'en prenais le double.

Lee remit le flacon dans sa poche.

— Ce truc est très cher.

Nelson se mit à rire.

— J'en sais quelque chose.

Lee regarda par la fenêtre les voitures et les passants qui se précipitaient dans la 10e avenue – se bousculant, klaxonnant, se frayant un passage à l'heure de pointe, tous très pressés d'aller quelque part, de prendre part à l'agitation perpétuelle de la ville de New York. Il se rappela avoir fait partie de ces gens, avant la dépression qui l'avait déstabilisé et mis à terre.

Une fois à terre, on voyait les choses différemment. Il était étrange de lever les yeux et de voir les gens qui se pressaient encore, leur vie intacte, alors que pour lui, le seul fait de se lever de son lit était un acte qui demandait une volonté démesurée. Maintenant, en les regardant dans la rue en contrebas, il avait la même impression de distance, d'être un étranger dans un monde où tous, sauf lui, semblaient savoir où ils allaient. Il les envia, mais il eut aussi la sensation de connaître quelque chose qu'ils ne connaîtraient jamais. Il avait été jusqu'au cœur des choses, au bout de l'enfer, et était revenu en vie – abîmé peut-être, mais en vie.

Il sentit une main sur son épaule et se retourna. Nelson se tenait derrière lui. Était-ce l'imagination de Lee, ou ses yeux bleus étaient humides ? C'était difficile à dire à cause de la lumière à contre-jour.

— Je vois que rien de ce que je dis ne t'arrêtera. Alors laisse-moi juste te dire ceci. Fais attention, Lee.

— Je serai prudent.

— Maintenant, va-t'en… et retrouve ce fils de pute.

Lee regarda à nouveau la rue, en contrebas. Quelque part au milieu de la cohue, il y avait un visage qui pouvait se fondre dans n'importe quelle foule, des pas qui s'accordaient à des centaines d'autres, ceux d'un meurtrier qui n'avait qu'une chose en tête – sa prochaine victime. En silence, Lee fit le vœu de faire tout ce qui était en son pouvoir – à n'importe quel prix – pour s'interposer entre le tueur et son dessein.

Chapitre 7

— Vous savez, fit remarquer l'inspecteur Butts, tout ce charabia ne résout pas les crimes. C'est le travail sur le terrain qui permet d'arrêter les criminels.

— Si vous le dites, répondit Lee.

Il avait entendu cette rengaine tellement souvent, et il était fatigué de devoir se défendre contre les flics. Il n'était pas un membre officiel de la police – il n'avait pas suivi les cours de l'académie de police, et n'avait sur lui qu'une simple pièce d'identité indiquant qu'il était consultant auprès du NYPD. Il était tout à fait conscient de la séparation qui existait entre lui et les policiers armés. Les gens comme lui ne faisaient pas forcément partie de la grande famille de la police.

C'était le lendemain matin, et ils étaient devant le bureau de la légiste qui avait procédé à l'autopsie de Marie Kelleher, l'attendant. Elle entra à la hâte, s'excusant de son retard. Gretchen Rilke était une femme assez séduisante. Elle avait les yeux bleus, les joues roses et une épaisse chevelure blonde.

— J'étais en téléconférence, et cela s'est éternisé, dit-elle en dégageant une mèche de cheveux blonds de ses yeux.

D'une main, elle sortit le corps de la chambre froide, de l'autre main, elle ôta le drap qui recouvrait le corps de Marie. Elle était aussi immobile que lorsque Lee l'avait vue pour la première fois – mais en dépit de la nuance bleutée de sa peau pâle, il avait encore du mal à se dire qu'elle était morte.

— Vous voyez les hématomes ? demanda Gretchen.

Lee regarda l'épaisse marque de décoloration violette qui entourait le cou de Marie. Elle lui semblait plus sombre à présent, ce qui pouvait être dû à l'intensité de l'éclairage au néon – mais il savait que les hématomes pouvaient s'assombrir, ou même apparaître après la mort. Maintenant, sous la lumière vive, il voyait plusieurs marques distinctes.

— Je vois, dit-il.

— Cela indique qu'il a repositionné ses doigts, sans doute à plusieurs reprises.

— Il ne l'a donc pas tuée d'un seul coup ? demanda Butts.

La légiste secoua la tête.

— Non. Et le larynx n'a pas été sectionné. C'est un tissu assez délicat, et il est souvent sectionné lorsqu'il y a strangulation. Mais il n'y a aucune lésion importante à ce niveau.

— Donc, dit Lee, cela veut dire qu'il a exercé un minimum de pression – juste assez pour lui faire perdre connaissance. Puis il a attendu qu'elle revienne à elle, et il a recommencé.

— Ce scénario est concordant avec les preuves matérielles, acquiesça le docteur Rilke.

— Merde, marmonna Butts. C'est un putain de malade.

— OK, dit Lee, presque pour lui-même, il n'est pas pressé. Ce qui veut dire qu'il est à l'aise – qu'il n'a pas peur de se faire prendre. Il ne les tue pas dans une église. Et aucun signe d'agression sexuelle ? demanda-t-il au docteur Rilke.

— Exact.

— Ni aucun signe de lutte ?

— Elle n'a même pas les ongles cassés, elle n'a donc pas eu le temps de se défendre. Il n'y a aucune marque de défense, j'en déduis qu'il l'a enlevée après l'avoir maîtrisée.

Lee aspira une bouffée d'air, évitant de respirer par le nez.

— Les entailles au couteau ont donc été faites post-mortem ?

— Cela concorderait avec la quantité de sang – ou son absence, répondit-elle. D'un autre côté…

— Quoi ? dit Lee, sentant un nœud se former au creux de son estomac.

Sa gorge se serra. Il détestait les visites à la morgue.

— Eh bien, les entailles ne sont pas si profondes, alors il est possible qu'elles aient été faites alors qu'elle était encore en vie.

Lee eut la nausée. Il se concentra sur sa respiration et prit une lente inspiration.

— Mais comment a-t-il pu faire pour l'empêcher de bouger ? demanda Butts.

— Il n'y avait aucune marque de ligature autour des poignets, ni des chevilles, n'est-ce pas ? demanda Lee.

— Non, répondit Rilke. Mais elle était peut-être trop faible pour se défendre à ce stade.

— A-t-on une idée de ce qu'il a utilisé ? demanda Butts.

— Rien de très sophistiqué. Un couteau de cuisine ordinaire aurait pu faire l'affaire. Quelque chose avec une lame assez courte – probablement pas plus de cinq centimètres.

— Cela aurait-il pu être un scalpel ?

— Les blessures sont trop irrégulières pour cela – même entre des mains inexpérimentées, un scalpel aurait fait un meilleur boulot.

— Dommage qu'on ne puisse pas faire d'analyse graphologique, observa Butts.

— Je doute en effet qu'on puisse trouver une quelconque corrélation, convint Lee, même s'il y a peut-être quelque chose dans la façon qu'il a de former certaines lettres…

— Ce n'est pas un échantillon très important, fit remarquer le docteur Rilke.

Aucun d'eux ne voulait dire ce qu'ils pensaient tous – la dernière chose qu'ils voulaient, c'était d'avoir un échantillon plus important, car cela voudrait dire qu'il y avait une autre victime.

— Nous devons y aller, dit Butts en regardant sa montre. Les parents, qui sont dans le New Jersey, nous attendent.

— OK, merci, dit Lee à l'intention de Gretchen, qui lui adressa un sourire un peu triste.

— Bonne chance.

— Merci, répondit-il, en pensant : *On en aura besoin.*

Quarante minutes plus tard, Lee et Butts étaient assis côte à côte dans le bus DeCamp en direction de Nutley, dans le New Jersey. Tandis que le bus sortait bruyamment du tunnel Lincoln, Lee tourna la tête pour regarder Manhattan, de l'autre côté du fleuve. Le soleil du milieu de matinée était encore bas à l'horizon, se cachant derrière les buildings et se réfléchissant de façon furtive sur la façade des gratte-ciel en verre du centre-ville. Le fleuve semblait parfaitement immobile et opaque sous le ciel gris et brumeux du mois de février.

Les parents de Marie Kelleher étaient déjà venus une fois en ville pour identifier le corps de leur fille, et Chuck Morton, essayant de leur épargner davantage de peine et de stress, avait envoyé Lee et Butts dans la maison du couple, à Nutley, pour les interroger.

Lee se cala dans son fauteuil et étendit les jambes sous le siège libre devant lui. Le bus DeCamp était cher, mais il était confortable et calme. Il y avait peu de monde à cette heure, la plupart des gens allant dans la direction opposée, rentrant chez eux après leur journée de travail. Les quelques passagers dispersés dans le bus lisaient, regardaient par la fenêtre ou faisaient un somme. L'utilisation du téléphone portable était interdite, d'après ce qui était écrit à l'arrière du siège du conducteur. Les passagers qui n'obéissaient pas à cette règle étaient informés qu'ils risquaient d'être expulsés du bus.

— Un bon travail d'enquête, c'est comme ça qu'on résout les crimes, observa Butts en ouvrant le magazine qu'il tenait sur ses genoux, avant de le feuilleter. Ouais, murmura-t-il, c'est ça le nerf de la guerre – frapper aux portes, rassembler les preuves.

Lee regarda par la fenêtre défiler les falaises en granit gris de

Weehawken. Il avait déjà entendu cette rengaine tant de fois, et pas seulement de la part de flics usés tels que Butts, mais aussi à John Jay. La plupart des flics n'avaient pas beaucoup de patience pour ce qu'ils considéraient comme le côté mièvre du processus de résolution d'un crime ; ils n'étaient pas à l'aise en présence des profilers, pas plus qu'ils ne l'étaient avec les psychiatres.

— Ce n'est pas que je pense que ça n'entre pas en ligne de compte, dit Butts, les yeux baissés sur une publicité qui faisait la promesse de dents plus blanches. (La femme sur la photo affichait un large sourire, ses lèvres entrouvertes laissant apparaître des dents d'une régularité parfaite qui brillaient comme des dominos d'ivoire.) Mais en fin de compte, reprit-il, tout repose sur les preuves, vous savez. Avec des preuves pures et dures, c'est comme ça qu'on épingle les criminels.

Lee ne répondit pas. À ce stade, ils n'avaient absolument aucune preuve – aucun cheveu, aucune fibre, aucun ADN – rien. Et il n'était pas non plus très optimiste sur leurs chances d'en trouver. Le tueur apprendrait sans doute de mieux en mieux à couvrir ses traces, au fil du temps.

L'inspecteur Butts avait la tête plongée dans son magazine, qu'il continuait de feuilleter. Lee ne pouvait s'empêcher d'éprouver de la sympathie pour lui, en dépit de son franc-parler – ou peut-être à cause de ça. Il ressemblait à un bulldog un peu pataud – grincheux, lunatique, excentrique, et pourtant, Lee avait l'intuition que c'était quelqu'un sur qui on pouvait compter en cas de coup dur.

— Qu'avez-vous trouvé sur le verrou endommagé dans le bâtiment de l'église ? demanda Lee.

Butts leva les yeux de son magazine.

— L'équipe d'entretien n'a entendu parler de rien, et parmi les gens du service administratif à qui j'ai parlé, personne ne se souvenait avoir passé un appel à ce sujet. Mais quand ils ont vérifié, il y avait bien un verrou endommagé, alors quelqu'un avait dû être au courant.

— Hum, c'est intéressant, dit Lee.

— Vous croyez à une coïncidence ?

— Peut-être – peut-être pas.

Le trajet jusqu'à Nutley ne fut pas long – environ trente minutes grâce à la faible circulation, et ils ne tardèrent pas à descendre, se retrouvant en haut de la colline du modeste quartier de classe moyenne où vivaient les Kelleher. C'était une petite maison en bois blanche aux volets verts, avec un petit moulin à vent en bois au milieu de la pelouse. Rien n'apparaissait sous son meilleur jour à cette période de l'année, pensa Lee tandis qu'ils remontaient le trottoir étroit qui menait à la porte d'entrée. Sur le devant de la maison, la pelouse avait pris une couleur marron et était balayée par les vents, et même le petit moulin à vent avait un air désolé et abandonné sous la lumière morose de la fin de l'hiver.

Les Kelleher les attendaient, et on les fit rapidement asseoir de chaque côté du canapé du salon, une tasse de café instantané à la main. Leurs hôtes s'assirent face à eux dans les fauteuils assortis. Dans l'âtre, derrière eux, une fausse bûche électrique émettait une lumière rouge sinistre.

Le visage de madame Kelleher ressemblait à un muffin dégonflé. C'était comme si quelqu'un avait pris une épingle et lui avait percé les joues pour en faire sortir l'air qu'elles contenaient. Sa peau se plissait légèrement, formant de petites poches terreuses sous les yeux, et de petits plis autour des lèvres fines et pincées. Lee pensa qu'elle n'avait pas plus de soixante ans, mais savait sans avoir besoin de le demander que c'était une fumeuse de longue date. La pièce empestait la cigarette.

Son mari était aussi carré et sec qu'elle était grasse. Petit et large d'épaules, il avait la carrure solide d'un mineur ou d'un ouvrier du bâtiment. Il avait des mèches de cheveux bouclées grisonnantes collées sur une tête carrée d'Irlandais, le nez couvert de vaisseaux rouges, mais ses yeux bleus étaient clairs. Lee en déduisit que les vaisseaux éclatés étaient plus probablement dus à un excès de soleil qu'à l'alcool. Si c'était un buveur, il semblait s'être arrêté à ce stade.

— Y a-t-il une raison qui vous vienne à l'esprit pour laquelle on aurait voulu s'en prendre à votre fille ? leur demanda Butts.

Les condoléances de rigueur étaient terminées, et il allait droit au but avec son tact habituel.

Brian Kelleher s'éclaircit la voix et regarda sa femme.

— Nous sommes des gens modestes. Nous n'avons jamais fréquenté de criminels.

Des effluves de tabac froid émanaient de ses vêtements, et Lee se rendit compte que lui aussi, était un fumeur.

— Qu'est-ce qui vous fait penser qu'on pourrait connaître l'assassin de notre fille ? demanda madame Kelleher, visiblement inquiète. Nous ne connaissons pas ce genre d'individus.

Butts trépignait en tripotant son carnet de notes, tandis que son regard parcourait nerveusement la pièce.

— Nous ne disons pas que vous le connaissez, répondit-il. C'est juste que parfois les gens se rappellent avoir vu ou entendu quelque chose qui s'avère ensuite utile au cours de l'enquête. Y a-t-il quoi que ce soit qui aurait pu vous paraître étrange ou inhabituel dans la vie de votre fille – en particulier au cours des dernières semaines écoulées ?

Les Kelleher semblèrent réfléchir à la question, mais Lee pensa qu'ils laissaient simplement passer un peu de temps. Ils froncèrent les sourcils, faisant mine de se concentrer, regardèrent leurs mains, puis autour d'eux. Ensuite, madame Kelleher reprit la parole.

— Je ne vois pas… Et toi, chéri ? demanda-t-elle à son mari.

Monsieur Kelleher regarda sa femme – de toute évidence, il accordait ses paroles aux siennes. Il secoua tristement la tête.

— Non, pas vraiment. Marie était une étudiante sérieuse, vous savez, ajouta-t-il en jetant un coup d'œil à sa femme.

— L'avez-vous déjà vue avec quelqu'un d'étrange ou d'inhabituel ? demanda Butts. Je veux dire, quelqu'un qui aurait pu éveiller des craintes ?

L'un et l'autre semblèrent indignés, comme s'il venait de remettre en question la vertu de leur fille.

— Oh, mon Dieu, non, répondit madame Kelleher. Elle sortait avec un gentil garçon, nous l'aimions bien, et il était très respectueux, n'est-ce pas, chéri ? dit-elle à son mari, qui hocha docilement la tête.

— Il nous a dit qu'il pensait qu'elle voyait peut-être quelqu'un d'autre, dit Butts.

— Que voulez-vous dire ? demanda madame Kelleher avec une expression qui donna à son visage rond la forme d'un coussin de canapé aplati.

— Auriez-vous entendu parler d'un autre petit ami ?

Le visage guindé de madame Kelleher se plissa comme une pêche trop mûre.

— Non ! Bien sûr que non ! Marie n'était pas ce genre de filles.

— De quel genre de filles parlez-vous ?

— Du genre de filles qui verraient deux hommes en même temps, bien sûr, répondit-elle hargneusement. Marie n'aurait jamais fait cela.

— Parce que c'était une bonne fille ? dit Lee.

— Parce que c'était une bonne fille catholique. Et de plus, dit-elle en se penchant, posant une main sur le bras de Lee, nous avons confiance en notre Seigneur, pour qu'il livre son assassin à la justice. Nous savons qu'Il veille sur nous, et qu'Il vous aidera à attraper cet homme mauvais.

— Je suppose qu'Il avait tourné la tête quand votre fille a été assassinée, marmonna Butts entre ses dents.

— Pardon ? dit madame Kelleher, le regard rempli de méfiance.

Lee eut comme un goût amer dans la bouche. Brian et Frances Kelleher agitaient leur foi devant eux comme un étendard. Il reconnut la suffisance dans les yeux de la femme – même dévastée par le chagrin, la voix de madame Kelleher avait le ton moralisateur de la véritable croyante. Ces gens brandissaient leur croyance comme une arme.

Cela l'agaça, et le mit en colère plus que de raison. Il ne savait pas pourquoi – peut-être parce qu'il avait entendu l'écho de la supériorité et du stoïcisme inconditionnel de sa mère. C'était un orgueil démesuré sous couvert d'humilité, une étroitesse d'esprit cachée sous le masque de la sagesse.

Il savait qu'il allait devoir surmonter son dégoût, et faire en sorte que son visage affiche la sympathie et la sollicitude qu'on attendait de lui.

— Vous savez, ma femme et moi avons travaillé dur pour élever notre fille et lui inculquer de solides valeurs chrétiennes, dit monsieur Kelleher, comme s'il récitait un discours appris par cœur.

Ses paroles avaient toute la spontanéité d'une litanie religieuse, pendant laquelle sa femme ne l'avait pas quitté des yeux, le sourire aux lèvres. Lee ressentit un dégoût si viscéral pour ces gens qu'il s'efforça une nouvelle fois de penser à l'horrible tragédie qui venait de les frapper.

— Vous voyez, inspecteur, reprit madame Kelleher, le Seigneur a donné, et le Seigneur a repris. Il avait sans doute ses raisons pour rappeler notre Marie à lui – parce que c'est là qu'elle se trouve maintenant, au paradis, auprès de Dieu, notre Père. Il devait avoir des projets pour elle, sinon, Il ne nous l'aurait pas enlevée ainsi.

— Alors, votre fille était également croyante ? demanda Lee.

Madame Kelleher dirigea son attention vers lui.

— Oh, bonté divine, oui ! Elle ne manquait jamais d'aller à l'église. Marie était la meilleure enfant qu'on puisse espérer, ajouta-t-elle en se tapotant les yeux avec un mouchoir à fleurs qui dégageait une forte odeur florale.

Lee essaya de déterminer si c'était une odeur de mimosa, de patchouli… ou de lys ?

Brian Kelleher posa une main protectrice sur l'épaule de sa femme. Lee avait davantage de sympathie pour lui. Il avait l'impression qu'il entrait juste dans le jeu de la dévotion religieuse de sa femme, et que livré à lui-même, il serait peut-être un homme sensé et rationnel. Madame Kelleher soupira, mais Lee eut l'impression qu'elle pleurait sur son sort plutôt que sur celui de sa fille. Il y avait quelque chose chez cette femme qui le gênait et déclenchait une sonnette d'alarme dans son esprit.

Une nouvelle demi-heure d'interrogatoire ne leur apporta aucune autre information utile à propos de la pauvre Marie. Ses parents confirmèrent simplement ce qu'ils savaient déjà à son propos. Elle était une bonne élève, discrète, mais appréciée. Elle faisait honneur à la foi de ses parents en allant régulièrement à l'église – elle s'était même portée volontaire pour distribuer à manger aux sans-abri en participant à un programme organisé une fois par mois par son église dans un refuge du quartier. Après avoir refusé une autre tasse de café instantané tiède, Lee et Butts réussirent à se sauver. Lee sentit les yeux des Kelleher sur eux tandis qu'ils descendaient la petite allée qui menait à la rue. Ni l'un, ni l'autre ne dirent un mot avant d'avoir tourné au coin de la rue, puis Butts lâcha :

— Qu'est-ce qui ne va pas chez ces gens ? hurla-t-il. Ces deux-là étaient plus intéressés par leur réputation que par l'envie de trouver celui qui a tué leur fille, grogna-t-il en sortant un cigare de sa poche. Merde ! marmonna-t-il en mettant le cigare entre ses lèvres. Parfois, je me demande vraiment ce qu'il se passe dans la tête des gens. Je veux dire, pourquoi est-ce qu'on fait tout ça ? Est-ce qu'il vous arrive de ressentir ça, Doc ?

— Ouais, dit Lee. Parfois.

Il ne voulait pas laisser entendre à Butts, ni même évoquer à quel point il avait touché le fond du désespoir.

— J'sais pas, dit Butts. J'sais vraiment pas, nom de Dieu.

Moi non plus, pensa Lee, mais il ne dit rien.

— Ils cachent quelque chose, fulmina Butts en se mordant la lèvre inférieure. Je vous jure qu'ils savent quelque chose qu'ils ne nous disent pas. Mais je sais pas ce que c'est.

Lee regarda l'inspecteur, qui mordait son cigare, furieux.

— Je ne sais pas, répondit-il, secouant la tête. J'ai l'impression qu'ils cachaient quelque chose, mais je ne suis pas sûr que ce soit lié à la mort de Marie. Ils semblaient plus concernés par l'idée de préserver leur image que par le fait de retrouver l'assassin de leur fille, mais je ne suis pas sûr que cela implique une quelconque complicité. Parfois, les gens réagissent au deuil de façon étrange et imprévisible.

— C'est bizarre, non ? observa Butts tandis qu'ils descendaient la colline en direction de l'arrêt de bus. Je veux dire, d'après vous, ce type est un genre de fanatique religieux, c'est ça ?

— Quelque chose de ce genre.

— OK, et à qui s'en prend-il ? À la gosse d'un couple de fanatiques religieux. Si ça c'est pas ironique ! Merde, si c'est pas de l'ironie, qu'est-ce que c'est ?

Lee marmonna quelques paroles lui signifiant qu'il était d'accord avec lui. C'était réellement ironique – ou peut-être pas ? Il commençait à se demander si Butts n'était pas sur une piste, après tout. Et si les Kelleher en savaient plus qu'ils ne prétendaient ? Et si c'était le cas, que savaient-ils exactement ?

Chapitre 8

Le docteur Georgina F. Williams était une Afro-Américaine qui en imposait. Elle avait une attitude guindée et une façon précise de s'exprimer qui aurait pu être considérée comme glaciale, si elle n'avait laissé échapper, de temps à autre, un léger sourire, qui naissait au coin des yeux, avant de se dessiner lentement, sur ses lèvres.

Lee avait appris à anticiper ce sourire, et s'efforçait souvent de le provoquer – son aptitude à faire rire cette femme austère était une des rares choses en sa faveur dans le rapport de force instable qui existait entre eux. Il se rappela le temps où il était assis à sa place, à traiter des patients – quand c'était lui qui détenait le pouvoir. Mais par chance, il se sentait plutôt à l'aise avec les femmes fortes, sans aucun doute grâce à sa mère, Fiona Campbell, qui même à l'âge de soixante-douze ans, était une force de la nature.

Le docteur Williams croisa les jambes et se cala au fond de son fauteuil. Elle portait un tailleur de couleur rouille avec une jupe longue et un pendentif au motif africain autour du cou. Son bureau lui correspondait à la perfection – sobre, de bon goût et raffiné. Une rampe de spots à la lumière douce et un palmier en pot mettaient en valeur les murs couleur abricot sur lesquels figuraient des reproductions de Monet, Klee et Matisse. Des sculptures éthiopiennes décoraient la bibliothèque, dans un coin de la pièce, nichées au milieu des rangées de livres – des manuels de psychologie, pour la plupart. Il y avait toujours des fleurs dans un vase, sur la table qui était à côté de sa chaise. Ce jour-là, c'était un bouquet de roses couleur thé.

Le docteur Williams posa ses grands yeux sur Lee.

— Alors, comment allez-vous cette semaine ?

— Pas terrible.

C'était toujours difficile pour lui de l'admettre, de faire abstraction de la voix de sa mère qui résonnait dans son esprit : *ça va, tout va bien.*

— Faites-vous toujours des cauchemars ?

— Parfois.

Le docteur Williams remua dans son fauteuil.

— Beaucoup de gens souffrent encore du contrecoup du 11 septembre, vous savez.

— Mais ils n'ont pas tous fait une dépression.

— Non, mais ne pensez-vous pas qu'il est temps de commencer à vous pardonner ?

Lee regarda par la fenêtre qui était derrière elle, où un gros pigeon blanc et gris picorait sur le rebord. L'oiseau leva la tête et posa sur Lee ses petits yeux orange. Lee imita tout bas le cri du pigeon. C'était un bruit qu'il faisait depuis qu'il était enfant, à Boston. L'oiseau fit quelques pas un peu raides sur le rebord de la fenêtre, puis, s'envola à tire-d'aile.

Le coin des yeux du docteur Williams se plissa. Lee guetta le sourire qu'il s'attendait à voir sur ses lèvres, mais au lieu de cela, elle prit la parole.

— Que lui avez-vous dit ?

— Pardon ?

— Au pigeon. Que lui avez-vous dit ?

Lee détourna les yeux.

— Ne réfléchissez pas. Répondez simplement.

— Mais, je…

— Dites la première chose qui vous vienne à l'esprit.

— Heu… Fais attention.

— Vous lui avez dit de faire attention ?

— C'est la première chose qui m'est venue à l'esprit.

Le docteur William décroisa les jambes et se pencha en avant.

— Fais attention à quoi ?

— À tout, je suppose.

— Vous avez donc l'impression que le danger rôde partout ?

Lee regarda le rebord de la fenêtre vide à présent.

— Oui, je suppose.

— Quel genre de danger ?

— Le danger humain. Les gens mauvais – les gens dont le seul but est de tuer, de faire du mal aux autres.

— Comme les terroristes ?

Lee baissa les yeux et regarda ses chaussures.

— Oui, comme eux et…

— Et la personne qui s'en est prise à votre sœur ?

Lee sentit les larmes lui monter aux yeux, et il les essuya du revers de la main. Il détestait pleurer devant cette femme, avec ses jambes longues et élégantes et ses yeux compréhensifs.

— Êtes-vous obligée de toujours parler de ma sœur ? dit-il d'une voix sèche et tendue.

Le docteur Williams se détendit dans son fauteuil et décroisa les jambes.

— Y a-t-il quelque chose que vous ne me dites pas ?

Lee regarda le rebord de la fenêtre déserté.

— Je suis sur une nouvelle affaire.

Il s'attendait à ce que le docteur Williams désapprouve – ils avaient discuté du fait qu'il n'était pas opportun que Lee accepte de se charger d'une nouvelle affaire pour l'instant. À sa surprise, le visage de la thérapeute ne trahit aucune émotion.

— Je vois, dit-elle. Alors, peut-être que vous pensiez à cette nouvelle affaire lorsque vous avez fait cette remarque.

— Oui, répondit-il, même s'il n'y croyait pas vraiment.

Il la regarda, s'attendant à une réaction de sa part, mais son visage resta calme, indéchiffrable.

— Vous n'êtes pas en colère ? demanda-t-il.

— Je devrais l'être ?

— Eh bien, nous étions convenus qu'il était un peu tôt… mais disons que cette affaire m'est tombée dessus à l'improviste, et je pensais que vous seriez fâchée.

— Êtes-vous déçu que je ne le sois pas ?

Lee fut pris au dépourvu par la question.

— Que voulez-vous dire ? Pourquoi serais-je déçu ?

Le docteur Williams sourit.

— Parfois, quand on s'attend à une certaine réaction et qu'on ne l'obtient pas, cela peut être décevant.

— Voulez-vous dire que je *voulais* que vous soyez en colère ?

— La question n'est pas vraiment ce que vous vouliez. C'est plutôt le fait de vous servir des autres comme d'un moyen de contrebalancer vos propres réactions. Nous avons parlé de vos tendances à ne pas prendre soin de vous, par exemple…

— Oui, je sais.

Lee eut soudain envie de quitter cette pièce de bon goût, avec son éclairage tamisé et sa légère odeur d'eucalyptus. Tout cela lui sembla oppressant, confiné, et il voulait fuir.

— Et de la façon dont vous avez réussi à déléguer cette tâche à d'autres, de temps à autre.

— C'est exact.

Il ne voulait même pas essayer de cacher l'irritation dans sa voix. Il *savait* tout cela – étant lui-même psychologue, il pouvait tirer les mêmes conclusions que le docteur Williams. Mais lorsqu'il était question de son propre inconscient, il était sans cesse stupéfait de son propre aveuglement – et il supportait mal qu'elle connaisse sa vie intérieure.

— Que voulez-vous dire ? demanda Lee.

— Juste qu'il est possible que vous comptiez sur moi, dans une certaine mesure, pour m'inquiéter pour vous, pour ne pas avoir à le faire vous-même. Vous vous attendiez donc à ce que je sois en colère en apprenant que vous travailliez sur une nouvelle affaire, et comme visiblement je ne l'étais pas, vous avez peut-être trouvé cela décevant.

Lee refusa de prendre en considération ce qu'elle disait. Il détestait ses propres réactions défensives, mais se sentait incapable de les éviter. Il avait du mal à se concentrer.

— Et peut-être cela vous a-t-il même mis en colère, ajouta le docteur Williams.

— Non, pourquoi cela me mettrait-il en colère ?

— Parce que vous avez eu l'impression que je vous laissais tomber – parce que j'ai refusé de remplir le rôle que vous m'aviez assigné.

Lee leva les yeux au plafond.

— Et quoi encore ! C'est un peu tiré par les cheveux, vous ne trouvez pas ?

Le docteur Williams sourit.

— Qu'en pensez-vous ?

Lee se contorsionna dans son fauteuil et regarda en direction de la porte.

— Avez-vous remarqué que souvent, quand nous abordons un sujet délicat ou pénible, votre première impulsion est de partir ?

Lee la regarda de nouveau.

— Sans déconner, Sherlock ?

À sa plus grande surprise, le docteur Williams se mit à rire. Puis, elle dit :

— Ce n'est pas ainsi que votre mère réagirait à ce genre de vulgarité, n'est-ce pas ?

— Non – quand j'étais gosse, j'avais si vite fait de prendre une baffe que je n'avais pas le temps de me demander de quel côté ça allait tomber. Et alors ?

— Alors, peut-être que vous me testiez. Je n'ai pas besoin de vous dire que parfois, en thérapie, comme dans nos relations, nous tâtons le terrain, nous essayons de provoquer une réaction différente de celles des personnes avec lesquelles nous avons grandi.

— En effet, vous n'avez pas besoin de me le dire. Transfert classique, bla bla bla… Et alors ?

— Alors rien. Soit cela a une utilité pour vous, soit ça n'en a pas. Il n'est pas important que j'aie tort ou raison – ce qui importe, c'est si cela vous aide ou non.

Lee baissa les yeux sur ses mains. *Rien ne peut m'aider*, pensa-t-il. Le silence s'installa entre eux, tel un gouffre fait de sa réticence à s'aventurer dans les sombres profondeurs de son esprit pour affronter le monstre qui s'y cachait.

— Il les taillade à coups de couteau, dit-il brusquement, espérant la choquer, pour la punir avec ses mots.

Il détestait son calme, son sang-froid plein d'assurance, et il voulait les lui faire perdre.

— Qui ça ? demanda-t-elle.

— Le tueur. Il leur grave des mots sur le corps.

— Quel genre de mots ?

— Les mots du *Notre Père*, bon sang !

Une idée germa dans son esprit tandis qu'il prononçait ces mots.

— Lui aussi, cherche, ajouta-t-il lentement, à mesure que l'idée commençait à se développer.

— Qui ?

— Le tueur. Pour lui, c'est l'éternelle recherche d'une issue meilleure. Mais elle n'arrive jamais. L'instant passe, puis la rage reprend le dessus, et la seule chose qu'il lui reste, c'est de tuer. Mais chaque fois, il espère ne pas en arriver jusque-là.

— Comment le savez-vous ?

— Je ne le *sais* pas – je le sens.

— Une sorte d'intuition ?

— Oui – une intuition. Il y a quelque chose de particulier chez ce tueur, dans son modus operandi, sa signature – il tue en dernier recours.

— Vous avez donc l'impression de le comprendre.

— Oui.

— Et sa rage ? Vous la comprenez ?

Lee regarda par la fenêtre. Le pigeon était revenu, se pavanant tout en picorant, promenant autour de lui son petit œil orange aussi impersonnel que la Nature elle-même.

— Oh, oui, dit-il, lâchant chaque mot sur un ton cinglant. Je comprends sa rage.

Chapitre 9

Samuel fut de nouveau attiré par le campus, espérant apercevoir furtivement les sirènes vaporeuses derrière leurs rideaux de dentelle translucide. Mais c'était un vendredi soir, et les sirènes étaient parties – sorties s'amuser, sans aucun doute. *Les filles de ce genre sont des traînées, Samuel ! Des traînées ! Elles vont te corrompre !*

Il chassa de son esprit l'écho de la voix de sa mère et se dirigea vers la résidence universitaire. Il y avait deux lampes éclairées au premier étage, et il vit des étudiants studieux assis à leur bureau, la tête penchée sur leurs cours. Tandis qu'il approchait, il vit de la lumière à la fenêtre d'une des chambres du rez-de-chaussée, un éclairage différent des autres – une lumière orange tamisée.

C'était la lueur de l'intimité.

Il avança sans bruit jusqu'à la fenêtre et se tapit derrière un buisson, aux aguets. Il entendit des bruits émanant de l'intérieur de la chambre, des bruits impurs qui firent battre son cœur de plus en plus vite, et distillèrent lentement en lui une excitation malsaine. Il eut l'impression que son estomac n'était plus qu'une vaste caverne qu'on creusait dans sa chair. Les paumes de ses mains dégoulinaient de sueur, et il eut l'impression que sa tête se vidait de son sang, le laissant étourdi. Il ferma les yeux très fort et se concentra sur sa respiration pour ne pas s'évanouir.

— Oh, Roger, oh, oh… *Roger.*

La fille parlait d'une voix inarticulée, pleine de passion, qui s'insinuait peu à peu dans sa conscience tandis qu'il restait là, tapi dans l'obscurité, les genoux enfoncés dans le sol mouillé. Une tache d'humidité s'étendait en remontant lentement le long de son pantalon. Il dégagea une mèche de cheveux tombée devant ses yeux et serra les genoux, se rendant invisible dans les ténèbres. Depuis sa plus tendre enfance, l'obscurité était son amie, le cachant des regards intrusifs de sa mère et de l'insolence inquisitrice de ses camarades de classe. Dans le noir, il était en sécurité, en symbiose avec la noirceur veloutée qui l'entourait.

Il n'avait jamais eu peur du noir, n'avait jamais pleuré quand les lumières étaient éteintes dans sa chambre, la nuit. Il était impatient de se réfugier dans le silence et le calme de la nuit, tandis que les autres dormaient autour de lui, écoutant le murmure subtil des créatures qui se sentaient elles aussi dans leur élément, la nuit tombée. Il restait étendu dans son lit, et distinguait les différents bruits – le chant métallique des criquets, le doux hululement d'une chouette, le bruissement de toutes les créatures nocturnes.

Il aimait tout particulièrement quitter la lumière vive du soleil du dimanche matin pour entrer à l'intérieur de la voûte d'une église – il aimait le calme frais des colonnes de pierre. Il savait que sa mère était très heureuse de l'intérêt qu'il portait à l'église, mais elle ne savait pas du tout à quel point il adorait l'obscurité de la chapelle, surtout les jours ternes et moroses, quand la faible lumière traversait à peine les grands vitraux, et que l'assemblée des fidèles était enveloppée dans une sainte obscurité. C'était dans de tels moments qu'il se sentait le plus proche de Dieu, quand il pouvait presque imaginer qu'Il pardonnait ses désirs les plus sombres.

— Oh, oh, mon Dieu… R-r-r-o-ger !

La voix de la fille se brisa, puis explosa en un gémissement de plaisir. Il se couvrit les oreilles, sentant son visage rougir. Les larmes chaudes de la honte coulèrent sur ses joues. Il se sentit profané par la proximité de cette passion impie, et sut alors ce qu'il devait faire. Il se pencha au-dessus du sol humide et, la tête entre les mains, se balança d'avant en arrière tandis que l'humidité pénétrait plus profondément dans sa peau, ses veines, et ses os. Il gémit doucement. Il n'y avait qu'une chose à faire maintenant. C'était une énorme responsabilité, mais aussi une leçon d'humilité.

La main de Dieu. Il regarda ses propres mains, si blanches et délicates qu'elles auraient presque pu être celles d'une femme. Il savait comment il fallait procéder – il l'avait vu. Et à présent, il était prêt à le faire lui-même.

Que votre règne arrive, Que votre volonté soit faite…

Il se leva de son poste d'observation solitaire et se réfugia dans l'obscurité accueillante. Il était temps de faire la volonté de Dieu.

Chapitre 10

— Vous savez, c'est drôle, fit remarquer Lee à Butts, mais j'ai plus de sympathie pour ces types tourmentés et déterminés que pour les meurtriers ordinaires – vous savez, ceux qui tuent pour des raisons « logiques ».

Ils étaient assis dans le métro qui se dirigeait en vibrant vers le Bronx, où ils allaient interroger Christine Riley, la camarade de chambre de Marie Kelleher à l'université de Fordham.

— Que voulez-vous dire exactement par « logique » ? demanda Butts.

— Oh, vous savez – jalousie, cupidité, revanche, argent, prestige – ou le fait de tuer pour se débarrasser d'un époux ou d'un membre de la famille gênant. Les motifs habituels.

— Vous avez plus de sympathie pour ces psychopathes ? Pourquoi ça ?

— Il y a quelque chose de froid et sans pitié dans le fait de tuer – pour de l'argent, par exemple. Mais les homicides sexuels – eh bien, ils peuvent être planifiés, mais ils impliquent généralement une compulsion. Surtout en ce qui concerne les récidivistes.

— Ouais ? Et alors ? demanda Butts tandis qu'ils arrivaient dans une gare et que le train s'arrêtait avec une secousse.

— Une fois qu'ils commencent, il est quasiment impossible pour eux de s'arrêter.

— Et pourquoi est-ce qu'ils commencent ?

— En général, un facteur de stress intervient dans leur vie, et bingo, ils basculent.

— Alors quel a été le facteur de stress dans la vie de ce typè, d'après vous ? demanda Butts tandis qu'ils grimpaient les marches du métro.

Ils furent accueillis, en haut de l'escalier, par un ciel de plomb. Un nuage bas formait comme une plaque de granit au-dessus de la ville. Février n'était pas le meilleur mois à New York, et le Bronx n'était pas non plus le quartier le plus glamour. Tandis qu'ils remontaient le Grand Concourse, un vent glacial les fit frissonner, éparpillant des feuilles mortes et des bouts de papier autour d'eux, sur le sol. Même les immeubles avaient l'air glacé – ils s'élevaient sur quatre ou cinq étages de sinistre granit gris. Le Grand Concourse était l'une des plus larges avenues de la ville, et elle comportait un grand terre-plein central. Au printemps, c'était probablement joyeux, lorsque tous les arbres et les parterres de crocus qui bordaient le terre-plein central étaient en fleurs. Mais maintenant, c'était juste sinistre. Malgré tout, il y avait de la grandeur et de la dignité dans cette désolation hivernale qui firent que Lee était plutôt content d'être là.

— Je ne sais pas ce qui l'a fait basculer, mais je suis sûr qu'il était sur le point de sombrer depuis un bon moment, répondit-il tandis qu'ils tournaient au coin de la rue dans laquelle Christine Riley vivait avec sa famille.

Les immeubles des petites rues étaient moins imposants que ceux qui bordaient l'avenue, et la famille de Christine vivait au deuxième étage d'une agréable petite résidence sans ascenseur de quatre étages. À l'entrée, des massifs de chrysanthèmes bordaient une petite clôture blanche bien entretenue.

Ils sonnèrent et on les laissa entrer dans l'immeuble. Un coup frappé à la porte des Riley entraîna aussitôt une rafale d'aboiements à l'intérieur de l'appartement – des jappements aigus venant vraisemblablement d'un petit chien agaçant. En effet, la mère de Christine ouvrit la porte, et un fox-terrier du genre grincheux apparut à ses pieds. Le petit chien grassouillet aux yeux chassieux leur sauta dessus à plusieurs reprises en poussant des jappements stridents.

— Arrête, Fritzy ! ordonna-t-elle.

L'animal l'ignora et continua d'aboyer à la vitesse d'une mitraillette.

— Madame Riley ? dit Butts.

— Oui ?

C'était une superbe blonde musclée – un corps de nageuse, avec de larges épaules et de longs bras. Elle était jeune d'allure, mais avait quelque chose de fatigué dans le regard.

L'inspecteur Butts lui montra sa plaque.

— Oh oui, nous vous attendions, dit-elle. Entrez, je vous en prie.

Elle les guida, leur faisant traverser une entrée encombrée d'icônes religieuses pour rejoindre un salon spacieux, également décoré sur le thème du kitch religieux. Un immense tableau dominait sur un des murs, représentant une jeune Marie levant les yeux vers le Christ sur la croix, les yeux brouillés de larmes remplis d'amour saint. Fritzy les suivit, aboyant en sautillant, comme s'il était en caoutchouc. C'était comme si l'aboiement était un système de propulsion unique, le faisant avancer par petites saccades chaque fois qu'il proférait un son. Madame Riley leur fit signe de s'asseoir sur un canapé à fleurs enveloppé de plastique. Cela fit penser à Lee à un préservatif géant.

Élevé dans une famille où on avait l'habitude de se moquer avec mépris d'une décoration si caractéristique des basses classes, Lee avait du mal à comprendre pourquoi on pouvait choisir le désagrément de s'asseoir sur du plastique dans le seul but de préserver la propreté de son mobilier.

— Je vous en prie, asseyez-vous, dit madame Riley.

Butts et lui s'exécutèrent, et le plastique fit un bruit de papier froissé quand ils s'assirent.

— Je vais dire à Christine que vous êtes là. Voulez-vous un café ?

— Non, merci m'dame – ça va, répondit Butts, les mains sur les genoux.

Il paraissait mal à l'aise, le corps robuste perché au bord du canapé, comme s'il avait peur de s'asseoir au fond, de crainte d'être englouti dans une mer de plastique.

Madame Riley quitta la pièce, mais Fritzy resta sur place pour garder ses proies. Les aboiements s'étaient calmés et avaient été remplacés par quelques hoquets de mise en garde. Il s'assit à quelques pas, ses petits yeux brillants sous ses longs poils fixés sur ses prisonniers.

— Je ne sais pas comment ils peuvent voir sous tous ces poils, murmura Butts, mais ma femme me dit qu'ils voient. C'est nul comme chien, ajouta-t-il en secouant la tête.

Comme s'il avait entendu l'insulte, Fritzy tourna la tête vers la cuisine, puis se leva d'un bond pour suivre sa maîtresse hors de la pièce.

Lee et Butts jetèrent un coup d'œil autour d'eux, dans le salon. Tout était à fleurs – le canapé, le tapis, les rideaux, et même le papier peint. Cela donna mal de tête à Lee.

— Merde, c'est pas beau ici ? Ma femme adorerait.

Lee eut la vision pénible de la maison des Butts, et il se demanda s'il y avait du plastique sur le mobilier. Ses rêvasseries furent interrompues par l'arrivée de madame Riley et de sa fille, Christine. La ressemblance entre la mère et la fille était frappante – les mêmes yeux pâles, si pâles qu'ils semblaient presque dépourvus de couleur, le même corps musclé. Christine avait le visage moins blanc que sa mère – elle avait les joues roses et les lèvres plus pleines.

Elle avança jusqu'au fauteuil qui se trouvait face à eux et s'assit. Fritzy trotta derrière elle avec empressement et se coucha à ses pieds.

Madame Riley resta debout derrière elle, peu sûre du rôle qu'elle devait tenir.

— Voulez-vous que je vous laisse seuls avec elle ? demanda-t-elle.

— Non, vous pouvez rester si vous voulez, dit Butts en sortant son petit carnet.

Lee remarqua qu'il était rare qu'il note quoi que ce soit à l'intérieur, mais il semblait aimer l'avoir à la main.

Madame Riley se percha sur le bras du fauteuil de sa fille et posa une main sur son épaule, dans une attitude maternelle protectrice.

— Bien, je suis l'inspecteur Butts, et voici Lee Campbell.

— Est-il aussi inspecteur ?

— Non, mais nous sommes tous les deux de la police, répondit Butts en toussotant. C'est un profiler criminologue.

Elle écarquilla les yeux et Lee discerna le bleu pâle de l'iris.

— Comme à la télé ?

— Ouais, comme à la télé, soupira Butts avant que Lee ait eu le temps de répondre.

Il s'adossa contre le plastique qui recouvrait le canapé, ce qui fit un petit bruit de succion. Fritzy leva puis pencha la tête et se lécha les babines.

— Donc, vous étiez la camarade de chambre de Marie ? demanda Butts.

— Oui, répondit-elle. Nous vivions à Wykopf East. C'est une résidence universitaire où il n'y a que des filles, ajouta-t-elle, en jetant un coup d'œil à sa mère.

— OK, répondit Butts. Y avait-il des types louches qui traînaient dans le coin, qui que ce soit qui aurait pu attirer votre attention ?

Christine fronça les sourcils. Ses mains jouaient avec une de ses mèches de cheveux blonds qu'elle enroulait autour de ses doigts.

— Heu, non, pas vraiment. Je ne vois pas. Je veux dire, son petit ami était un peu bizarre, mais il est très gentil. Vous ne pensez pas qu'il aurait pu…, dit-elle avant de s'interrompre, levant les yeux vers sa mère.

— Monsieur Winters n'est pas suspect pour l'instant, répondit Butts.

— Oh, tant mieux. Parce que si vous pensiez qu'il… Je veux dire que ce serait vraiment horrible. Enfin, c'est déjà assez horrible comme ça, ajouta-t-elle.

— Comme je vous l'ai dit, répéta Butts, il n'est pas suspect pour l'instant.

— Y a-t-il quelque chose qui vous vienne à l'esprit, qui pourrait nous aider dans notre enquête ? demanda Lee. Quoi que ce soit qui aurait pu vous sembler étrange ou inhabituel ?

Christine fronça les sourcils et baissa les yeux.

— Je voudrais pouvoir vous aider, mais je ne vois pas.

— Ça n'est pas grave, dit Lee gentiment. Si quelque chose vous revient, vous pouvez toujours nous appeler.

— Comment décririez-vous Marie Kelleher ? demanda Butts.

— Oh, elle était vraiment très gentille – discrète, c'était une bûcheuse, juste une fille bien…

— Une bonne catholique, dit soudain sa mère.

— Je vois que vous êtes également catholique, dit Butts.

— La seule vraie religion, répliqua-t-elle vivement.

— Est-ce pour cela que mademoiselle Kelleher et votre fille étaient camarades de chambre ? Parce qu'elles partageaient les mêmes croyances ?

Madame Riley ramassa une peluche invisible sur le tapis immaculé.

— C'est une des raisons. Elles avaient d'autres centres d'intérêt en commun.

— Elle était le genre de fille qui parlait facilement à tout le monde, vous savez, dit Christine. Elle n'était pas snob. Elle était… Elle était très gentille. Elle aidait tous ceux qui étaient dans le besoin. Pourquoi est-ce que ce sont toujours les gens comme elle qui meurent jeunes, et qui sont tués par des dingues ? Pourquoi ?

— Peut-être parce que ce sont les morts qui nous touchent le plus, celles qui nous semblent les plus cruelles et injustes, répondit Lee.

Fritzy remua la queue et lécha la main de Christine.

— Oh, Fritzy, dit-elle, éclatant en sanglots. Tu sembles toujours savoir ce que je ressens.

Elle prit le chien et le serra contre sa poitrine en le caressant. Butts regarda madame Riley et s'éclaircit la gorge.

— Je... Je pense que ce sera tout pour aujourd'hui. Merci pour le temps que vous nous avez consacré.

Il se leva du canapé avec difficulté, maniant son carnet de façon maladroite.

— Nous vous contacterons si nous avons besoin d'autres renseignements. N'hésitez pas à nous appeler si vous pensez à quoi que ce soit, dit-il en lui tendant sa carte.

— Je suis désolée, inspecteur, dit madame Riley en les raccompagnant jusqu'à la porte. C'est vraiment un moment difficile pour nous.

— Inutile de vous excuser, lui assura Butts. Je suis désolé si nous avons causé davantage de peine à votre fille.

— Vous faisiez juste votre travail.

Butts toussa et baissa la tête, regardant ses pieds.

— Oui, mais ce n'est pas tout le monde qui le comprend. Je voudrais que plus de gens soient comme vous – ça rendrait mon travail plus facile.

— Pardonnez-moi, dit Lee, mais y a-t-il un monsieur Riley ?

La bouche de madame Riley se crispa.

— Il y a eu. Mais plus maintenant.

Elle ne leur donna pas plus d'explications, il ne leur restait donc plus qu'à la remercier, à quitter les lieux et à retourner vers le métro. Quand ils furent à une certaine distance de l'immeuble, ils entendirent des bruits de pas, se retournèrent, et virent Christine qui courait après eux. Elle ne portait pas de manteau, et elle avait les joues rougies par le froid et l'effort après avoir couru.

— Excusez-moi, dit-elle en les rattrapant. Je ne peux pas continuer plus longtemps sans en parler à quelqu'un !

— Qu'y a-t-il ? demanda Lee. Qu'avez-vous besoin de nous dire ?

— Ils ne veulent pas que j'en parle, mais je dois le faire – je ne peux plus me taire !

— Qui ne veut pas que vous parliez ?

— Ma mère – et les parents de Marie. Ils savent – ou du moins ils pensent savoir.

— Que savent-ils ?

— C'est… C'est le père Michael.

— Qu'y a-t-il avec le père Michael ?

— Il… il avait une aventure avec Marie.

— Comment le savez-vous ?

— Parce qu'il couchait aussi avec moi.

Puis, après avoir prononcé ces derniers mots, elle fondit en larmes.

Chapitre 11

— Alors, vous avez juste omis de nous mentionner ce petit détail, hein ? lança l'inspecteur Butts, rapprochant son visage de celui du prêtre. Que vous couchiez avec une fille qui, comme par hasard, est retrouvée morte *dans votre église* ?

Le père Michael Flaherty s'assit, les mains croisées sur les genoux, les yeux fixés au sol. Butts faisait les cent pas autour de lui, frémissant de rage.

C'était moins de deux heures après la révélation de Christine à propos de la relation sexuelle que le prêtre entretenait avec Marie et elle. Lee et Butts étaient dans une salle d'interrogatoire de l'Unité des enquêtes prioritaires du Bronx, tandis que Chuck Morton les observait à travers un miroir sans tain.

— Il y en avait beaucoup d'autres ? poursuivit Butts. Hein ? C'est plutôt un bon choix, des étudiantes – vous ne deviez pas vous ennuyer, avec toutes ces gentilles petites catholiques. Est-ce que c'est vrai, ce que dit la chanson mon Père, que les filles catholiques sont plus fun ?

Le prêtre avait les yeux rivés sur ses mains.

— Je voudrais un avocat, s'il vous plaît, dit-il.

— Oh, ne vous inquiétez pas – il ne va pas tarder, dit Butts avec dégoût en s'affalant sur la chaise, près de Lee.

Chuck ouvrit la porte et leur fit signe à tous les deux de venir à l'extérieur.

— OK, ça suffit – plus aucune question tant que son avocat n'est pas arrivé, dit-il une fois qu'ils furent sortis dans le couloir. Je ne veux pas qu'on prenne le risque de le perdre, alors on agit dans les règles. On n'a rien contre lui, alors à moins qu'il n'avoue, on va devoir le laisser partir.

— Est-ce qu'on peut le faire filer ? demanda Butts.

— Oui, mais je ne sais pas si ça en vaut le coup. Il n'a commis aucun crime – coucher avec ces filles était contraire à la déontologie, mais ça n'était pas illégal. Elles ont toutes les deux plus de dix-huit ans. J'ai appelé l'administration de Fordham, et ils vont s'occuper de son cas pour ce qui est de l'éthique, dit Chuck, avant de se tourner vers Lee. Qu'en penses-tu ? Est-ce qu'il correspond à ton profil ?

Lee regarda le prêtre, qui était assis, les yeux fixés dans le vide, devant lui, les mains toujours posées sur ses genoux.

— Mon instinct me dit que ce n'est pas lui, mais en ce qui concerne l'âge et la race, il correspond. Mais il y a quelque chose qui cloche… Je ne pense pas que le tueur ait une profession dans le domaine de la religion. C'est plutôt l'œuvre de quelqu'un qui serait extérieur à ce genre de profession, quelqu'un qui désire l'absolution religieuse, mais ne pense pas la mériter.

— Alors, si le prêtre n'est pas le Découpeur, on est revenus à la case départ, dit Butts.

Butts avait surnommé le tueur le Découpeur – Lee n'aimait pas beaucoup ce mot, mais Butts et lui commençaient à peine à se sentir à l'aise l'un avec l'autre, et il ne voulait pas mettre leur relation en péril, il ne l'avait donc pas contredit.

— On a un mandat de perquisition pour son appartement, alors si le collier disparu s'y trouve, on mettra la main dessus, dit Chuck.

— Je ne pense pas que vous trouverez le collier, répondit Lee, avant de se tourner vers Butts. Vous vous rappelez que le petit ami pensait que Marie voyait quelqu'un d'autre ? Il devait sans doute parler du père Michael.

— Quel fils de pute, se lamenta Butts, profiter ainsi de ces filles. Et vous savez ce qui m'écœure le plus ? C'est que les familles étaient au courant, et qu'elles n'ont rien dit.

— Eh bien, il y a plusieurs niveaux de connaissance, et on ne sait pas exactement ce qu'elles savaient – peut-être soupçonnaient-elles seulement quelque chose, fit remarquer Lee.

— Mais pourquoi couvrir un truc pareil ?

— Parce que ce sont de « bons catholiques », dit Chuck.

Butts se gratta la tête.

— Je ne vous suis pas.

— Comment pourraient-ils s'autoriser à croire que le prêtre de leur fille soit capable d'une telle chose ? dit Lee. Tout leur système de croyances s'effondrerait.

— Oh, merde, dit Butts. Ça me rend dingue.

— C'est moche, j'en conviens, répondit Lee. Mais ce que fait le tueur est pire – bien pire.

Chapitre 12

Lee s'assit sur un des côtés de l'amphi plein de courants d'air de l'université John Jay, regardant son ancien mentor à l'œuvre. Il était plus de trois heures de l'après-midi, mais il n'y avait pas de chauffage dans l'immense salle et les étudiants étaient assis emmitouflés dans leur veste, se frottant les mains, sur lesquelles ils soufflaient. Mais en dépit du froid, il y avait du monde. Les cours magistraux de Nelson attiraient toujours les foules. C'était un nouveau cours, un intitulé plutôt audacieux pour l'université John Jay – La psychologie et la philosophie du tueur en série.

Debout sur l'estrade, Nelson allait et venait, les mains dans les poches. Il parlait sans aucune note, et le rythme extrêmement rapide avec lequel il débitait son cours avait souvent été parodié par ses étudiants. Quand Lee était étudiant à John Jay, le spectacle de fin d'année incluait une satire de Nelson, jouée par un étudiant qui portait une perruque rouge, fumant plusieurs cigarettes en même temps, et aboyant ses cours à une telle vitesse qu'ils étaient incompréhensibles. À son honneur, cela faisait toujours se tordre de rire Nelson. Il avait dit par la suite que c'était le portrait le plus flatteur qu'il avait jamais vu de lui-même.

— Je voudrais poursuivre aujourd'hui avec une citation du célèbre profiler du FBI, John Douglas, dit Nelson, arrêtant d'aller et venir pour dérouler un grand écran de projection. Dans son livre *Agent spécial du FBI*, il écrit « Si vous voulez comprendre l'artiste, regardez son œuvre », dit Nelson en se perchant au bord de son bureau. Alors, qu'est-ce que cela veut dire exactement ?

Il promena son regard sur la multitude de visages enthousiastes, avant de reprendre :

— On a toujours dit que la frontière entre le génie et la folie était mince. Si vous poussez cette idée assez loin, vous pouvez même émettre l'hypothèse que derrière chaque génie se cache un fou potentiel. Et certainement dans des cas tels que Van Gogh ou Lord Byron, vous aviez les deux. Tenter de séparer le génie de sa « folie », c'est comme d'essayer d'ôter la teinture d'un tissu une fois qu'elle est fixée. C'est la question de l'œuf et de la poule. Qui peut dire lequel nourrit l'autre ? Van Gogh aurait-il peint les tournesols ou le jardin à Arles s'il n'avait pas souffert de trouble bipolaire ? Je suppose que non. Il aurait peut-être peint, il aurait peut-être été un bon peintre, mais il n'aurait pas été Van Gogh.

Il marqua une pause pour régler le projecteur posé sur le bureau. Les étudiants étaient assis, fascinés par son intelligence et son charisme. Lee se rappela que, du temps où il était étudiant, certaines filles en pinçaient pour Nelson et le suivaient partout entre les cours, s'imprégnant de sa forte personnalité.

— Cela nous ramène donc à John Douglas, dit Nelson en saisissant la télécommande du projecteur de diapositives. Si vous voulez comprendre l'artiste, regardez son œuvre. Et si vous considérez le tueur en série de la même façon que vous regardez un artiste, alors nous pouvons commencer à comprendre ce que dit monsieur Douglas. Après tout, l'origine est la même – l'obsession. Seuls la forme et le contenu diffèrent, le degré de sublimation, d'acceptabilité sociale. Ceci par exemple, dit-il en appuyant sur la télécommande, faisant apparaître sur l'écran une photo du *Jardin public à Arles le jardin du poète*, est socialement acceptable. Mais cela ne l'est pas, dit-il en cliquant à nouveau, faisant cette fois apparaître la photographie d'une jeune femme portant des marques de strangulation autour du cou.

Des murmures s'élevèrent dans l'assistance. Les lèvres de Nelson se contractèrent, mais il ne put réprimer un sourire. Il aimait choquer ses étudiants. Sans cet aspect sombre de sa personnalité, pensa Lee, Nelson ne serait pas Nelson.

Une fille au troisième rang leva la main. C'était une blonde très mince au visage pâle.

— Insinuez-vous qu'il n'y a pas de différence entre un prédateur sexuel et un grand artiste ?

Sa voix tremblait, mais Lee ne pouvait déterminer si c'était dû à la nervosité ou à la colère.

— Pas du tout, répondit Nelson. Je suggère simplement que ce qui les anime provient de la même source. La forme d'expression ne pourrait être plus différente.

Le visage pâle de la jeune fille rougit et sa voix trembla plus encore.

— Alors c'est juste une question de forme ?

— Mais la forme *est* le contenu, à un niveau très profond. Pensez, par exemple, à l'irréductibilité d'un poème. C'est comme la séparation artificielle entre l'esprit et le corps, chose que la médecine orientale reconnaît depuis des siècles. Une migraine est-elle la conséquence de trop de vin, d'une prédisposition génétique, ou d'une dispute avec son mari ? Qui peut le dire ? Le médecin dit que cela résulte de la dilatation des vaisseaux sanguins au niveau du front, l'allergologue déclarera que c'est dû à une intolérance aux tanins et aux nitrates, et le thérapeute qui pratique le reiki revendiquera qu'il s'agit d'un déséquilibre des énergies – et peut-être ont-ils tous raison. Et pour ce qui est de la différence entre l'artiste et le criminel, je maintiens que Van Gogh – qui était psychotique – ou prenons Beethoven, par exemple, qui était connu pour son excentricité et son âme torturée – ont eu la chance d'avoir trouvé une forme d'expression de leur esprit, et de leurs démons, qui était socialement acceptable. Ils ont mieux réussi à s'adapter au monde dans lequel ils vivaient que le criminel moyen. D'un autre côté, il y a des individus qui sont à la fois des criminels et des artistes de talent – comme Jean Genet, par exemple.

Un garçon, au deuxième rang, leva la main.

— Vous avez dit qu'ils proviennent de la même source – quelle est cette source ?

— La libido – la force de vie. La passion. Sans passion, il n'y a pas de créativité – ni de destruction. En grec, le mot « passion » veut dire « souffrir », comme dans la Passion du Christ. Mais dans notre culture, cela a fini par vouloir dire la force qui nourrit le désir sexuel, et non la créativité. Laissez-moi vous rappeler, ajouta-t-il, qu'Adolf Hitler aspirait à être artiste avant de devenir dictateur. En fait, certains ont soutenu que si les critiques viennois s'étaient montrés plus cléments envers le jeune Adolf, la Seconde Guerre mondiale aurait pu être évitée. C'est en partie sa frustration en tant qu'artiste qui l'a poussé à se tourner vers la politique. Comme le souligne R. D. Laing, il est nécessaire pour un individu d'avoir le sentiment d'avoir apporté quelque chose – d'avoir été « reçu » par les autres. Donc, l'artiste ignoré devient politicien – et il fait en sorte d'être entendu. Son art, tout autant que ses discours politiques, étaient pour lui des tentatives d'imposer sa volonté – son *moi* – au monde. Comme tous les leaders qui font l'objet d'un culte, il exploite les peurs et les rêves de ses partisans…

Une fille brune au premier rang leva la main.

— Les nazis faisaient l'objet d'un culte ?

Nelson pencha la tête sur le côté.

— Bien sûr, et ce culte a eu beaucoup de succès, pendant un temps du moins. Mais tous les cultes finissent par s'autodétruire, mais c'est un autre sujet, dit-il en descendant du bureau sur lequel il était perché. L'artiste ignoré, mais cela peut être le fils, ou l'amant, peut également devenir un tueur en série, dit Nelson en appuyant sur la télécommande, remplaçant l'image de la jeune femme par un gros plan montrant Ted Bundy, un grand sourire aux lèvres. La plupart d'entre vous reconnaissent cet homme. Beau, intelligent et charmant, c'était le genre d'homme que votre mère voudrait vous voir épouser. (Lee n'en était pas sûr, mais il eut l'impression que

Nelson avait jeté un coup d'œil à la fille blonde en disant cela.) Mais il était le symbole de ce que la société craint le plus – le monstre caché en son sein. Et certaines personnalités profondément antisociales, comme Bundy, apprennent à imiter le comportement social à la perfection – on pourrait même dire qu'ils se font passer pour des êtres humains.

Nelson reposa la télécommande et resta debout face à son audience, puis reprit :

— Mais c'était un être humain, et notre boulot est de le comprendre et non de nous contenter de le juger. C'est une tâche bien plus difficile et dérangeante, bien sûr, mais c'est celle que nous avons choisie.

Un garçon fluet, au fond de la salle, leva la main.

— Diriez-vous que Ted Bundy était le mal incarné ?

— Ce n'est qu'une étiquette – sans rapport avec l'optique qui nous intéresse. Laissez cela aux philosophes de profession et aux théologiens. Les profilers et les psychologues n'ont pas besoin de répondre à cette question.

Le jeune homme se redressa sur son siège. Lee ne voyait pas son visage, mais il était blond et mince, et avait une voix fluette.

— Mais croyez-vous qu'il existe une chose telle que le mal dans le monde ?

Nelson passa une main dans ses cheveux ondulés.

— Les questions les plus profondes sont précisément celles auxquelles on ne devrait jamais penser pouvoir répondre de façon concluante. Apprendre à vivre dans un état d'incertitude est une des choses les plus difficiles que nous devions faire en tant qu'êtres humains, mais c'est une des plus importantes. Dès que nous avons l'impression d'avoir toutes les réponses, quelque chose en nous commence à mourir. Mais ce sera le sujet d'un autre cours, ajouta-t-il en jetant un coup d'œil à sa montre. D'autres questions ?

Le jeune homme blond leva à nouveau la main.

— Freud dit que si le ça ne peut être maîtrisé, il peut se déchaîner.

Nelson éteignit le projecteur.

— Laissez-moi vous rappeler que l'origine allemande de ce que nous nommons le « ça », est « Ich » – « Je ». Ce qui est une formulation bien plus audacieuse, je pense, que le terme latin plutôt mou d'« ego ». Et les Allemands, comme vous le savez peut-être, mettent une capitale à tous leurs pronoms.

La fille blonde leva la main.

— Et même à tous leurs noms, à vrai dire.

Nelson sourit.

— Merci pour cette rectification, mademoiselle Davenport. Bien, je vous dis à tous à la semaine prochaine.

Lee sourit à son tour – il ne savait pas trop si elle faisait partie ou non des admiratrices de Nelson. Mais tandis qu'elle rassemblait ses livres pour les ranger dans son sac à dos, il eut l'impression qu'elle lançait des regards insistants en direction de Nelson, et elle fut la dernière à sortir de l'amphi. Une fois la salle vide, Nelson monta d'un pas nonchalant les marches qui conduisaient au dernier rang, où Lee était assis.

— Eh bien, c'est comme au bon vieux temps. Tu es passé prendre un cours de remise à niveau ?

Lee sourit.

— Quelque chose comme ça.

— Tu veux prendre un verre ? C'est moi qui invite. J'ai besoin de me laver la tête de tous ces étudiants de premier cycle.

— Bien sûr, pourquoi pas ? Tant que c'est toi qui invites.

L'Amstrong était, sur la 10ᵉ avenue, un des bars préférés de Nelson. Le menu était varié et, bien plus important pour Nelson, les pintes de Bass étaient dignes de ce nom et bon marché. L'Amstrong était un des secrets les mieux gardés du quartier de Hell's Kitchen – connu des gens du coin, mais pas des touristes, ni de la foule qui déferlait sur la 9e avenue aux heures de pointe.

— C'était un cours ambitieux, fit remarquer Lee tandis que le barman posait deux pintes devant eux.

— Ces temps-ci, j'essaie surtout de me distraire, répondit Nelson, buvant à grands traits sa pinte ruisselante, avant de s'essuyer les lèvres et de la reposer sur le comptoir. Voilà ce dont A. E. Housman parlait quand il a dit que « Le malt, plus que Milton, justifie l'action de Dieu sur les hommes ».

— Malgré tout, on a besoin de notre Milton, autant que de notre malt.

Nelson plongea une main dans le bol de pop-corn posé sur le bar.

— Vrai. C'est drôle, mais je me rappelle encore avoir lu *Le Paradis perdu* à l'école et avoir pensé que Satan avait l'air très intéressant – autant que le Christ semblait ennuyeux.

— Satan est plus humain, convint Lee. Il est plus ambivalent, alors que le Christ a tout compris. Qui peut s'identifier à cela ?

— Ou peut-être que nous aimons simplement nos traîtres, répondit Nelson avec un sourire.

Il alluma une cigarette et souffla dans la direction opposée. Le tabac avait une odeur distinctive et aromatique, comme une odeur de plantes.

— Cigarettes au clou de girofle, dit-il en réponse au regard interrogateur de Lee. Certains de mes étudiants les fument. Elles sont censées être moins mauvaises pour la santé.

— Je ne pense pas que la vertu du Christ soit ce qui le rende si opaque, observa Lee. C'est une certitude. Mais même les gens vertueux sont remplis de doutes et d'incertitude. C'est ce qui nous touche à propos de Satan – il souffre, son âme est tourmentée. Le Christ est tellement serein, bordel ! Qui peut s'identifier à ça ?

— Pas moi, mon pote, pas moi, répondit Nelson tout en faisant signe au barman. Un autre pour moi, mon ami. Tu vas devoir me rattraper, ajouta-t-il en voyant le verre de Lee encore à moitié plein.

Lee s'inquiétait de la rapidité à laquelle son ami buvait. Nelson, de toute évidence, comprit ce qui traversait l'esprit de Lee, et posa une main sur son bras.

— Ne t'inquiète pas, mon ami, je n'ai plus de cours aujourd'hui. Je n'ai encore jamais donné de cours bourré, et je n'ai pas l'intention de commencer maintenant. Alors, comment se présente ton affaire ?

— Nous avons un suspect, mais je ne pense pas que ce soit notre homme.

Lee parla à Nelson du père Michael et de sa relation avec la fille morte. Nelson écouta d'un air absorbé.

— Il l'a bouclée dès que son avocat est arrivé ?

— Ouais. Son avocat n'arrêtait pas de dire que c'était la parole de la fille contre la sienne, et que nous n'avions aucune charge contre lui.

Nelson soupira.

— Il n'a pas tort, bien sûr. Tu as peut-être raison sur le fait que le prêtre n'est pas le tueur, mais tu devrais quand même garder un œil sur lui.

— C'est ce qu'on fait.

— Bien. Et maintenant, que dirais-tu d'une autre tournée ?

— Non, merci, répondit Lee, mal à l'aise. Je ne peux plus boire autant qu'avant.

— Garde ce genre d'aveu pour toi, si tu ne veux pas te faire virer de cet endroit ! dit Nelson assez fort pour que le barman puisse l'entendre.

Il ne voulait manifestement pas parler de son problème avec l'alcool, et sa forte personnalité était comme un mur entre eux. Lee se sentit en partie soulagé. Il n'avait aucune envie d'inverser les rôles de leur fragile semblant de relation père-fils. Il était à peu près sûr que la consommation d'alcool de son ami s'était accélérée depuis la mort de sa femme, mais la pensée de confronter Nelson à ce problème était intimidante. Il fit le vœu de garder un œil sur son ami, mais jouer les baby-sitters pour veiller à ce que Nelson ne boive pas trop allait devoir passer après une autre mission : trouver l'homme qui traquait et étranglait des jeunes femmes.

Il regarda les visages heureux et détendus autour de lui – le jeune couple latino dans l'angle, les deux étudiants à l'autre bout du bar, la jeune femme et son fils jouant aux jeux vidéo. Il fut envahi par un sentiment de responsabilité irrationnel de les protéger d'un tueur qui – Lee en était certain – n'arrêterait pas tant qu'il ne se ferait pas prendre.

Chapitre 13

La visite que Lee avait rendue au cours de Nelson et à l'Amstrong n'avait pas réussi à dissiper la sensation troublante qui le perturbait depuis le matin. Il ne parvenait pas à se débarrasser de cette boule au creux de son estomac. Tandis qu'il se dirigeait vers la cuisine pour faire du thé, le téléphone sonna. Il prit l'appel et continua d'avancer vers la cuisine.

— Allô ?

— Lee, c'est Chuck.

— Salut ? Que se passe-t-il ? demanda Lee en sortant une boîte à thé bleue, avant de mettre l'eau à chauffer.

« Il n'y a rien qu'une bonne tasse de thé ne puisse arranger », disait toujours sa mère. *Ouais, c'est ça maman.*

— C'est à propos de notre inconnue.

Chuck Morton n'avait jamais su cacher ses sentiments. Lee décida d'essayer de lui épargner la difficile tâche de lui annoncer la nouvelle.

— Personne ne me croit, c'est ça ? dit-il en sortant de la boîte un sachet de thé Lifeboat découvert chez Cardullo lors de son dernier voyage à Boston.

— Moi, je te crois, mais en haut lieu, ils n'arrivent pas à avaler ta théorie sur L'inconnue n°5. Les inspecteurs du Queens sont bien déterminés à garder le dossier – ils disent que c'est leur affaire.

— Elle a été tuée par le même type – je le sais !

Il y eut un silence pesant. Lee regarda par la fenêtre les gens qui faisaient la queue pour entrer chez McSorley. Il n'allait jamais là-bas le soir – l'après-midi était le meilleur moment, quand le soleil inondait les fenêtres poussiéreuses, dansait sur le sol parsemé de sciure, miroitant sur les pompes à bière anciennes en cuivre.

— Tu sais ce que certains d'entre eux pensent des profilers, dit Chuck. Ils ne croient pas qu'on ait un tueur en série sur les bras, dit-il sur un ton d'excuse.

— Eh bien, ils découvriront tôt ou tard qu'ils ont tort – quand une autre fille mourra.

En bas, dans la rue, un couple se disputait. La fille était adossée au mur, bras croisés, tandis que son petit ami fulminait et faisait les cent pas devant elle en agitant les bras dans tous les sens. Lee n'entendait pas ce qu'il disait, mais à en juger par l'expression renfermée de la fille, ce n'était pas bien accueilli. Le petit ami était blond et corpulent et de son côté, elle était grande, brune et maigre, avec un visage d'Irlandaise – des yeux vifs et sombres et un petit nez retroussé et mutin. Elle le regardait avec défiance, et semblait capable de gérer la situation.

— Tu ne penses pas que c'est le prêtre, si ? demanda Chuck.

— Non, et même si c'était le cas, tu dois le laisser partir, à moins de trouver de quoi l'inculper.

— Oh, bon sang, Lee. Je voudrais pouvoir faire quelque chose.

La bouilloire se mit à siffler et Lee l'éteignit.

— Eh bien, peut-être qu'on a assez d'éléments pour poursuivre l'affaire à partir du Bronx.

— On verra, dit-il en versant de l'eau bouillante dans une tasse bleue et blanche. La progression d'un tueur nous apporte des informations importantes sur lui. Le deuxième meurtre était déjà plus préparé que le premier.

Il omit de dire ce qu'il pensait d'autre : *Et plus violent.*

— Nous avons interrogé tous ceux qui travaillent dans cette église, mais pour l'instant, nous n'avons rien obtenu de probant. Si ce n'est pas le prêtre, penses-tu que ce type puisse être un des fidèles de l'église ? demanda Chuck.

— Je ne pense pas. Mais si nous avions assez d'effectifs, cela vaudrait peut-être la peine de retrouver ces gens pour les interroger.

Il ajouta du lait et du sucre à son thé et jeta un nouveau un coup d'œil sur le couple dans la rue. La fille était toujours adossée au mur, fumant une cigarette. Le petit ami semblait avoir disparu.

— Pour l'instant, on essaie d'éliminer certains délinquants sexuels du coin, dit Chuck. Butts et moi allons interroger des suspects potentiels cet après-midi – tu veux y assister ?

— Oui, bien sûr. À quelle heure ?

— D'ici une heure environ.

— J'y serai.

La salle d'interrogatoire était minuscule et mal aérée. Chuck avait fait entrer un homme nommé Jerry Walker. Walker faisait partie du personnel d'entretien de Fordham, et avait un casier judiciaire pour deux arrestations et une condamnation – les deux pour délit sexuel sur des femmes. Tandis qu'ils attendaient l'arrivée de l'inspecteur Butts, Lee parcourut le dossier de Walker. Il avait été déclaré coupable de détournement de mineur huit ans plus tôt, avait été condamné à dix ans, en avait purgé cinq et avait été libéré pour bonne conduite. Il était en liberté conditionnelle depuis trois ans. Jusque-là, il semblait s'être tenu à carreau, cela dit, avec ce genre de types, on ne savait jamais. Comment il avait réussi à obtenir un boulot d'entretien dans une université, Lee n'arrivait même pas à l'imaginer.

La porte s'ouvrit brusquement et Butts entra, en nage et à bout de souffle.

— Désolé, dit-il, semblant plus irrité que navré. Il y avait un putain d'incendie sur la ligne A, poursuivit-il en desserrant sa cravate, avant de se servir un verre d'eau à la fontaine, dans un coin de la pièce.

Walker sourit et s'adossa à sa chaise, comme s'il prenait plaisir à tout ça. C'était le genre de type macho et prétentieux que Lee connaissait bien. Il se demandait toujours si ces types étaient vraiment tels qu'ils paraissaient – leur comportement était une somme de clichés, qui mis bout à bout donnaient une véritable caricature.

Mais la conscience de soi ne faisait pas partie des bizarreries de caractère de Jerry Walker. Il était assis face à eux, de l'autre côté de la table d'interrogatoire, les jambes largement écartées, et sa posture insolente exprimait son dédain pour tout ça. Un paquet de Camel dépassait de la poche de son tee-shirt – encore un cliché, pensa Lee. Il était fagoté comme un motard des années 1950 – tee-shirt blanc, jeans, grosses bottes noires, cheveux tirés en arrière.

Ses bras gonflés à bloc étaient croisés, faisant saillir les tatouages sur ses biceps – une sirène aux formes avantageuses sur le bras gauche, et « I love Jenny » en lettres gothiques sur le bras droit. Lee se demanda qui était Jenny, et si elle savait qu'elle avait été immortalisée à l'encre sur les bras musclés de Jerry Walker.

L'inspecteur Butts finit son eau, allant et venant derrière Walker, se frottant les mains, tandis que Chuck était assis à un coin de la table, face à lui. Lee reconnut la technique. *Envahir son territoire, le bousculer, lui donner la sensation d'être acculé, créer un sentiment d'insécurité.* À en juger par le sourire en coin sur le visage de Walker, ça ne produisait pas l'effet escompté.

— Vous pensez que je suis le tueur, pas vrai ? lança Walter avec un sourire méprisant.

— C'est à vous de nous le dire, répondit Chuck, incapable de cacher son antipathie. Le maire nous a demandé d'interroger quelques délinquants sexuels de la région. Et il semblerait que vous en fassiez partie.

— Hé, tout ça c'est terminé, protesta Walker. J'ai une nouvelle vie, maintenant, un boulot stable, une petite amie. Je vois même un thérapeute, ajouta-t-il, même si c'est pas vos oignons.

— Vous avez raison, répondit Chuck, c'est pas mes oignons. Ce qui m'intéresse, c'est l'endroit où vous vous trouviez le 11 février.

Walker fit un large sourire, révélant une dent en or.

— Facile, le 11 je n'étais pas en ville. Je suis allé voir ma vieille mère – je suis un fils très dévoué. Je peux vous montrer mes billets d'avion pour le prouver.

Chuck soutint son regard.

— Les billets d'avion peuvent être falsifiés.

— Appelez ma mère et demandez-lui.

Butts arrêta d'aller et venir et se plaça derrière Walker.

— Oh, c'est une bonne idée, dit-il. Je suis sûr qu'elle n'aurait aucun intérêt à couvrir son fils unique – je sais qu'il ne lui viendrait jamais à l'idée de mentir à la police.

Lee toucha le coude de Chuck.

— Quoi ? fit Chuck.

Lee se pencha pour lui murmurer quelque chose à l'oreille.

— Ce n'est pas lui. Ce n'est pas notre type.

— OK, chuchota à son tour Chuck, mais quoi qu'il en soit, je dois terminer ce que j'ai commencé.

— Votre ami a raison, vous savez, dit Walker. Je ne suis pas votre type.

Le visage de Chuck s'empourpra.

— Vous savez quoi ? Je crois que je vais en décider par moi-même.

Walker haussa les épaules et s'appuya contre le dossier de sa chaise.

— Comme vous voudrez ! dit-il en se nettoyant les ongles avec une allumette.

L'image qui figurait sur la pochette d'allumettes était une femme bien balancée portant de la lingerie noire. Le logo indiquait « Pussycat Lounge ».

— Vous savez, ajouta Walker, les jeunes filles catholiques, c'est pas ma came. Elles sont trop coincées.

Chuck s'approcha de Walker.

— C'est peut-être juste un jeu pour toi, fils de pute, mais nous on ne rigole pas avec ça, et si tu fais une dernière plaisanterie de ce genre, je te jure…

— Oh, du calme, dit Walker en levant les mains. Je ne voulais rien dire de mal, mec. Je voulais juste vous faire comprendre que je ne suis pas votre homme.

— Nom de Dieu, marmonna Chuck, qu'est-ce que les types comme toi ont dans le crâne pour rire d'un truc pareil ? Qu'est-ce qu'on a oublié le jour où on vous a créés, hein ?

— Je ne me réjouis pas plus que vous à propos de ce type, lança Walker d'une voix rageuse. Merde, je ne suis pas un tueur. Je ne ferais jamais de mal à une femme – posez la question à ma petite amie.

— C'est pour ça que tu vas au Pussycat Lounge ? dit Butts en lui montrant les allumettes qui étaient sur la table.

— Hé, ma copine travaille là-bas, OK ?

— Je vois le genre, marmonna Butts.

— Elle est serveuse, OK ? dit Walker en prenant une cigarette.

— C'est non-fumeur ici, répliqua Chuck en essayant de prendre la cigarette de la bouche de Walker, mais il fut plus rapide et la remit dans le paquet.

— Bas les pattes, mec – ça coûte cher ! Merde, qu'est-ce que des types comme vous font par ici pour s'amuser.

— On casse la gueule à des types comme toi, riposta Butts.

— Sans blague. Et vous ne vous faites pas coincer pour brutalité policière ? demanda Walker d'un air faussement innocent.

— On pourrait essayer, pour voir ? répondit Butts.

— Ça suffit ! lança brusquement Chuck à l'inspecteur.

Walker sourit, et Butts fut déstabilisé par la cruauté de ce sourire.

— Vous savez, chaque minute que vous passez ici, avec moi, c'est une minute que vous ne passez pas à essayer d'attraper ce type. Il pourrait être à l'œuvre en ce moment même, en train de choisir sa prochaine victime, une bonne petite catholique. Un beau petit cul de vierge. Il pourrait mettre les mains autour de son cou à cette minute même, serrant…

Lee eut l'impression que sa vision se brouillait et que l'air dans la pièce se raréfiait.

— Ça suffit ! hurla-t-il, se levant d'un bond.

Il bondit vers Walker, et réussit à lui mettre les mains autour de la gorge. Mais Walker était plus fort que lui, et très vif. Il réussit à se dégager de son étreinte, asménant à Lee une série de coups de poing à une telle rapidité que personne dans la pièce ne fut assez vif pour l'en empêcher. Le premier coup se planta dans l'estomac de Lee, lui coupant le souffle, puis Walker visa son visage, lui balançant un uppercut au menton, suivi d'un crochet qui atteignit la pommette, juste sur l'arête du nez.

Il chancela en arrière, sentant le sang jaillir de son nez, aveuglé par la force du coup. Il s'écrasa au sol, étourdi et secoué.

Chuck saisit Walker par les épaules, tout en appelant des renforts. Butts était juste derrière lui, clouant les mains de Walker au sol, tandis que deux policiers en uniforme entraient dans la pièce, arme au poing.

— Mettez-lui les menottes, dit Chuck. Et emmenez-le !

Tandis que les policiers escortaient Walker hors de la pièce, il lança à Chuck, par-dessus son épaule :

— Hé, pourquoi ne donnez-vous pas un peu de lithium à votre ami pour le calmer ?

— La ferme ! rétorqua Butts.

— Vous aurez des nouvelles de mon avocat ! dit Walker qu'on emmenait de force.

— Si ça te chante, grommela Butts.

Il regarda Lee, qui était debout, adossé au mur, respirant avec difficulté, un filet de sang s'écoulant de son nez.

— Tu es blessé.

— Ça va.

C'était une réponse que Chuck avait déjà entendue.

— J'appelle un médecin.

— Non !

Lee essaya de calmer sa respiration, et vit qu'il tremblait – non pas de peur, mais de rage.

— Je crois que ça suffira pour aujourd'hui, dit Chuck.

— Je suis désolé.

— OK, mais il vaudrait mieux que ça ne se reproduise pas.

— Très bien. Ça ne se reproduira pas.

Chuck poussa un soupir.

— Alors, que penses-tu de Walker ? Pourrait-il être…

— Non. Le Découpeur n'est pas un agresseur d'enfant. Sa rage était dirigée contre les femmes – et Dieu. Et je pense qu'il pourrait être vierge.

— Qu'est-ce qui te fait dire ça ?

— Je sais que c'est un peu tiré par les cheveux, mais je pense que le couteau est un substitut phallique. Il n'y a aucun signe de pénétration. Ce qui veut dire qu'il donne sans doute l'image de quelqu'un d'émotionnellement immature.

Chuck eut un petit rire étranglé.

— Quand as-tu rencontré un criminel émotionnellement mature pour la dernière fois ?

— Non, je veux dire qu'il rencontre de graves difficultés au niveau émotionnel. À un tel point que, si on le rencontrait, on s'en rendrait compte. Il doit être timide, renfermé, bizarre – et non un prétentieux ordurier dans le genre de Walker. C'est un type plutôt enfantin.

— Le prêtre est plutôt enfantin.

— Ouais, je suppose, admit Lee.

— Et les femmes ne se méfieraient pas de lui.

Même Lee devait admettre que le père Michael Flaherty commençait à apparaître comme un suspect sérieux. Mais il y avait une chose sur laquelle ils s'accordaient tous – ils disposaient de peu de temps, et s'ils ne l'attrapaient pas très vite, une autre femme mourrait.

Chapitre 14

Il faisait nuit lorsque Lee monta les marches qui menaient à son appartement, au troisième étage. Dès qu'il eut posé ses clés sur la table, près de la porte d'entrée, le téléphone sonna. Il l'atteignit en deux pas et décrocha.

— Allô ?

— Salut boss, c'est moi.

Impossible de ne pas reconnaître cette voix haut perchée avec un fort accent du Bronx. C'était Eddie Pepitone – arnaqueur, vétéran du Vietnam, joueur professionnel, et parfois escroc – et peut-être aussi la seule personne à qui Lee devait la vie.

— Salut Eddie, quoi de neuf ?

— Quoi de neuf ? demanda Eddie d'une voix faussement irritée. À toi de me le dire, boss – c'est toi qui as une morte sur les bras.

— Comment as-tu… ?

— Les nouvelles vont vite dans le milieu, mon ami. Je me tiens au courant, tu vois ce que je veux dire ?

— Je veux dire, comment savais-tu que j'étais… ?

— Sur l'affaire ? Oh, je l'ai juste deviné. Disons que j'ai fait le rapprochement. Ça avait l'air d'être tout à fait dans tes cordes.

— OK, mais…

Eddie l'interrompit.

— Écoute, j'ai un peu de temps devant moi, que dirais-tu de me retrouver chez McHale d'ici une demi-heure ?

— Eh bien, je…

— Allez, t'as rien de mieux à faire là, maintenant. J'ai pas raison ?

Lee dut admettre qu'Eddie avait raison. Et voir Eddie lui changerait les idées et il ne penserait plus à sa déception de ne pas avoir pu mettre la main sur le dossier de L'inconnue n°5.

— OK, dans une demi-heure.

— Très bien, je te retrouve là-bas. C'est moi qui t'invite.

Il entendit un déclic et il n'y eut plus personne au bout du fil. Apparemment, Eddie avait appelé depuis un téléphone public. Lee espérait qu'il n'était pas à nouveau à la rue. Depuis qu'il avait arrêté de jouer, Eddie avait du mal à gagner sa vie. Eddie Pepitone était l'ami le plus improbable qu'il pouvait imaginer, mais il ne se passait pas une journée sans qu'il remercie sa bonne étoile de l'avoir eu comme compagnon de chambre durant son séjour à l'hôpital St. Vincent.

Le trajet en métro jusqu'à McHale n'était pas long. C'était un des pubs qui avaient survécu à l'époque de Hell's Kitchen, le quartier étant désormais baptisé Clinton. Les restaurants à sushis onéreux avaient commencé à remplacer les anciens pubs irlandais avec leurs tables branlantes, leurs bières bon marché et les pickles à volonté. McHale n'était pas aussi crasseux que le défunt Shandon Star, mais ce n'était pas non plus un piège à touristes. On pouvait y manger une côte de porc avec accompagnements à volonté pour douze dollars. Il y avait une odeur de moisi dans les toilettes et dans les box, certaines banquettes en skaï rouge étaient déchirées et maladroitement recollées avec du ruban adhésif, mais Lee adorait l'endroit. Sans prétention et accueillant, c'était un lieu où on se sentait très à l'aise. Niché à l'angle de la 8e avenue et de la 46e rue, tout près du quartier des théâtres, McHale attirait une clientèle régulière de gens du quartier incluant des acteurs, aussi bien célèbres qu'inconnus, des auteurs dramatiques, des metteurs en scène, et autres gens de théâtre.

McHale était également le pub préféré d'Eddie Pepitone.

Lee arriva en premier, et choisit un box, près de la porte d'entrée. Il savait qu'Eddie aimait fumer parfois, et même s'il n'appréciait pas particulièrement l'odeur du tabac, il voulait satisfaire son ami. McHale était sombre et calme, et les lampes étaient déjà allumées.

Lee était arrivé depuis moins d'une minute quand la porte d'entrée s'ouvrit, et il vit Eddie entrer.

Il avait l'air d'avoir la gueule de bois. Ses cheveux blond sale – ou en tout cas ce qu'il en restait – étaient ébouriffés, il n'était pas rasé et ses ongles semblaient avoir besoin d'un décapage au karcher. Et pourtant, il respirait l'optimisme. Il avait le regard intelligent et agité d'un arnaqueur, mais son apparence je-m'en-foutiste était trompeuse – Eddie était une des personnes les plus perspicaces qu'il ait jamais rencontrées. Il ne savait pas comment Eddie gagnait sa vie, et il n'était pas sûr de vouloir le savoir. Mais il n'oublierait jamais ce que la présence d'Eddie avait signifié pour lui, dans cette chambre d'hôpital, quelques mois plus tôt. Ils avaient passé des nuits entières à discuter, encore et encore, avalant une tasse de café après l'autre, jusqu'à ce que l'équipe de nuit des infirmières laisse place à l'équipe de jour, et que l'aube grise se lève sur les murs d'un jaune passé de l'hôpital.

Eddie Pepitone s'installa dans le box et mit les coudes sur la table.

— Alors, comment ça va, boss ?

Pour une raison qu'il ignorait, pendant les heures sombres de l'automne dernier, Eddie s'était mis à l'appeler « boss ». Lee ne lui avait jamais demandé pourquoi – à cette période, le seul fait d'arriver au bout de la journée était en soi un exploit. Eddie semblait aimer ce surnom, et Lee n'y voyait pas d'inconvénient.

Eddie se pencha en avant. Son haleine empestait les cigarettes bon marché.

— Qu'en penses-tu ? Est-ce que cette affaire te mine ?

— Comment as-tu appris que j'étais sur une affaire ?

— Allez, boss. Je lis les journaux, dit Eddie en décochant un sourire à la serveuse qui passait par là.

Elle n'était ni jeune, ni jolie, mais cela importait peu à Eddie – c'était un coureur de jupons qui était pour l'égalité des chances. Un jour, il avait dit de lui-même : « Merde, je suis prêt à draguer tout ce qui a un utérus, et si je suis assez bourré, je ne m'encombre même pas de ce genre de détails. »

À la grande surprise de Lee, la serveuse lui rendit son sourire. Eddie n'était ni jeune, ni beau, mais les femmes étaient loin de lui être hostiles. Il ressemblait à un grand lutin joyeux, ou à l'oncle un peu idiot qui se pointe aux réunions familiales avec un coussin-péteur. Il n'était peut-être pas la classe incarnée, mais Lee pensait qu'il fallait être plutôt aigri pour ne pas l'aimer.

— Je ne pense pas être cité dans aucun des articles, dit Lee.

Eddie leva les yeux au plafond.

— Quoi, tu penses que je ne crois qu'à ce que je lis dans le journal ? Si tu n'es pas sur l'affaire du meurtre de cette fille dans le Bronx, je veux bien me faire moine.

Lee leva les mains en signe de renoncement.

— Je ne sais pas Eddie… Parfois, je me dis que c'est toi qui devrais être le professionnel, pas moi.

Eddie fronça les sourcils.

— Qu'est-ce que tu veux dire. Je *suis* un pro ! s'écria-t-il en se tournant pour faire signe à la serveuse qui passait avec un plateau rempli de verres.

— Dites, ma jolie, on pourrait avoir quelque chose à boire ?

Elle lui jeta un coup d'œil et fit un signe de tête imperceptible en passant.

Lee s'approcha d'Eddie.

— Tu sais ce que je veux dire.

— Ouais, ouais – je suis très pro dans ce que je fais, mais je peux te dire que je ne voudrais pas faire ton boulot – pas pour tout l'or du monde.

Tandis que la serveuse regagnait le bar, la main d'Eddie lui effleura nonchalamment la cuisse. Quand elle se retourna pour le regarder, elle fronça les sourcils, mais Eddie se contenta de sourire, montrant ses dents jaunes.

— Désolé, ma jolie, mais mon ami meurt de soif. Il n'est pas très sympa quand il est bourré, mais il est encore pire à jeun.

La serveuse sourit d'un air las.

— Qu'est-ce que j'vous sers ?

Lee sentit de la résignation dans sa voix. Elle avait sans doute bientôt fini sa journée de travail, et il imagina qu'elle devait avoir mal aux pieds. Son mascara avait coulé, ses cheveux laqués commençaient à perdre de leur tenue, et son maquillage ne couvrait plus les cernes sous ses yeux.

— Je voudrais une Sam Adams pression, s'il vous plaît, dit Lee.

— Deux, ajouta Eddie. Et vous auriez des chips, ou quelque chose de ce genre ?

— Il y a des nachos ou des chips avec de la salsa.

— Super, on prendra un de chaque. Merci, dit-il en lui posant la main sur le bras.

À la surprise de Lee, elle lui lança un regard chaleureux, comme si elle lui était reconnaissante de ce contact. Beaucoup d'hommes s'attireraient des ennuis s'ils essayaient de faire la même chose qu'Eddie, mais pour une raison étrange, il semblait toujours s'en tirer à bon compte. Alors qu'il regardait le visage rond et souriant d'Eddie, une pensée désagréable traversa l'esprit de Lee. *Le tueur ne représente pas une menace aux yeux de ses victimes, jusqu'à ce qu'il soit trop tard.*

Quand la serveuse arriva avec leur boisson et leurs chips, Eddie lui mit un billet dans la main.

— Merci, ma jolie, gardez la monnaie.

Lee ne vit pas combien il lui avait donné, mais il avait déjà vu Eddie laisser un pourboire de vingt dollars pour une addition de trente dollars.

La serveuse regarda le billet dans sa main.

— M…merci, dit-elle, fronçant les sourcils.

— Ne vous inquiétez pas, je ne suis pas en train de vous draguer, dit Eddie. Ce qui ne veut pas dire que vous ne soyez pas très attirante, ajouta-t-il.

— Heu… OK, merci, dit-elle, visiblement surprise, avant de s'éloigner en secouant la tête.

— Une habitude qui remonte au temps où j'étais à Vegas, dit-il à Lee après le départ de la serveuse. Tu t'occupes du personnel là-bas, et ils s'occupent de toi.

— C'est ce que j'ai entendu dire. À ce propos, tu tiens le coup ?

Eddie sortit un jeton de sa poche, et le montra à Lee.

— Ça fait six mois que j'ai arrêté. Je suis clean et pauvre, dit-il en riant, avant de remettre le jeton dans sa poche.

— Comment tu gagnes ta vie, en ce moment ?

— Oh, je bosse à droite à gauche. Surtout à gauche, dit Eddie avec un sourire. Tu sais, je faisais partie d'une race plutôt rare – j'étais un joueur qui gagnait de l'argent. J'étais bon, tu sais, foutrement bon.

— Je suis sûr que t'étais bon.

Eddie triturait le dessous de verre en carton, qu'il faisait tourner entre ses doigts comme si c'était une carte de black-jack.

— Cette époque est révolue. C'est con – ça me manque. N'importe quel mec accro qui te dit que son addiction ne lui manque pas est un menteur.

— Je tâcherai de m'en souvenir.

— Tu sais, c'est con qu'on ait atterri à St. Vincent.

— Pourquoi ?

— Oh, c'est juste que ça aurait été cool d'être à Bellevue, comme les dingues du bon vieux temps, tu sais. Je veux dire qu'on parle encore des types qui se sont retrouvés à Bellevue, mais personne ne parle de ceux qui étaient assez barges pour atterrir à St. Vincent !

Lee sourit pour la première fois de la journée. Eddie lui faisait toujours cet effet.

Il but une longue gorgée de bière, appréciant l'ambre liquide et frais sur sa langue. C'était une saveur familière et réconfortante, un rituel qui le ramenait à toutes les années pendant lesquelles il avait fréquenté les bars, et à l'époque de l'université, des matchs de rugby, aux longues soirées passées à jouer au billard, et à la première fois où sa sœur avait bu avec lui dans une soirée pendant laquelle il jouait le rôle du frère aîné protecteur. Mais en fin de compte, il n'avait pas su la protéger.

— … alors, elle demande si elle doit venir avec sa sœur jumelle, et je… hé, tu m'écoutes ?

Eddie se pencha en avant et agita la main devant le visage de Lee.

C'est à cet instant que la porte du bar s'ouvrit, et que deux hommes parmi les plus singuliers que Lee ait jamais vus entrèrent.

Le plus grand des deux, un Afro-Américain à la peau couleur café, avait un enchevêtrement complexe de tatouages colorés sur les bras, qui n'étaient que partiellement cachés par sa chemise bleue, dont les manches étaient relevées sur ses biceps saillants. On aurait dit que ses épaules avaient été tassées dans sa veste en jean, et que son crâne lisse et brillant sortait directement de sa clavicule, sans qu'aucun cou n'intervienne. Tout chez lui suggérait une énorme force physique. Son visage était dominé par des lèvres épaisses et sensuelles, et ses yeux enfoncés paraissaient jaunes dans la lumière tamisée. Lee estima qu'il faisait près de deux mètres.

Son compagnon faisait facilement trente centimètres de moins. Tout aussi costaud, on aurait dit un modèle de peinture cubiste, tout en angles droits. Il avait les mains larges, avec des doigts roses et boudinés comme des saucisses. Même sa tête ressemblait à un cube – plate avec les cheveux en brosse et un solide menton, aussi large que son front. Son nez se tordait en angles obliques, indiquant qu'il avait été cassé plus d'une fois. Mais son trait le plus frappant était ses cheveux. D'un blond aussi pâle que les blés, ils étaient exactement de la même couleur que ses sourcils, qui surmontaient des yeux bleus enfoncés. Un minuscule anneau doré brillait à son oreille gauche, mais contrairement à son compagnon, il n'avait aucun tatouage visible. Il était habillé tout en noir, ce qui créait un contraste spectaculaire avec son teint pâle.

— Hé, salut les mecs ! cria Eddie de sa voix aiguë. Venez vous joindre à nous !

Les deux types avancèrent jusqu'à leur table et s'installèrent dans le box, un de chaque côté. Lee fut surpris que le plus grand puisse rentrer, vu la longueur de ses jambes. Lee mesurait plus d'un mètre quatre-vingt, mais assis à côté de ce type, il eut la sensation d'être un caniche nain serré contre un saint-bernard.

— Je voudrais te présenter mes amis, dit Eddie tout en faisant signe à la serveuse. Voici Diesel, poursuivit-il, indiquant le géant assis à côté de Lee, et son pote Rhino. C'est comme ça qu'on l'appelle – son vrai nom est Rhinehardt, John Rhinehardt – mais il aime bien son surnom, pas vrai, Rhino ?

John Rhinehardt, alias Rhino, fit la moue et acquiesça d'un petit signe de tête. Avec sa forte carrure, son nez tordu et ses petits yeux, il faisait penser à un rhinocéros albinos.

— Ravi de vous rencontrer, dit Lee.

Rhino fit une autre moue en guise de réponse.

— Et son pote est Diesel, continua Eddie, surnommé ainsi… Au fait… personne ne sait d'où vient ton surnom.

— Je conduisais un poids lourd, répondit Diesel d'une élégante voix de baryton. Et j'aime bien picoler.

— Je ne me souviens même pas de ton vrai nom, admit Eddie.

— Plus personne ne l'emploie, répondit Diesel. Je préfère Diesel.

— D'accord, dit Eddie tandis que la serveuse s'approchait d'eux.

— Qu'est-ce que vous prendrez ? demanda-t-elle, stylo à la main.

— On va prendre une autre tournée de la même chose, merci vous êtes adorable. Et mettez un verre pour mes amis sur mon compte.

Elle se tourna vers Diesel. Si elle trouvait qu'il avait une allure étrange, son visage n'en laissa rien paraître. Lee se dit qu'étant serveuse dans un bar proche de Times Square, elle avait sans doute déjà à peu près tout vu.

— Qu'est-ce que je vous sers ? demanda-t-elle d'une voix exténuée.

— Deux pintes de Guinness, s'il vous plaît, dit Diesel, puis, tandis qu'elle faisait demi-tour, il ajouta : et un Coca light pour mon ami.

La serveuse sembla y réfléchir à deux fois, puis elle se dirigea vers le bar.

— C'est quoi, cette histoire de commander un Coca light ? demanda Eddie.

En guise de réponse, Rhino tapota ce qui ressemblait à un ventre en béton.

— Il passe sa vie à compter les calories, dit Diesel d'un air écœuré. Alors, je dois boire pour deux.

— Tu ne devineras jamais ce que ces types font comme boulot, lança gaiement Eddie.

Ils cassent des rotules ? eut envie de dire Lee, mais il s'abstint.

— Dites-leur, les gars, dit Eddie en s'adossant à la banquette, semblant prendre un grand plaisir à tout ça.

— On travaille comme aides-soignants à l'hôpital, dit Diesel.

À l'évidence, c'était le plus bavard des deux.

— Oh, dit Lee, peu sûr de savoir comment il était censé réagir à cette information.

— Mais tu ne lui as pas dit le meilleur ! dit Eddie, s'approchant de Lee. Ces gars travaillent à *Bellevue* ! lança-t-il en prononçant ce dernier mot comme s'il annonçait la découverte du saint Graal. Alors j'imagine qu'ils peuvent se renseigner sur toutes sortes de cinglés – et peut-être même sur ton type.

— Attends une seconde, l'interrompit Lee. Cela serait illégal, et contraire à la déontologie, de violer le secret médical.

— Mais ces gars ne sont pas médecins, protesta Eddie.

— Le type que je recherche est certainement en dehors du

système, dit Lee. Il ne suit sans doute aucun traitement, et même s'il en suivait un, les chances pour qu'il soit passé par Bellevue...

— Sont à peu près d'une sur cent quarante-six mille, et encore faudrait-il qu'il vive à Manhattan, dit Diesel d'un ton solennel, avant d'ajouter, voyant Lee le dévisager : J'aime bien les statistiques, c'est une sorte de hobby.

— Diesel est diplômé de l'université, dit fièrement Eddie. Quelque part dans le Michigan... ?

— Dans l'état du Michigan, répondit Diesel.

Lee devina qu'Eddie les avait tous deux rencontrés aux Joueurs Anonymes, mais il n'avait pas l'intention de poser de questions. Eddie se fichait pas mal de son anonymat, et il disait à qui voulait l'entendre – qu'il veuille le savoir ou non – qu'il participait aux réunions, mais Lee ne voulait pas compromettre l'anonymat des amis d'Eddie.

— Bon, est-ce qu'on peut faire quelque chose qui puisse t'aider ? demanda Eddie.

Lee jeta un coup d'œil alentour dans le bar, avec ses agréables lumières tamisées. Il se remplissait de gens se préparant à aller au théâtre, tous d'humeur festive. Il lui sembla bizarre d'être assis là avec Eddie et ses deux amis baraqués, tandis que quelque part, un prédateur traquait sans répit des jeunes femmes, avant de les découper.

— Je ne sais pas, dit-il. Je vais y réfléchir.

Eddie lui fit un clin d'œil.

— Ces types circulent, ils connaissent du monde – tu vois ce que je veux dire ?

Lee regarda les deux comparses. À la lumière tamisée, Rhino avait des yeux bleu azur, et la pâleur de sa peau contrastait avec celle de Diesel, couleur café. Aucun doute là-dessus, individuellement, ils avaient une allure peu commune. En tant que binôme, on ne pouvait manquer de les remarquer.

— Ils étaient SDF avant, ajouta Eddie entre deux chips. Tous les deux toxicos. C'est difficile à croire, maintenant, hein ?

Lee les regarda – avec leur corps très musclé et leurs yeux clairs, ils avaient l'air de tout, sauf de toxicos.

— Méthamphétamines, dit Diesel. Ma drogue préférée quand je pouvais m'en procurer. Et Rhino était accro à l'héroïne.

Rhino but une gorgée de soda et détourna les yeux.

— Alors, non seulement ils ont des contacts parmi les infirmiers des hôpitaux, dit Eddie, mais en plus ils connaissent la plupart des mecs qui dirigent les refuges pour SDF en ville – et la plupart des clients.

— Je ne vois pas en quoi ça peut nous aider, répondit Lee.

Diesel se pencha vers lui.

— Il y a une sous-classe de gens dans cette ville qui vont là où d'autres ne vont pas, et voient ce que d'autres ne voient pas. Il y a des yeux et des oreilles là, dehors, dont la police n'a pas encore saisi l'importance.

— Un peu comme les Irréguliers de Baker Street dans les histoires de Sherlock Holmes – tu piges, boss ? s'écria Eddie.

Diesel but une gorgée de bière et s'essuya délicatement la bouche.

— Nous avons accès à ces oreilles et à ces yeux – à ce qui se passe au cœur de la nuit quand la plupart des gens regardent ailleurs.

— Méthamphétamines et héroïne, hein ? dit Lee. Ça a dû être dur de décrocher – les deux sont particulièrement addictifs.

— On peut arriver à tout, dit Diesel, si on a de la volonté et de la détermination.

En regardant les deux types musclés assis face à lui, Lee ne doutait pas qu'il avait raison. Puis, contre son gré, les mots surgirent dans son esprit : *Que ton règne vienne, Que ta volonté soit faite…* mais il supposait que si la volonté du Découpeur l'emportait, ce ne serait ni sur Terre, ni au Ciel, mais en Enfer.

Chapitre 15

Elle avait de petits seins ronds, une peau aussi douce et blanche que l'intérieur d'un coquillage. Ses mamelons étaient marbrés couleur de nacre – comme des roses d'été décolorées. Il pensa qu'il allait s'évanouir en les voyant, et commença à avoir des vertiges, à ressentir des fourmillements au niveau du front, tandis qu'il observait la scène avec concupiscence. Il se sentit comme un affamé qui avait passé sa vie à contempler un festin à travers une vitre, et maintenant il était là, une table couverte de mets délicats était dressée devant lui, et son ventre se rebellait à la vue de tant d'abondance. Le corps de la jeune fille était d'une beauté poignante – mais ce n'était pas lui qui la touchait, la caressait, la possédait. Sa bouche, enlaidie par le rouge à lèvres, était comme une tache rouge au milieu de la peau blanche parfaite de son visage.

Il la regarda à travers l'entrebâillement du rideau de dentelle blanche, tandis que le corps de la jeune fille ondulait avec passion. Il sentit son propre corps réagir. C'était la fille de ses voisins, et l'espace entre les fenêtres de leurs chambres respectives était si étroit qu'il avait l'impression de pouvoir la toucher juste en tendant le bras.

— *Samuel ! Sam-u-el ! Tu brûleras en enfer si tu n'arrêtes pas tout de suite !*

Si seulement il pouvait faire taire le son de sa voix, aussi strident que celui d'un corbeau, croassant à ses oreilles, se lamentant, le réprimandant, jusqu'à ce qu'il en devienne malade.

— *Arrête ça tout de suite, Samuel ! La main de Dieu viendra s'abattre sur toi, et tu iras en enfer pour toujours !*

Il tourna la tête pour éviter la foudre de son regard, le visage brûlant de honte. Même le visage tourné vers le mur, il sentait le feu de sa colère dans son dos. Il ferma les yeux et attendit que sa rage passe.

Après, ça n'était généralement pas trop terrible – une fois la colère passée, ils priaient ensemble, parfois pendant des heures d'affilée.

— *Prie avec moi, Samuel. Laisse Dieu purifier ton esprit.*

Elle brûlait de l'encens et ils s'agenouillaient ensemble, la Bible ouverte sur le lit face à eux, même si elle connaissait déjà chaque phrase qu'ils prononçaient. Ils s'agenouillaient face à leur petit autel de fortune, l'image du Christ ensanglanté au-dessus de la tête de lit, l'air chargé d'odeur d'encens. Parfois, elle priait à partir de la Genèse, d'autres fois, c'était la Révélation de l'Ecclésiaste. Avec le temps, lui aussi avait mémorisé les passages, et il s'agenouillait aux côtés de sa mère jusqu'à ce qu'il ait mal aux genoux… Malgré tout, il était fier de partager le culte qu'elle vouait à Dieu, fier de pouvoir supporter l'inconfort et la douleur aussi longtemps qu'elle – une douleur qui purifiait l'âme et le délivrait de ses péchés – jusqu'à ce qu'il ait les doigts de pied engourdis et ne sente plus ses jambes.

Il appréciait cette torpeur, et la sensation d'être libéré de ses désirs honteux. Il était reconnaissant envers sa mère de le sauver, et si c'était difficile et douloureux, c'était la preuve qu'il était sur le bon chemin. Après tout, sa mère n'avait eu de cesse de lui répéter qu'on n'obtenait rien de valable avec facilité.

Elle l'avait conduit à Dieu, et maintenant, lui aussi lui apporterait ces filles, les offrirait comme preuve de sa dévotion, de sa foi et de son ardeur religieuse. Il les sauverait de leurs désirs luxurieux – et des siens.

Ce dimanche-là, après la seconde fille, il s'était assis dans le confessionnal froid et sombre, juché sur le banc dur et étroit, jusqu'à ce que la porte coulissante s'ouvre et qu'il entende la lourde respiration du père Neill, qui sentait le bain de bouche à la menthe, couvrant à peine l'odeur du whiskey.

— Mon Père, pardonnez-moi, car j'ai péché.

Le prêtre réprima un renvoi. Samuel entendit le bruissement

de sa robe, tandis qu'il remuait sur son banc, ainsi que sa toux de fumeur.

— Cela fait deux semaines que je ne me suis pas confessé, ajouta Samuel.

— Oui, mon fils ?

— J'ai eu des pensées impures.

— Combien de fois ?

Samuel marqua une pause. Il était important d'être précis.

— Trois fois.

— Vous direz douze *Je vous salue Marie*.

Il ne lui était jamais venu à l'esprit de mentionner les filles auxquelles il avait ôté la vie. Ce n'était pas un péché, puisqu'il agissait en tant qu'agent de Dieu. Il toucha le papier dans la poche de sa veste, tout près de la lame aiguisée de son couteau. Les instructions inscrites sur le papier étaient claires – et ce soir, il accomplirait l'œuvre de son Maître.

Il quitta lentement l'église, savourant la solennité et la majesté de la maison du Seigneur. Il se sentait chez lui ici – tout était tellement plus simple, et il savait ce qu'on attendait de lui.

Chapitre 16

Lee était assis sur un banc aussi dur que de la pierre, au fond de la salle d'audience, et regardait le procès en cours. Il avait erré en ville, au hasard des rues, et lorsqu'il s'était retrouvé sur les marches du bâtiment de la cour d'assises, il avait décidé d'entrer. C'était un vendredi après-midi, et il se sentait désœuvré à la pensée du week-end qui se profilait. Ces derniers temps, il avait du mal à gérer les longues périodes de temps libre, et trouvait les salles d'audience réconfortantes – elles lui rappelaient que parfois, les criminels étaient réellement jugés et condamnés.

Le juge baissa les yeux sur le compte rendu d'audience d'un air las. Il avait un visage long aux joues flasques, surmonté d'épais sourcils noirs, si épais qu'ils ressemblaient à des chenilles qui auraient élu domicile sur son front.

Le procès en question était une affaire d'homicide, et le prévenu – le mari de la victime – était assis à côté de son avocat, les mains croisées sur les genoux. C'était un homme mince, atteint de calvitie naissante, bref, un homme quelconque. Lee savait que le comportement du prévenu au tribunal n'avait que peu de lien avec sa culpabilité ou son innocence. Les tueurs les plus violents pouvaient être d'excellents acteurs face à un public.

L'avocat de la partie civile, un Asiatique mince et soigné aux cheveux fins lissés en arrière, se leva et boutonna sa veste.

— Nous appelons Katherine Azarian à la barre, Votre Honneur.

Le juge acquiesça et tira sur son extravagant sourcil droit.

Une petite femme bien faite se leva dans la tribune et avança jusqu'à la barre des témoins. Quelque chose dans sa façon de marcher – calme et retenue – attira le regard de Lee. Elle portait un tailleur vert foncé avec une veste cintrée, rien de tape-à-l'œil, mais sur elle, cela semblait glamour. Elle avait les cheveux bruns ondulés coupés court, qui mettaient en valeur ses pommettes saillantes et son menton affirmé.

— … la vérité, et rien que la vérité, levez la main droite et dites « Je le jure ».

L'huissier, un homme gras au visage rouge, termina sa récitation sur un ton monocorde.

— Je le jure, répondit le docteur d'une voix claire et assurée, avant d'ôter la main de la Bible tenue par l'huissier.

Lee la regarda s'asseoir, les yeux fixés sur l'avocat de la partie civile, attendant sa première question. Elle se comportait avec assurance, mais sans la moindre arrogance. Il trouva difficile de ne pas la regarder.

L'avocat de la partie civile s'approcha d'elle en souriant.

— Pourriez-vous s'il vous plaît, indiquer quelle est votre profession, docteur Azarian ?

— Je suis anthropologue judiciaire.

Une petite fossette dansait sur son menton quand elle parlait.

— Et que fait exactement un anthropologue judiciaire ?

— J'aide à l'identification du corps des victimes et je détermine les causes de la mort en examinant leur squelette.

— Vous êtes donc une spécialiste des os ?

— Oui.

L'avocat de la partie civile prit une photographie qui figurait parmi les pièces à conviction et la leva en l'air.

— Première pièce à conviction, Votre Honneur. Si vous le permettez, j'aimerais la montrer au témoin, et ensuite aux jurés.

Le juge acquiesça d'un hochement de tête, ses yeux semblant peser sous le poids de ses prodigieux sourcils. L'avocat de la partie civile présenta la photo au docteur Azarian.

— Reconnaissez-vous ceci ?

— Oui, c'est une photographie du crâne de la victime.

L'avocat de la partie civile fit passer la photo aux jurés, qui eurent des réactions variées. Certains la regardèrent fixement, fascinés, d'autres avec détachement, et quelques-uns, plus rares, furent visiblement ébranlés. L'avocat de la partie civile reprit la photo et se tourna vers son témoin.

— Avez-vous également eu l'occasion d'observer le crâne ?

— Oui.

— Et qu'en avez-vous conclu concernant la cause de la mort ?

— Traumatisme consécutif à un coup porté à la tête par un objet contondant.

— Les lésions que vous avez observées auraient-elles pu être provoquées par une chute ?

— Non, les blessures ne peuvent avoir été provoquées par une chute. Tout d'abord, elles apparaissent sur les deux côtés du crâne. Ensuite, la forme des marques laissées indique que la victime a été frappée par un objet lourd – très probablement un fer à cheval.

— Comme celui-ci ?

Un murmure s'éleva dans la salle d'audience, lorsque l'avocat de la partie civile prit un grand fer à cheval sur la table où figuraient les pièces à conviction.

— Oui. L'empreinte courbe laissée sur le crâne, ainsi que la marque particulière laissée par l'extrémité, ici – elle désigna du doigt l'arête de la bande de métal recourbée en U – sont typiques.

— Diriez-vous qu'il n'y a pas de doute possible ?

— Oui.

— Objection ! cria l'avocat de la défense, se levant d'un bond. Orientation du témoin !

— Très bien, monsieur Passiano, objection accordée, répondit le juge, mais d'une voix laissant entendre ce que tout le monde dans la salle d'audience savait – le mal était fait.

Kathy Azarian n'était pas seulement un bon témoin, elle

était le témoin clé de l'accusation, et Lee savait que quiconque parierait maintenant sur la défense ne serait pas très avisé. Il sourit intérieurement et s'éclipsa par la porte de derrière de la salle d'audience.

Lorsqu'il arriva dans le hall d'entrée, son téléphone sonna. Il trouva un coin tranquille près des toilettes avant de répondre. Il détestait parler au téléphone en public, et pensait que les gens qui le faisaient étaient « grossiers », comme aurait dit sa mère.

— Campbell.

— Lee ?

C'était Chuck Morton, il semblait tendu.

— Oui. Chuck ? Que se passe-t-il ?

— Lee, ne t'énerve pas, s'il te plaît…

— Quoi ? Qu'y a-t-il ?

— Promets-moi de ne pas appeler ta mère tant qu'on n'en saura pas plus…

— C'est à propos de Laura, n'est-ce pas ? Que s'est-il passé ?

Lee entendit sa propre voix monter d'un ton, et sentit qu'il commençait à être en état d'hyperventilation.

— Lee, calme-toi s'il te plaît. Ce n'est peut-être rien.

Il vit des points danser devant ses yeux. Il respira profondément avant de parler à nouveau.

— Qu'as-tu trouvé ?

— Deux gamins ont trouvé des ossements dans le parc d'Inwood.

Le parc d'Inwood était un lieu improbable pour y abandonner un cadavre, surtout si Laura avait été enlevée près de son appartement de Greenwich Village, pensa-t-il.

— Qu'est-ce qui te fait penser que c'est elle ?

— Le bureau du légiste pense que l'âge et… le genre correspondent peut-être et… Heu… Ils veulent faire un test ADN.

Lee s'efforça de respirer, faisant de son mieux pour paraître professionnel.

— Aucun vêtement ou autre objet permettant de l'identi…

117

Chuck l'interrompit.

— Non, rien. Mais si on pouvait avoir des échantillons de ton ADN et de celui de ta mère...

— Ouais, je sais comment ça se passe... J'arrive.

— Attends, je ne suis pas dans mon bureau. Je suis dans le bureau du légiste.

— OK. À tout de suite.

Il éteignit son téléphone et le fourra dans sa poche. Il avait les mains moites et tremblantes, et l'appareil lui glissa entre les doigts, puis tomba bruyamment sur le sol. Il glissa sur le sol carrelé, avant de s'arrêter aux pieds du docteur Katherine Azarian.

— Vous avez fait tomber votre téléphone, dit-elle en le ramassant.

— Oui, merci, marmonna Lee en prenant le portable qu'elle lui tendait.

— Je vous en prie, dit-elle, poursuivant son chemin en direction des toilettes.

Elle portait un manteau beige en peau lainée dans une main, et une mallette en cuir dans l'autre.

— Heu... Attendez ! cria-t-il.

— Pardon ? dit-elle en se retournant, l'air épuisé.

— S'il vous plaît, attendez juste une seconde. Je suis flic, je voulais juste...

Lee cherchait sa plaque, essayant désespérément de la retenir.

— Ça, je le savais, dit-elle. Vous n'avez pas besoin de me montrer votre badge.

Elle sourit, révélant des dents d'une blancheur irréelle. Elles brillaient comme de la porcelaine et Lee prit conscience qu'il les regardait fixement, incapable d'en détacher son regard.

— Comment avez-vous...

— Oh, je vous en prie, dit-elle. Je les fréquente depuis assez longtemps pour être capable d'en repérer un à cent mètres.

— OK, OK, dit Lee. Je viens juste de vous voir témoigner au procès, et...

— Oh, vous travaillez sur cette affaire ?

— Non, non. J'avais juste du temps à tuer – mais ça n'est pas important. Je veux vous demander quelque chose. (Dans cette lumière, ses yeux étaient couleur amande grillée, bordés d'épais cils noirs.) Seriez-vous prête à m'aider pour l'identification d'un corps ?

Elle pencha la tête d'un côté, et fit passer son sac à dos d'une épaule à l'autre.

— Eh bien, c'est mon métier. Vous voulez dire là, tout de suite ?

— Avez-vous fini de témoigner ?

— Oui.

— Alors, oui, maintenant – à moins que vous n'ayez d'autres projets.

Elle se mit à rire.

— Ça peut attendre. Vous semblez beaucoup tenir à cette réponse. Où est le corps ?

— Au bureau du légiste.

— Eh bien, je suppose qu'ils n'auraient pas tardé à m'appeler, de toute façon, dit-elle en enfilant son manteau et ses gants.

Elle avait de petites mains fines, aussi délicates que celles d'un enfant, avec des ongles roses parfaitement manucurés. Il ne pouvait imaginer ces mains dans un laboratoire, manipulant les horribles dépouilles des victimes de meurtre.

— Quand ont-ils reçu ce corps ? demanda-t-elle en boutonnant son manteau.

— Je viens juste d'en être informé.

— C'est une de vos affaires en cours ?

— Si on veut. C'est... Il s'agit peut-être de ma sœur.

Elle s'interrompit alors qu'elle était en train d'enfiler son deuxième gant.

— Oh, mon Dieu ! Que lui est-il arrivé ?

— C'est ce que j'essaie de savoir. Elle a disparu il y a cinq ans.

— Je suis désolée. J'espère pouvoir vous être utile.

— Merci.

— OK, allons-y, dit-elle.

— Mais… Vous ne vouliez pas… ? dit Lee en jetant un coup d'œil en direction des toilettes.

— Ça peut attendre.

Lorsqu'ils sortirent du tribunal, un vent d'ouest frais soufflait, et Lee remonta le col de son manteau. Il regarda Katherine Azarian, qui avait brusquement levé la main vers le ciel dans l'espoir d'intercepter un des taxis jaunes qui filaient vers Center Street. Même lorsqu'elle hélait un taxi, elle semblait pleine d'assurance.

Elle jeta un coup d'œil à sa montre.

— C'est la mauvaise heure pour essayer de trouver un taxi. Je crois qu'on devrait prendre le bus. Ce n'est pas loin.

— OK.

— Il y a un arrêt pour le M15, juste au coin de la rue, sur Chatham Square.

Il la suivit, courbé tandis qu'il avançait contre le vent, passa devant The Tombs[3], ses murs de pierre austères et ses longues colonnes sinistres qui s'élevaient vers le ciel, tout comme le Death Star Building, en contrebas. Ils hâtèrent le pas devant la statue de Lin Zexu, le héros chinois qui avait défié les Anglais dans la guerre de l'Opium – il se tenait sur son piédestal, la tête haute, au milieu de la place. Il avait l'air d'avoir froid, drapé dans ses vêtements de granit gris, regardant vers le nord-est en direction du soleil levant, son visage de pierre couvert d'un chapeau à large bord. Face à la statue, il y avait la Republic National Bank, avec sa pagode rouge tape-à-l'œil, indiquant l'entrée du cœur de Chinatown. Une autre fois, il aurait peut-être trouvé ça charmant, mais à cet instant précis, la couleur rouge n'évoquait qu'une chose pour Lee – le sang.

---

3 The Tombs (Les Tombes) est le nom donné au centre de détention de Manhattan, à New York. (NdT)

Chapitre 17

Le bureau du légiste était situé dans un bâtiment massif et terne, typique des immeubles des années 1960, triste et fonctionnel. Ses fenêtres rectangulaires étaient entourées de bordures métalliques sur une façade en briques sans caractère.

À juste un pâté de maisons de l'opulence victorienne de l'hôpital Bellevue, avec ses briques rouge foncé, ses lourdes balustrades fleuries et ses gargouilles qui pendaient de l'avant-toit couvert de lierre, le bâtiment qui abritait le bureau du légiste ressemblait à un cousin luthérien très convenable qui serait venu en visite pour le week-end et aurait décidé de rester.

Ils entrèrent dans le hall, meublé de chaises éraflées en plastique jaune et recouvert de moquette bon marché. C'était entre ces murs ternes que se trouvaient les laboratoires et les salles d'autopsie remplies des corps de gens qui avaient été noyés, empoisonnés, tués par balle, à coups de couteau, ou battus à mort.

La réceptionniste ne savait pas trop où les orienter, ils se dirigèrent donc vers la salle d'autopsie principale. Une fois derrière une vitre si propre qu'elle en était invisible, ils cherchèrent un légiste ou un technicien de laboratoire, mais la pièce était vide de tout être vivant, aussi silencieuse qu'une tombe. Les seuls occupants étaient une demi-douzaine de corps sur des chariots en acier, dans des états de décomposition divers. Même les draps blancs qui les recouvraient ne pouvaient cacher les ravages de la mort sur le corps humain – ici, un bras livide dépassait, là une tache brune traversait le tissu d'une blancheur immaculée.

Lee détourna les yeux. Au moins Laura, quand ils la retrouveraient, ne serait rien de plus que des os blancs et propres, rien de semblable à cette horreur. Il regarda Kathy, mais son visage était grave et impénétrable. Peut-être que la vue des corps lui déplaisait autant qu'à lui.

Chuck Morton arriva dans le long couloir, son téléphone portable à l'oreille. Il fit signe à Lee, et dit au téléphone :

— Écoute, je dois y aller. Je te rappellerai, dit-il avant de ranger son téléphone dans sa poche tout en s'approchant d'eux, l'air contrit. J'ai encore raté le foot. J'ai bien peur de ne pas être un père exemplaire ces derniers temps. (Voyant Kathy, il lui tendit la main.) Chuck Morton, commissaire de l'Unité des enquêtes prioritaires du Bronx.

Elle lui serra la main.

— Katherine Azarian.

— Ah oui, j'ai entendu parler de vous. Vous venez de Philadelphie, c'est ça ?

— Oui, je suis ici pour témoigner dans l'affaire Lorenzo.

— Oui, je vois – le squelette qui a été retrouvé dans le Queens, dit-il avant de se tourner vers Lee, le visage triste.

— Je suis désolé de te faire venir comme ça. Il n'y a peut-être aucun lien, mais j'ai juste pensé…

— Ne t'en fais pas, répondit Lee. Je suis content que tu m'aies appelé. Où est…

Elle ? Le squelette ? Il ne pouvait se résoudre à employer un mot ou l'autre, sa phrase resta donc en suspens.

— Elaine est en train de ramener… la dépouille – de la morgue.

Chuck semblait lui aussi avoir du mal à trouver les mots adéquats.

Lee reprit son souffle, la gorge serrée.

Une petite femme blonde aux cheveux courts arriva dans le couloir, poussant un chariot métallique. Sous le drap blanc, on discernait clairement les contours d'un squelette. Lee s'efforça de se concentrer sur sa respiration, tandis que la femme emmenait le chariot dans la salle d'autopsie. Ils la suivirent tous trois, mais Lee n'était pas préparé à l'odeur qui se dégagea quand la porte s'ouvrit. En dépit d'une forte odeur de désinfectant, de formaldéhyde et autres produits chimiques de laboratoire, l'odeur fétide persistait, provoquant chez lui une répulsion instinctive profonde.

C'était l'odeur de la mort.

— Voici Elaine Margolies, dit Chuck en présentant la femme blonde. C'est la première adjointe des légistes de ce bureau.

Elaine Margolies ne plaisantait pas.

— Deux gamins sont tombés sur ce squelette dans des caves du parc d'Inwood. Ils ont appelé, les flics ont pris des photos de la scène, et ils l'ont emmené ici.

— J'ai vu les photos, et elles ne révèlent pas grand-chose, commenta Chuck Morton.

Kathy Azarian n'écoutait pas.

— Puis-je jeter un coup d'œil ? demanda-t-elle à Elaine.

Lee retint son souffle quand Margolies souleva le drap, révélant un squelette humain presque complet, et propre, à l'exception d'un peu de terre et de feuilles.

— Bon, c'est bien une femme, ça ne fait pas de doute, conclut-elle après un bref coup d'œil.

— Et le squelette est en excellent état étonnamment, ajouta Elaine Margolies. Il n'y a que peu de traces d'attaques animales.

— Eh bien, ça semble logique – il n'y a pas beaucoup d'animaux dans le parc d'Inwood, en dehors des écureuils, fit remarquer Morton, jetant un coup d'œil vers Lee pour voir comment il supportait la situation.

Lee baissa les yeux sur le squelette. S'il s'agissait réellement de sa sœur, il pouvait supporter de la voir ainsi – il préférait cela aux corps suintants qui se trouvaient sur les autres chariots.

Mais Kathy Azarian secoua la tête.

— Ce n'est pas votre sœur.

Morton fronça les sourcils.

— Qu'est-ce qui vous fait dire ça ?

— Le développement de l'os iliaque. Cette fille n'avait pas plus de quinze ans au moment de sa mort. Chez les personnes plus matures, continua-t-elle, l'os iliaque est considérablement plus développé. En plus de cela, dit-elle en se tournant vers Lee, vous m'avez dit que votre sœur avait un enfant ?

— Oui, dit Lee. Elle a – avait – une fille.

Il se rappela maintenant avoir parlé de sa sœur de façon incessante pendant le trajet en bus, comme si cela pouvait faire passer le temps plus vite. Il se souvenait à peine de ce qu'il avait dit, mais il se rappelait avoir mentionné Kylie au moins une fois, ainsi que le fait qu'elle vivait avec son père.

— Ce n'est pas le corps d'une femme d'une vingtaine d'années, dit Kathy, et encore moins celui d'une femme qui a enfanté. C'est impossible.

Chuck Morton passa une main dans ses courts cheveux blonds. Lee trouva qu'il avait l'air soulagé.

— Bien, dit-il. Vous en êtes sûre ?

— Tout à fait sûre, répondit-elle.

La tension se vida de la pièce comme l'eau d'un siphon. Lee sut à cet instant qu'il n'était pas si différent de sa mère, après tout – tant qu'aucun corps ne faisait surface, au fond de lui, il y avait encore une infime lueur d'espoir, prête à jaillir.

Il regarda Chuck Morton, et fut surpris de voir son vieil ami en sueur.

Le téléphone de Chuck sonna – une mélodie joyeuse qui contrastait avec la solennité de l'atmosphère ambiante.

— Allô ? dit-il, à l'écoute, avant de répondre : OK, merci de m'avoir prévenu.

Il raccrocha, l'air grave.

— J'ai peur d'avoir une mauvaise nouvelle.

— Qu'y a-t-il ? demanda Lee.

— Le père Michael Flaherty est mort. Il s'est pendu.

— Oh, mon Dieu.

— Il a laissé une lettre. Il s'excuse de son comportement sexuel.

— C'est tout ? Aucune mention de…

— Non.

Ni l'un ni l'autre ne dirent ce qu'ils pensaient tous les deux – ils étaient revenus au point de départ. Et une autre idée dérangeante traversa l'esprit de Lee. Et si le squelette qu'ils venaient de retrouver était une précédente victime du Découpeur ?

Chapitre 18

Les bois étaient silencieux autour de lui, les branches des arbres descendaient jusqu'au ruisseau sinueux, leurs feuilles formant une voûte luxuriante verte et dorée, qui le cachaient et le protégeaient du regard inquisiteur et indiscret de ceux qui pourraient le juger.

Il resta là, à regarder le flux du ruisseau, l'eau douce transparente glougloutant sur les cailloux qu'il rencontrait sur son chemin. Il était comme le cours d'eau, glissant sur les pierres et les galets qui se mettaient sur sa route, les polissant jusqu'à ce qu'ils deviennent ronds, aussi lisses que les membres blancs des femmes qu'il avait sauvées.

Il fallait que quelqu'un les sauve de la voie qu'elles avaient choisie avant qu'il ne soit trop tard. Il était le seul à pouvoir le faire – en dehors du Maître, bien sûr. Ils comprenaient tous deux l'importance de la pureté, et il était lui-même resté pur – sans tache, aussi propre et limpide que l'eau qui s'écoulait si rapidement sur les cailloux qui bordaient le ruisseau. C'était un fardeau lourd à porter – parfois presque intolérable – mais l'importance de sa mission lui donnait l'énergie nécessaire pour continuer.

Il s'allongea sur les cailloux et laissa l'eau purifiante s'écouler sur lui. Elle était glacée, mais il s'en moquait. Cela l'aidait à éteindre le feu qui faisait rage dans son âme. Il ferma les yeux et laissa les images flotter dans son esprit, comme l'eau qui s'écoulait sur sa peau. Chaque fois qu'il fermait les yeux, les images de leur visage étaient là, dans les yeux de son âme, un visage laissant place à l'autre, leurs traits tissant une trame infinie de souvenirs et de désir…

Il avait triomphé de la concupiscence, surmonté son propre désir pour ces femmes par un acte de volonté, pour suivre une impulsion plus pure. Le Maître comprenait l'importance de sauver une âme – en arrêtant le pécheur avant qu'il ne puisse pécher à nouveau.

Peut-être avaient-elles éprouvé du désir pour lui, ces femmes à la peau douce et blanche et aux yeux de biche qui s'écarquillaient et se remplissaient de terreur lorsqu'il se penchait sur elles, posait les mains sur leur cou. Il appuyait juste assez fort pour leur couper la respiration, puis les regardait, attendant leur dernier souffle, guettant l'instant où leur âme s'échappait, se libérant de la prison de leur corps, pour s'envoler au loin, et se réfugier dans les bras ouverts du Seigneur. Puis, il y avait le rituel – il gravait au couteau les mots du Seigneur dans leur chair morte, les leur dédiant tandis qu'elles étaient allongées devant lui, le corps encore chaud.

Un sourire se dessina sur son visage lorsqu'un minuscule serpent d'eau argenté glissa, frottant sa peau brillante contre le tissu de son pantalon. Il n'avait pas vu le serpent, mais peut-être avait-il senti sa présence, parce qu'il frémit en pensant à tout le travail qu'il lui restait à accomplir.

Il pensa aux jeunes filles douces et malléables, charmantes et fraîches… Il passa en revue leurs charmes un par un – les beaux reflets de leur chevelure, leurs yeux doux et leur corps souple, la tendre plénitude de leurs seins juvéniles.

Il se releva de là où il était couché, ôtant les brindilles de ses vêtements, et se secouant comme l'aurait fait un chien, projetant de l'eau dans toutes les directions. Les gouttelettes valsèrent en tourbillonnant dans le soleil qui filtrait à travers les arbres, attrapant la lumière pour la transformer en mille prismes minuscules. Une fois encore, il était touché par la beauté virginale de la forêt – le seul endroit où il pouvait échapper à la présence des êtres humains qui profanaient toute chose. Il prit une grande inspiration, et retourna là d'où il venait. Le cliquetis réconfortant des clés qui pendaient à sa ceinture lui arracha un sourire, et sa main se referma sur le couteau fraîchement aiguisé qu'il avait mis dans sa poche.

Il avait un travail à faire.

Chapitre 19

Le lendemain matin, Lee se réveilla en sueur, l'estomac noué par l'angoisse.

Le matin était toujours la période la plus difficile. À la seule pensée de tout ce qui l'attendait dans la journée, la terreur pouvait lui ôter toute volonté et le paralyser. Parfois, il connaissait les raisons de son anxiété, parfois non. C'était bien pire quand il ne savait pas. Dans ce cas, cela le tenaillait, d'heure en heure, pesant comme un vice sur sa conscience, jusqu'à ce que l'acte le plus simple, comme de se brosser les dents, demande un effort de volonté colossal.

Il connaissait la raison de son angoisse – c'était Kathy Azarian. Leur rencontre avait bouleversé son monde prudemment organisé. Il avait peur que le contrôle qu'il avait jusque-là réussi à exercer sur ses émotions ne lui échappe. Mais plus que tout, il ne voulait pas revenir aux mois qui avaient suivi la disparition de sa sœur.

C'était là que tout avait commencé – quand il avait plongé dans un abîme sans fond – une noirceur qu'il n'avait jamais connue auparavant. Depuis lors, il avait appris à connaître les nombreux visages de la dépression. Le plus souvent, elle s'abattait sur lui dès le matin, au réveil, comme une main froide se refermant sur son cœur, suivie d'une sensation de brûlure, comme si son âme était en feu. Les objets familiers devenaient étrangers, la nourriture perdait sa capacité à le réconforter, et les paysages qu'il trouvait autrefois charmants lui semblaient tout à fait dénués de vie. Il n'y avait aucune perspective, au-delà de l'épais brouillard de la douleur.

À présent, allongé sur son lit, il sentait l'agitation familière, mêlée à l'immobilité glacée. Il resta recroquevillé pendant un moment, l'estomac noué, l'esprit tournant en boucle comme un lion en cage. Il regarda le radio-réveil, près de son lit. Il affichait 10:32, le deux-points clignotant comme un signal d'alarme.

À un moment donné, après la mort de Laura, son répondeur était devenu une source d'angoisse. Il redoutait de se lever le matin, et de voir la lumière rouge clignoter, indiquant qu'il avait des messages. C'était comme l'œil rouge brillant de colère d'une bête prête à le dévorer tout entier. Il était terrifié par ce que les autres attendaient de lui, il avait peur de les décevoir – ou pire, qu'ils le fassent sombrer.

Il était aussi certain, à chaque message, qu'il allait entendre la police lui annoncer qu'ils avaient retrouvé le corps de sa sœur. Et même s'il avait la certitude qu'elle était morte, il redoutait cet appel.

Il s'extirpa de son lit, se traîna jusqu'à la salle de bains, se lava et se rasa, la tête dans le brouillard, à peine conscient de ce qu'il faisait, comme un somnambule. Il se força à regarder le répondeur. À son grand soulagement, il n'y avait aucun message.

Les mains tremblantes, il prit le téléphone et appela sa thérapeute. Après avoir laissé un message, il sentait le peu de volonté qu'il avait l'abandonner à mesure que les minutes passaient. Il alla dans la cuisine, ouvrit le réfrigérateur et essaya d'imaginer qu'il avait envie de manger quelque chose. Pas de café, pas aujourd'hui – quand il était dans cet état d'agitation, la caféine était la dernière chose dont il avait besoin. Il regarda fixement la coupe de bananes posée sur la table, mais elles ne semblaient pas très appétissantes. Il s'assit au piano, et fut incapable de se concentrer sur les notes qu'il avait sous les yeux.

Finalement, le téléphone retentit. Il décrocha à la seconde sonnerie.

— Allô ?

— Bonjour, c'est Georgina Williams.

Elle avait une voix plutôt froide, et pourtant intime, avec juste ce qu'il fallait de détachement professionnel. Il alla droit au but.

— Avez-vous un créneau de libre ou une annulation aujourd'hui ?

— En fait, j'ai un créneau dans une heure, si vous pouvez venir aussi vite.

— Très bien. À tout de suite.

Il raccrocha et s'efforça de calmer sa respiration. Puis, il alla dans la cuisine, prit une banane, et s'efforça de l'avaler.

Une heure plus tard, il était assis dans un bureau familier, avec sa réconfortante collection d'objets, de livres et de tableaux. Un vase d'œillets était posé sur la table, près du docteur Williams, exhalant un arôme de muscade.

— Bon, vous êtes angoissé aujourd'hui, dit le docteur Williams de sa voix douce et distinguée. Mais ressentez-vous autre chose ?

— De la tristesse, peut-être.

— Autre chose ?

Il la regarda.

— Comme quoi ?

— Comme… De la colère, par exemple.

Il sentit son estomac brûler… Oui, de rage.

— OK, dit-il, je suis donc en colère. Et qu'est-ce que je peux y faire ?

— Eh bien, vous autoriser à l'admettre est un début. Ensuite, vous pouvez me dire toutes les choses qui vous mettent en colère.

Lee sentit sa mâchoire se contracter.

— OK, dit-il avec froideur. Je suis en colère contre ma mère parce qu'elle ne veut pas admettre la vérité – que Laura est partie, et qu'elle ne reviendra jamais.

— Vous êtes donc en colère contre votre mère parce qu'elle garde espoir.

— Oui, il y a un moment où il est temps de renoncer, et de voir la réalité telle qu'elle est.

— Et si la réalité était trop douloureuse ?

— La réalité est souvent trop douloureuse. Ce n'est pas une excuse. On doit malgré tout y faire face.

— Vous voudriez donc que votre mère ait votre courage ?

— Oui, je suppose. Parce qu'alors je pourrais – je pourrais faire mon deuil avec elle. C'est une chose qu'on pourrait traverser ensemble, au lieu de vivre dans des réalités parallèles.

Le docteur Williams hocha la tête, le visage rayonnant de sympathie.

— Oui, c'est dur quand les gens auxquels nous tenons continuent de nous décevoir.

— Il y a autre chose. (Il ne savait pas comment le dire.) J'ai rencontré quelqu'un.

Le docteur Williams croisa les mains sur ses genoux et se cala dans son fauteuil.

— Eh bien, cela semble plutôt être une bonne chose.

— Cela *semble* super – mais ça fout la trouille.

— Pourquoi ne parlerions-nous pas de la raison pour laquelle cela vous fait peur ?

— Disons que c'est une occasion d'avoir ce que je désire, mais c'est aussi une occasion d'échouer, de perdre l'objet de ce désir.

— Donc, tant que vous ne désirez rien, vous êtes à l'abri ?

Lee réfléchit à la question.

— Ouais, plus ou moins. Mais ce n'est pas une solution, de vivre ainsi. À vrai dire, je ne suis pas sûr d'être prêt pour ce genre de choses. Je veux dire que le timing n'est pas idéal… je me sens pris au dépourvu.

— Ne serait-ce pas merveilleux si les opportunités ne se présentaient que lorsqu'on les sollicite ?

— Est-ce que je ne sens pas une pointe de sarcasme ?

— Non, pas du tout – juste de l'ironie. Je ne pense pas du tout qu'il soit déraisonnable que vous ressentiez cela, mais la vie vous fait parfois passer par des chemins de traverse quand…

— Quand vous espériez trouver un raccourci.

Le docteur Williams se mit à rire, un rire grave, qui émanait du fond de sa gorge. Cela fit penser à Lee à un didgeridoo, l'instrument de musique australien qui produit d'incroyables harmoniques, quand on sait en jouer.

— À quoi ressemble-t-elle ?

— Elle est, heu… pas très grande, avec les cheveux bruns frisés.

— Comme votre sœur.

— Bon sang… Est-ce que tout doit être lié à Laura ?

— Non, c'était une simple remarque. Mais il est intéressant que vous ayez immédiatement été sur la défensive.

— D'accord, d'accord.

— Vous savez, il n'est pas inhabituel que quelqu'un essaie de construire une famille de substitution quand sa famille d'origine n'est pas à la hauteur – ou, dans votre cas, détachée de vous.

— OK, OK, dit Lee avec impatience. Et John Nelson est mon père de substitution, celui qui ne m'abandonne pas, mais me choisit parmi tous les autres.

— Pourquoi cela vous met-il si en colère ?

— C'est pour le savoir que je suis là, non ?

— OK.

Le docteur Williams mordait rarement à l'hameçon, même lorsqu'on l'agitait juste sous son nez. C'était une des choses que Lee appréciait chez elle – cette assurance qu'elle avait en tant que thérapeute.

Il y eut un silence, puis Lee dit :

— Vous savez, ma mère n'approuve pas vraiment le métier que je fais.

— Ah, vous croyez ?

— C'est trop pénible, trop lié à des choses auxquelles je ferais mieux de ne pas penser.

— Le côté sombre de la nature humaine ?

— Elle n'avait pas de problème avec le fait que je sois psychologue, mais « cette histoire de profiler », comme elle dit, m'emmène sur des territoires dont elle ne veut même pas admettre l'existence.

— Pensez-vous qu'elle trouve cela dangereux ?

— J'en suis sûr.

— Et vous, trouvez-vous ça dangereux ?

— Oui. Bien sûr.

— Cette femme que vous avez rencontrée, pensez-vous qu'elle trouve que c'est dangereux ?

— Eh bien, justement… Elle semble trouver ça fascinant. Je ne sais pas trop comment je me situe par rapport à ça. Une partie de moi est soulagée, et une autre partie se demande…

— Ce qui ne va pas chez elle ?

Il réfléchit à la question.

— Oui, peut-être.

— Alors, vous pensez que vous devriez épouser une femme qui est exactement comme votre chère mère ?

— Dites-moi, docteur Williams, de qui s'agit-il maintenant – de ma mère ou de ma sœur ? Décidez-vous.

Ils rirent en cœur, mais Lee ne put réprimer cette impression de malaise. C'était une chose de lire ce genre de trucs dans un manuel, ou même de les aborder avec un patient, mais cela en était une autre d'en faire soi-même l'expérience.

Lee quitta le bureau du docteur Williams avec la sensation qu'un poids avait été ôté de ses épaules. C'était un tel soulagement de pouvoir dire « J'ai peur ». Dans sa famille, ces mots étaient interdits. Personne n'avait jamais peur – il fallait être fort et rester digne, en toutes circonstances. La peur, c'était bon pour le reste de l'humanité, ces êtres humains inférieurs qui n'avaient pas eu la chance d'être nés en portant le nom de Campbell. Lorsque Lee tourna au coin de la place de l'université, en passant devant un café, il fut assailli par une odeur de viande grillée, et eut soudain une faim de loup.

Son téléphone portable fit un bip dans sa veste, indiquant qu'il avait un message. Il le sortit de sa poche et regarda l'écran. Nouveau

SMS. Il fit défiler le menu et lut le message. Il tenait en une seule phrase.

Qu'est-il arrivé à la robe rouge ?

Il resta pétrifié sur le trottoir. Personne n'était au courant pour la robe rouge – celle que sa sœur portait juste avant sa disparition. Ce détail n'avait jamais été rendu public – seule la police le savait.

Sauf que maintenant, quelqu'un d'autre était au courant.

Chapitre 20

Plus tard, cet après-midi-là, Lee s'assit dans le fauteuil en cuir, près de la fenêtre, les pieds appuyés sur le rebord, une tasse de café fort posée sur la table ronde en bois de rose, près de lui. Il ouvrit le dossier jaune posé sur ses genoux. L'inscription au stylo rouge indiquait simplement « Kelleher, Marie », suivi du numéro de dossier. La jeune fille, qui autrefois avait la vie devant elle, était réduite à un dossier en papier kraft, quelques horribles photos et un numéro. Une bonne petite catholique, pieuse et pratiquante qui n'avait pas le moindre ennemi. La sœur de Lee n'avait pas non plus d'ennemi, et pourtant, un jour, quelqu'un serait assis avec un dossier tel que celui-ci sur les genoux, et sur l'étiquette, on lirait « Campbell, Laura »… Si jamais on retrouvait son corps.

Qu'est-il arrivé à la robe rouge ?

Lee se frotta le front. Il n'y avait aucun moyen de retrouver celui qui avait laissé ce message – on pouvait acheter des téléphones à carte dans n'importe quelle épicerie portoricaine de New York, s'en servir pour passer un appel, et le jeter dans l'East River. Lee se demanda s'il devait appeler Chuck et lui parler du message.

Il s'efforça de se concentrer à nouveau sur le dossier qu'il avait sous les yeux et se pencha sur les preuves médico-légales, ou plutôt leur absence : ni sperme, ni empreintes, et – en dehors de celui de la victime – pas de sang. Il observa les photographies de la scène de crime, et fut frappé par l'ordre qui régnait sur les lieux. Rien qui ne soit à sa place, le vase de fleurs se trouvait exactement là où le prêtre avait dit l'avoir vu pour la dernière fois, le podium était à sa place – on n'avait presque touché à rien, si on faisait exception de la présence du corps de Marie sur l'autel. L'absence de blessures de défense impliquait qu'elle avait sans doute été attaquée par surprise – une attaque éclair. Elle ne connaissait pas forcément très bien son agresseur, mais elle ne se sentait pas menacée par lui – jusqu'à ce qu'il soit trop tard.

Le téléphone sonna, le tirant de ses pensées.

— Allô ?

— Salut, boss.

— Salut, Eddie.

— Je crois que j'ai quelque chose pour toi.

— Ah oui ? De quoi s'agit-il ?

— Je ne peux pas parler pour l'instant, mais c'est peut-être une bonne nouvelle. Diesel et Rhino ont fourré leur nez à droite à gauche, tu sais.

— OK, donne-moi ton numéro et je t'appellerai.

— Non, je ne peux pas, boss. Je vais devoir te rappeler.

— OK.

— À quel moment ça t'arrange ?

C'est à cet instant que Lee entendit un signal de double appel.

— Écoute, je dois y aller – appelle-moi demain, OK ?

— Très bien.

Lee appuya sur une touche du combiné et répondit sur l'autre ligne.

— Allô ?

— Lee, c'est Chuck.

Quelque chose dans le ton de sa voix noua l'estomac de Lee. Avant qu'il ne parle à nouveau, Lee savait ce qu'il allait dire :

— Il y a eu un autre meurtre – même M.O. C'est lui, Lee.

— Où ?

— À Brooklyn. Le nom de la victime est Annie O'Donnell. Ils l'ont trouvée dans une église du quartier de Heights.

— Merde. Tu es sur place ?

— Je suis en route. C'est dans Court Street, au numéro 143.

— OK, je pars tout de suite – je te retrouve sur place.

Lee but une gorgée de café presque froid, enfila son manteau, et attrapa les clés de son appartement, qu'il mit dans sa poche.

Il sortit dans la lumière du crépuscule et regarda les fenêtres éclairées qui bordaient la 7e rue. L'appartement qui était face à lui avait des rideaux de dentelle blanche, et la douce lumière jaune qui filtrait de l'intérieur semblait accueillante. Mais derrière n'importe quelle fenêtre, même la plus engageante, il pouvait y avoir un tueur, préparant son prochain acte de rage contre la société. Lee se rendit à petites foulées à l'angle de la 3e avenue et de Park Avenue pour y chercher un taxi.

Lorsqu'il avança vers le bord du trottoir pour héler un taxi, il entendit le bruit d'une voiture pétaradant. Ce n'était pas un bruit inhabituel sur la 3e avenue, mais quelques instants plus tard, quelque chose siffla près de son oreille, avant de s'enfoncer dans le réverbère qui était derrière lui. Il se tourna pour regarder le réverbère, mais au même instant, un taxi s'arrêta devant lui.

Il jeta un coup d'œil en direction du réverbère – quel que soit l'objet en question, il s'était enfoncé profondément dans le métal. Il fit un pas en direction du réverbère, mais le taxi klaxonna en signe d'impatience.

— Hé, monsieur ! Vous voulez aller quelque part, ou non ?

Lee jeta un coup d'œil dans la 3e avenue. Une pluie légère commençait à tomber, et c'était le seul taxi libre à l'horizon.

— Oui, merci, dit-il, en montant, avant de refermer la portière.

Il n'y avait aucun doute dans son esprit, le trou dans le réverbère avait été causé par une balle. Ce dont il n'était pas sûr, c'est si c'était lui qui était visé.

Le poursuivant devient le poursuivi, pensa-t-il, l'air sombre, tandis que le taxi remontait la 3e avenue.

Chapitre 21

L'église du quartier de Brooklyn était un lieu historique et révéré – c'était la All Souls Unitarian Church. Lee en avait entendu parler, mais il ne l'avait encore jamais vue. Ayant été autrefois la maison spirituelle de William Lloyd Garrison, l'église était connue pour son engagement en faveur de la justice sociale. Le bâtiment datait lui-même du milieu du XIX\ siècle, et sa salle paroissiale offrait une galerie de portraits de figures célèbres et de pasteurs qui avaient fait un discours dans l'église – une sorte de Who's Who du mouvement des droits civiques. Lee se rappelait de ses cours d'histoire et que Lincoln en personne y avait pris la parole, environ un an avant sa mort.

En traversant la longue allée de l'église, il ressentit l'envie soudaine d'admirer l'impressionnante collection de portraits – Frederick Douglas, Sojourner Truth, Martin Luther King – mais il pressa le pas, dont l'écho résonnait sur le sol de pierre. Il finit par arriver dans l'immense salle intérieure de l'église – une pièce circulaire majestueuse et disproportionnée qui ressemblait autant à une église qu'à une salle de concert. D'imposants balcons en bois sculpté surplombaient une collection de bancs cirés et de grandes fenêtres voûtées ornées de vitraux.

L'équipe du CSI était déjà sur place, évoluant au sein de l'église avec son efficacité habituelle, à la recherche d'empreintes, inspectant chaque banc à l'affût du moindre fragment susceptible d'apporter une preuve. Il s'approcha du petit groupe rassemblé autour de la chaire. Chuck Morton était là, portant toujours son manteau, de couleur beige et visiblement pas donné. Susan, la femme de Chuck, avait le don d'acheter des vêtements qui n'étaient pas chers mais semblaient l'être.

Quand Chuck entendit Lee approcher, il leva la tête.

— Merci d'être venu si vite.

Lee regarda le corps allongé sur l'autel.

La victime ressemblait étrangement à celle de Fordham – jeune, cheveux noirs bouclés, avec des traits résolument irlandais. Cette fois, cependant, la scène de crime montrait les signes d'une attaque violente. Plusieurs livres de cantiques avaient valsé de leur chevalet dans la tribune de la chorale qui entourait l'autel et étaient éparpillés sur le sol, les pages déchirées et tachées de sang. Un grand vase bleu et blanc gisait près du corps de la victime, cassé en deux, et son contenu était répandu sur l'épais tapis qui recouvrait le sol de l'autel. Des roses jaunes – c'est ironique, pensa Lee, le symbole de l'amitié.

Mais ce dont il ne pouvait détacher les yeux, c'étaient les mots gravés sur sa poitrine.

Que ton nom soit sanctifié.

Les coupures étaient plus profondes que la fois précédente, les entailles plus grossières. Le « é » de « sanctifié » coupait son mamelon droit si profondément qu'il avait failli tomber. Il y avait plus de sang aussi – beaucoup plus. Il pensa à ce qu'avait dit la légiste de la morgue à propos des blessures post-mortem – et ces blessures ne semblaient pas avoir été infligées post-mortem. Il détourna la tête, écœuré.

Que ton nom soit sanctifié.

La phrase tournait en boucle dans son esprit.

— Merde, marmonna Lee.

Une autre pensée lui traversa l'esprit, et elle l'horrifia. Le Découpeur n'en était qu'à la deuxième ligne de la prière – il n'en était même pas au quart.

— C'est lui. C'est le même type, soupira Chuck en s'approchant de lui. Tu avais raison sur une chose – il ne s'arrêtera pas.

— Et il s'est passé moins d'une semaine entre ces deux meurtres, fit remarquer Lee. La dernière fois, il avait attendu un mois, mais cette fois... Il est soit plus motivé, soit plus confiant, ou les deux. Qu'est-ce que tu as sur la victime pour l'instant ?

Chuck baissa les yeux sur la jeune fille.

— Pauvre gosse. Elle s'appelle Annie O'Donnell, dit-il en désignant un inspecteur qui interrogeait un Hispanique d'âge moyen en uniforme vert, visiblement bouleversé. Même le gardien l'a reconnue. Il a dit que c'était une des fidèles de l'église. Elle a l'air d'être plutôt calme, en revanche le gardien dit qu'il ne manque jamais de remarquer une jolie fille, dit Chuck en le regardant. Crois-tu que ça puisse être lui ? demanda-t-il.

— Trop vieux, et la race ne correspond pas. Le Découpeur est jeune, et sans doute de race blanche. Les crimes sexuels interraciaux existent, mais ils sont rares, et ce type semble être un tueur préférentiel.

— Ce qui veut dire... ?

— Qu'il prend pour cible un type précis de victime.

— OK, je vois, dit-il en jetant un coup d'œil en direction des techniciens de la police scientifique à l'affût d'empreintes et de preuves. L'équipe du CSI fait ce qu'elle peut, mais je ne m'attends pas à un miracle.

— Non, convint Lee. S'il a réussi à couvrir ses traces la dernière fois, il n'y a pas de raison qu'il ait agi différemment cette fois. Il sait ce qu'il fait. D'un autre côté, cette fois il y a des traces de lutte, alors il est toujours possible...

— Lee, dit Chuck, penses-tu que Nelson accepterait...

— Quoi ?

— Eh bien, vous êtes assez proches, non ? Alors je me suis dit que tu pourrais peut-être lui demander si... s'il accepterait d'être consulté ?

— Ouais, bien sûr.

— Je veux dire… Ne le prends pas mal, mais je crois qu'on va avoir besoin de toute l'aide qu'on pourra obtenir, non ?

— Bien sûr, dit Lee. Dans le domaine de la psychologie criminelle, personne n'est plus calé que lui.

L'inspecteur qui avait parlé au gardien en avait fini avec lui, et il se dirigea vers Lee et Chuck. Il tenait un petit carnet de notes, un outil essentiel pour tout inspecteur, et portait l'« uniforme » habituel – un imperméable beige sur un costume sombre, des chaussures noires et des chaussettes sombres. Lee se demanda pourquoi l'homme était habillé ainsi un samedi après-midi – cela semblait un peu trop habillé pour une tenue de week-end – mais l'homme était peut-être déjà en service quand il avait reçu l'appel.

Chuck fit les présentations.

— Inspecteur Florette, je vous présente Lee Campbell. Lee, voici l'inspecteur Florette, Brooklyn SVU.

SVU (*Special Victims Unit*) indiquait qu'il s'occupait exclusivement des crimes sexuels.

— Ravi de vous rencontrer, dit Clyde Florette en tendant la main à Lee.

Sa poignée de main était affirmée sans être agressive. Il était physiquement à l'opposé de l'inspecteur Butts – un grand black, mince et élégant, avec des cheveux grisonnants lissés en arrière. Il avait les traits trop aquilins pour être d'une beauté conventionnelle. Mais en dépit de lèvres fines et d'un long nez, avec sa barbe de trois jours parfaitement entretenue et ses yeux lumineux, Lee supposa qu'il devait plaire aux femmes, surtout celles qui aimaient le genre professoral. Il avait aussi une voix grave et cultivée, avec une pointe d'accent des îles – Haïti, peut-être ou la Barbade.

— Le commissaire Morton m'a dit que vous travaillez sur un *serial*, et que c'est sa deuxième victime, dit Florette.

« Serial » était une abréviation dans la police pour désigner les tueurs en série, et comme bon nombre de mots appartenant au jargon des flics, il ne sonnait vraiment pas bien aux oreilles de Lee, comme si ce jargon était une tentative de distancer les flics de tout ce qu'ils pouvaient rencontrer dans l'exercice de leurs fonctions.

— C'est exact, répondit Lee, sauf que c'est sa troisième victime.

L'inspecteur Florette parut surpris et regarda Morton.

— Nous n'avons pas encore établi ce fait, dit Chuck avec une pointe d'irritation dans la voix.

— En tout cas, que ce soit la deuxième ou la troisième, poursuivit Florette, il a réussi à entrer et sortir d'ici sans que personne le voie. Je n'ai rien obtenu du gardien, ni de l'aumônier, qui dit avoir passé une partie de l'après-midi dans son bureau, ajouta-t-il avant de faire un signe de tête en direction de la fille morte. Elle n'était morte que depuis trois ou quatre heures au plus – d'après la température du corps – quand le gardien l'a trouvée.

Lee reprit la parole :

— Cela veut dire qu'il l'a emmenée ici en plein jour, et que malgré ça, personne ne l'a vu.

Florette fronça les sourcils.

— Comment a-t-il pu faire ça ? Quelqu'un aurait dû le voir, non ?

Lee réfléchit à la question.

— D'une façon ou d'une autre, il a dû trouver un moyen de la déguiser, pour qu'elle n'ait pas l'air d'être morte…

— Peut-être l'a-t-il droguée, ajouta Florette. Elle s'est visiblement débattue une fois ici.

— Mais peut-être qu'elle ne ressemblait même pas à une personne, suggéra Morton. Peut-être qu'il l'a emmenée dans un sac ou un genre de container.

— Ça se tient, convint Lee.

— Je vais faire vérifier l'ensemble du bâtiment pour voir si on trouve quelque chose, dit Florette. Je voudrais également parler à votre inspecteur principal à propos de la fille du Bronx – quel est son nom déjà – l'inspecteur Butts ?

— C'est ça, dit Chucks. On a essayé de le joindre, mais sa fille a dit qu'il avait emmené sa femme au théâtre, et il a éteint son portable.

— Bon, donnez-lui mon numéro et dites-lui de m'appeler dès qu'il pourra.

Tous regardèrent la fille morte. Sa peau devenait déjà d'une blancheur bleutée. Les mots gravés sautaient aux yeux sur la peau pâle. *Que ton nom soit sanctifié.* Les plaies pourpres étaient couleur de rouille séchée.

— Je suppose qu'en haut lieu, ils pourraient prévoir un détachement spécial sur cette affaire, non ? demanda Florette.

— C'est possible, répondit Chuck.

— Dans ce cas, l'inspecteur Butts serait l'inspecteur principal à partir de maintenant, dit Florette, baissant les yeux sur ses chaussures cirées.

Lee sentit une certaine réticence dans sa voix. Il comprenait comment le système fonctionnait, mais une fois qu'un flic était sur une affaire, il n'aimait pas la laisser filer – surtout les inspecteurs chargés d'affaires d'homicides, et a fortiori quand la victime était une jeune fille. Lee avait remarqué que les gens qui avaient le profil de sauveur de l'humanité étaient souvent attirés par la police, et il était fréquent qu'ils finissent à la criminelle. Voir des femmes en détresse était susceptible de leur faire faire n'importe quoi. Et si ces femmes étaient jeunes et séduisantes, cela ne faisait que rendre l'enjeu plus important pour ces anges tutélaires – ils voulaient voler au secours de la princesse, tuer le dragon et remporter la récompense.

Lee jeta un nouveau coup d'œil à la pauvre Annie, étendue de façon si immobile au milieu de l'agitation ambiante, tandis que le CSI et l'équipe des légistes continuaient de faire leur travail. La princesse était morte, et il n'y aurait pas de récompense, ni aucune main donnée en mariage au héros qui capturerait ce dragon.

— Je vais juste devoir attendre de voir comment ils gèrent la situation, mais il y aura probablement un détachement spécial, oui, dit Chuck.

Florette inspira profondément, puis remit son petit carnet dans sa poche.

— OK. Bon, je n'ai pas besoin de vous dire que j'aimerais être sur cette affaire.

— Bien sûr, répondit Chuck. J'appuierai votre demande, si je peux.

Florette alla parler à l'équipe du CSI, de l'autre côté de la pièce, et Lee en profita pour prendre Chuck à part.

— Il y a autre chose que je devrais te dire, confia Lee.

— De quoi s'agit-il ?

— Je… Je pense que quelqu'un m'a tiré dessus hier soir.

— *Quoi ?*

Lee parla à Chuck de la balle qui l'avait manqué de peu, et Chuck appela quelqu'un du 9e district pour extraire la balle.

— On fera un test balistique sur la balle, ça pourrait nous donner quelque chose, dit Chuck.

— OK, répondit Lee. Mais ça ne correspond pas vraiment au profil. Je ne pense pas que notre tueur soit un tireur. Ça n'a peut-être rien à voir avec notre affaire.

Il pensa lui faire part du message reçu sur son téléphone portable, mais vit l'inspecteur Florette revenir dans leur direction, et décida d'attendre.

Florette les rejoignit, et resta près d'eux, les mains dans les poches.

— Ce type, c'est un vrai dingue, n'est-ce pas ? dit-il à Lee.

— Ouais, répondit Lee. Il est vraiment malade.

— Alors, maintenant, on est sûrs qu'on a affaire au même tueur, dit Chuck.

— Ce qu'on a ici, dit Lee, c'est un tueur en série.

Chapitre 22

Où qu'il aille, il avait l'impression que les gens le regardaient, le jugeaient. Il n'y avait ni pardon, ni rédemption. Il le savait, tout comme il connaissait par cœur chaque centimètre carré du plafond de sa chambre pour l'avoir regardé pendant toutes ces années, allongé dans son lit, espérant que sa mère ne l'appellerait pas. Mais elle l'appelait toujours, lui demandant de s'agenouiller près d'elle sur le sol toujours aussi dur qui avait une odeur de cire et de laque.

Mais le Maître le comprenait, et un jour, avait-il promis, il trouverait à Samuel une fille qui l'épouserait et lui pardonnerait toutes ses méchancetés. Elles étaient si jeunes, si innocentes, aussi douces que de jeunes oiseaux, la peau veloutée et des yeux aussi grands que les prés blonds qui entouraient la maison de son enfance. Il pensait souvent à cette maison, dans l'Iowa, à ses champs de maïs qui s'étendaient jusqu'à l'horizon, et à la sensation de la main de son père dans la sienne lorsqu'ils marchaient vers la grange pour aller chercher le gros tracteur vert.

Il n'avait jamais vraiment compris pourquoi son père était parti. Tout ce qu'il savait, c'était que tous les hommes étaient mauvais par nature, et qu'ils partaient tous, tôt ou tard. Et maintenant, il n'y avait plus que le Queens, et le bruit des camions sur l'autoroute de Long Island la nuit, et les pas de sa mère à l'étage, errant dans la maison comme une âme perdue en quête de rédemption. *Le Seigneur t'aime, Samuel – trouve ton salut en Jésus.*

La rage montait en lui, venant de très loin, naissant au creux de son estomac et lui serrant la gorge, jusqu'à l'étrangler. Peut-être les choses étaient-elles telles que sa mère les avaient décrites. Peut-être que s'ils n'avaient jamais eu d'enfant, son père ne serait pas parti. Il imagina les scénarios qui auraient pu se produire s'il n'était jamais né – sa mère et son père, au volant de la voiture, cheveux au vent, sa mère riant, la tête inclinée en arrière, et non ce petit rire pincé qu'il lui connaissait maintenant, mais un son plus doux et joyeux, comme le tintement d'un carillon éolien. Une des filles avait ri comme ça, un son léger et mélodique, comme le murmure d'un ruisseau. Il imagina faire rire une femme ainsi un jour... un son qu'elle ne ferait que pour lui, en réponse à ses caresses... *Les filles de ce genre sont des traînées, Samuel ! Elles vont te corrompre !*

Il secoua la tête pour essayer de faire taire les voix, mais ça ne servait à rien. Il était fatigué, si fatigué... étalées sur la table devant lui, il y avait une petite collection de croix en or et en argent sur leur chaîne délicate. Il en choisit une avec un minuscule diamant au milieu et sourit. Elle plairait à sa mère.

Chapitre 23

Le prêtre aux yeux tristes lui fit signe depuis l'autre côté de la rivière longue et sinueuse. Lee était impatient de la traverser pour le rejoindre, mais il y avait beaucoup de courant, et il avait peur d'être emporté. Le prêtre ouvrit les bras et sourit, et juste au moment où Lee était sur le point de se jeter à l'eau…

Le téléphone retentit. Lee s'arracha au monde de ses rêves, rejeta les couvertures et saisit le téléphone, content de s'être débarrassé du prêtre aux yeux tristes et soulagé d'être dans sa propre chambre.

— Allô ?

— C'est moi. (C'était Chuck.) On a quelque chose sur la fille du Queens. Des gamins se sont présentés pour dire qu'ils pensaient la connaître. Ils sont au poste maintenant.

— J'arrive.

Au commissariat, Lee suivit Chuck et Butts dans le couloir qui menait à la salle d'interrogatoire numéro trois, les yeux encore pleins de sommeil, une tasse de café à la main.

À travers le miroir sans tain, il les voyait – trois gamins comme ceux qu'on rencontre dans l'East Village, deux garçons et une fille. Ils étaient jeunes, sans doute plus jeunes encore que Pamela. Deux d'entre eux, la fille et un des garçons, étaient aussi gothiques qu'on pouvait l'être – cuir noir, cheveux violets hérissés, rouge à lèvres rouge sang, et assez de piercings pour déclencher les détecteurs de métaux de n'importe quel aéroport. Lee compta cinq anneaux, juste dans le nez du garçon.

Le troisième gamin était habillé de façon moins outrageuse.

Mince et délicat, il portait une simple veste en daim, un jean, pas de maquillage et un seul anneau dans le nez. Il était brun, les cheveux peignés en arrière, et non dressés sur la tête en forme de pointe, comme ceux de l'autre garçon, qui ressemblaient à la couronne de la statue de la Liberté. Il semblait plus nerveux que ses compagnons, jetant des coups d'œil vers la porte toutes les cinq secondes, comme s'il s'attendait à voir un dragon faire irruption dans la pièce.

L'autre garçon était plus grand, de plus forte carrure mais mou, la chair qu'on apercevait entre sa veste et son pantalon en cuir était aussi potelée que celle d'un bébé. À en juger par ses sourcils et ses cils clairs, Lee en déduisit qu'il était sans doute blond, mais il était difficile de dire ce qui se cachait sous la teinture violette.

Ses avant-bras montraient des marques de blessures récentes – aucune trace d'aiguille, pensa Lee, mais de petites coupures – les gamins se faisaient souvent de petites entailles avec des couteaux bien aiguisés, parfois une douzaine à la fois. C'était à la mode parmi les bandes gothiques, mais ces pratiques avaient des relents de désespoir, c'était une tentative désespérée d'endormir des sentiments plus douloureux que la douleur physique.

Il regarda la fille pour voir si elle aussi était adepte des scarifications, mais ses bras étaient recouverts par les manches de son haut noir en dentelle. Elle était grande et avait les cheveux teints en noir de jais. Son rouge à lèvres avait la couleur du sang séché, et une moue désenchantée flottait sur ses lèvres. Ses yeux étaient surlignés d'un épais trait d'eye-liner, ce qui la faisait ressembler à un raton laveur revêche. Sous tout ce maquillage, Lee imagina qu'elle était sans doute assez jolie. Les traits de son visage avaient une expression dure, et les deux garçons semblaient obéir à ses ordres. Le plus petit avait un visage qui semblait vif et intelligent, tandis que le plus grand paraissait être le Monsieur Muscles du groupe. La beauté, l'intelligence et les muscles, pensa-t-il en les regardant. Dans ce genre de groupe, il y avait en général un leader et des suiveurs, et la fille était clairement le leader.

— Écoute, t'es bon avec les gamins, dit Chuck à Lee. Pourquoi est-ce que tu ne te chargerais pas de cet interrogatoire ?

— OK.

Lee regarda Butts pour voir s'il éprouvait le moindre ressentiment à cette idée, mais si c'était le cas, il ne le montrait pas.

Lui, Butts et Chuck entrèrent dans la salle ensemble, Lee avançait lentement mais d'un air résolu, le visage aussi inexpressif que possible. S'il ne s'était pas trompé sur ces trois gamins, le mieux était de ne pas dévoiler son jeu et de les laisser venir à lui. Ils le regardèrent avec méfiance lorsqu'il s'assit sur le seul siège libre, une chaise en plastique verte abîmée et trouée. Il leur sourit.

— Bonjour, dit-il. Merci d'être venus.

— Écoutez, on veut juste vous aider à attraper son tueur, OK ? dit la fille, comme s'il l'avait mise à l'épreuve.

— OK, répondit Lee, sans réagir à son ton agressif. Nous vous en sommes très reconnaissants.

— Voilà ce qu'on vous propose, dit-elle en se penchant en avant. (Lee s'efforça de ne pas regarder la courbe de ses seins visible sous la dentelle noire.) Vous ne cherchez pas à savoir qui nous sommes, et en échange on vous dit tout ce qu'on sait. Marché conclu ?

Lee jeta un coup d'œil vers Chuck, qui hocha la tête.

— Marché conclu.

Leur désir de rester anonymes voulait sans doute dire que c'étaient des fugueurs. Peut-être aussi de petits délinquants, et sans doute des toxicos – mais c'étaient avant tout des gamins qui avaient peur.

— OK, dit la fille d'une voix éraillée, que ce soit par les cigarettes ou les drogues, c'était difficile à dire, pensa Lee.

— Il faut que vous compreniez notre culture, dit la fille. On est très soudés, d'accord ?

— Je vois ça, répondit Lee. Je vous serai reconnaissant pour tout ce que vous pourrez nous dire.

— OK, dit-elle avant de prendre une profonde inspiration,

regardant ses compagnons qui étaient assis, les yeux rivés sur elle. Elle s'est pointée il y a environ un mois dans une rave, dans un immeuble abandonné d'Avenue C. Elle nous a dit s'appeler Pamela. Elle n'a pas donné de nom de famille, juste Pamela. On l'a revue un soir au CBGB vers minuit. C'est bien ça, Scott ? demanda-t-elle au garçon le plus costaud.

Le CBGB (*Country, Blue Grass and Blues*) était une boîte de concerts légendaire de Bowery où s'étaient produits de nombreux groupes de punk et de heavy metal au cours de ses trente années d'existence. L'appartement de Lee, situé dans l'East 7th Street, était à quelques pas de cette boîte mythique.

Le type le plus costaud haussa les épaules, mal à l'aise.

— Ouais, c'était vers cette heure-là.

Sa voix tremblait légèrement, comme s'il venait juste de muer. Lee se demanda quel âge il pouvait avoir.

— Comment était-elle habillée ? Qu'a-t-elle dit ? demanda Chuck.

Mais son impatience eut pour effet de rendre la fille plus méfiante. Elle repoussa une mèche de cheveux noirs de son visage.

— Elle était habillée comme une petite fille sage – classe moyenne, et tout ça. Je ne pense pas qu'elle était du coin.

— Qu'est-ce qui vous fait dire ça ? demanda Butts.

— Son accent – il était différent. Je ne sais pas d'où il venait, mais il était différent.

Le plus mince des deux garçons prit la parole.

— Nouvelle-Angleterre. Elle était de Nouvelle-Angleterre.

Chuck et Lee se tournèrent pour l'observer. Il n'avait pas vraiment l'air de faire partie du même groupe que les deux autres. Et il y avait aussi quelque chose de réfléchi et de raffiné chez lui, comme s'il était un savant incognito parmi des camionneurs.

— Vous êtes sûr de ça ? demanda Lee.

— Freddy est doué avec les accents et ce genre de trucs, dit la fille.

— Nouvelle-Angleterre, répéta-t-il. J'ai des cousins là-bas. Je reconnais l'accent.

— OK, dit Butts. La Nouvelle-Angleterre, c'est plutôt vaste comme endroit. Pouvez-vous être un peu plus précis, nous donner un état, au moins ?

Freddy fronça les sourcils.

— Heu… Le New Hampshire… ou le Maine peut-être. Je n'en suis pas très sûr.

— Que pouvez-vous nous dire d'autre sur elle ? demanda Chuck.

La fille se mordit la lèvre.

— Eh bien, elle ne se droguait pas, hein, Scott ?

— Ouais, dit-il en regardant ses chaussures. Elle est venue à une rave avec nous, mais elle n'a pas pris d'ecsta. Elle a dit qu'elle avait entendu parler de gamins qui étaient morts après en avoir pris.

— Elle n'a jamais parlé d'amis ou de sa famille, ni de l'endroit où elle vivait ? demanda Chuck.

Les trois gamins se regardèrent, comme s'ils étaient en train de décider ce qu'ils pouvaient dire ou non.

— Elle a dit une fois que ses vieux ne la comprenaient pas, dit la fille. Mais elle n'est pas la seule dans ce cas, hein ?

— Elle ne vous a donc pas donné de précisions ? dit Butts.

Scott répondit sans quitter la fille des yeux.

— Elle m'a dit une fois que son père était un sale type et que sa mère avait peur de son ombre.

— Elle n'a pas mentionné d'amis, de nom de ville ou de nom de famille ? demanda Lee.

Freddy secoua la tête.

— J'avais l'impression qu'elle ne voulait pas qu'on la retrouve… comme si elle se cachait.

— C'est sûr, dit la fille. Elle se cachait. Je lui ai demandé un jour comment était l'endroit d'où elle venait, et elle a dit qu'elle ne voulait pas en parler.

— Est-ce qu'elle avait un petit ami ? demanda Butts.

Une fois encore, ils échangèrent des regards.

— Pas vraiment, dit la fille. Elle a couché avec deux types. Elle avait un faible pour les losers. Rien de sérieux.

Scott détourna les yeux, et les deux autres évitèrent de le regarder. À l'évidence, Scott avait été un de ses partenaires sexuels – la véritable question étant : était-il le dernier ?

— Avait-elle des bijoux ? demanda Lee. Portait-elle quelque chose de spécial ?

— Elle ne portait rien de voyant, dit la fille. Mais on l'acceptait, même si elle n'avait pas le même look que nous.

— C'est vraiment trop aimable de votre part, marmonna Butts.

Lee et Chuck lui lancèrent un regard furieux.

— Elle portait toujours quelque chose autour du cou, dit Freddy. Une petite croix en argent, je crois. Je m'en souviens parce que je lui ai demandé si elle était catholique, et elle a dit « non », que le collier lui venait de sa grand-mère.

Lee eut un coup de sang.

— Vous en êtes sûr ?

— Ouais, répondit Freddy. C'était assez joli. Je ne l'ai jamais vue sans.

Lee regarda Chuck, qui se mordait la lèvre inférieure.

— C'est bien ça ? demanda-t-il en regardant les autres.

La fille se rongeait les ongles. Ils étaient longs et pointus, avec de minuscules têtes de mort à l'extrémité.

— Ouais, j'ai vu la croix. J'ai d'abord pensé que c'était ironique, mais ça n'était vraiment pas le genre de fille à faire de l'ironie.

Lee se tourna vers Scott.

— Est-ce qu'elle la portait quand elle faisait l'amour ?

Le visage du garçon devint aussi rouge qu'une écrevisse, et Lee fut peiné de le mettre dans l'embarras.

— Ouais, répondit-il d'une voix à peine audible.

— Pourriez-vous la décrire précisément ?

— Heu… en argent, une simple croix en argent, c'est tout, dit-il avant d'écarter le pouce et l'index. À peu près de cette taille.

— OK, dit Chuck. Autre chose que vous pourriez nous dire ?

Les gamins se regardèrent, et tous secouèrent la tête.

— Si quoi que ce soit vous revenait – n'importe quoi – vous pouvez nous appeler jour et nuit, dit Chuck, leur tendant à chacun une carte de visite. Vous nous avez été très utiles, ajouta-t-il en les raccompagnant jusqu'à la porte. Encore merci.

La fille s'arrêta et le regarda.

— Ça n'a pas d'importance. Attrapez juste ce type, OK ?

— Ne vous inquiétez pas, on l'aura, répondit Chuck.

À cet instant, le téléphone de Chuck sonna.

— Morton, dit-il, s'adossant au mur.

Il semblait épuisé. Lee voyait bien que cette enquête mettait son ami à rude épreuve. Après avoir écouté un moment, Chuck dit :

— En êtes-vous sûr ? demanda-t-il, marquant une nouvelle pause, avant d'ajouter : OK, merci en tout cas, dit-il avant de raccrocher.

— Qu'y a-t-il ? demanda Lee.

— C'était Delaney du 9e district. Il a envoyé un de ses hommes sur place juste après mon appel, mais ils n'ont pas trouvé la balle.

— Tu es sûr que c'était le bon réverbère ?

— Oh, c'était le bon, il y avait bien un trou dans le métal. Mais la balle n'y était plus. On dirait que le tireur est arrivé le premier et a lui-même ôté la balle.

— Bon sang, dit Lee, qui qu'il soit, il sait couvrir ses traces.

— Il commettra une erreur tôt ou tard.

Lee aurait voulu être aussi optimiste que son ami. Son téléphone portable émit un bip, et il fut pris d'un frisson tandis qu'il le cherchait nerveusement dans sa poche. Un autre SMS : *Je la surveille aussi.* Il le regarda fixement, puis tendit le téléphone à Chuck.

— De quoi s'agit-il ? demanda Chuck après l'avoir lu.

Lee lui parla du SMS reçu la veille.

— Ta sœur ? dit Chuck, visiblement perplexe.

— De quoi d'autre pourrait-il être question ? Laura portait une robe rouge au moment de sa disparition.

— Mais personne ne le sait, excepté…

— Exactement. Comment a-t-il pu le découvrir ?

— Et est-ce que c'est le même type ? dit Chuck. Comment pouvons-nous savoir si ces messages viennent du… du tueur ?

Il évita d'employer le nom que Butts avait choisi pour le tueur. Il trouvait que « le Découpeur » était trop sanglant et de mauvais goût.

— On n'en sait rien, répondit Lee, mais dans son esprit, il n'avait guère de doute.

Ce que ni l'un ni l'autre n'osèrent dire, c'était que si le tueur prétendait surveiller sa sœur, cela voulait dire que Laura était encore en vie.

Chapitre 24

— Qui parmi nous peut dire qu'il n'a jamais eu un fantasme violent ?

John Paul Nelson survola l'assemblée d'étudiants réunis dans l'amphithéâtre, qui le regardaient mal à l'aise, comme s'il venait juste de les accuser personnellement d'être des criminels.

Lee s'assit au fond de l'amphi, regardant Nelson contempler les jeunes visages, aussi inexpressifs que de l'argile qui n'a pas encore été façonnée. C'était un lundi matin, et cette fois, le chauffage fonctionnait à plein régime. Dès la fin du cours, Lee avait l'intention de dire à Nelson que Chuck l'invitait à se joindre à leur enquête de façon urgente. Il avait essayé de contacter Nelson la veille, sans succès – il savait que son ami coupait parfois son téléphone et son répondeur.

— Quelqu'un ? poursuivit Nelson, réprimant un grand sourire. Alors vous avez donc tous eu à un moment donné de votre vie un fantasme violent. Très bien – vous serez donc tous en mesure de suivre ce que je vais vous dire maintenant.

Il prit la télécommande et la dirigea vers le projecteur de diapositives.

Il appuya une fois, et un visage familier apparut sur l'écran – les traits du jeune Jeffrey Dahmer, avec son air de chien battu. Un murmure s'éleva dans l'assistance, et se dissipa aussi vite que de la fumée quand Nelson se tourna pour leur faire face.

— Je vois que la plupart d'entre vous le reconnaissent. Posez-vous cette question : qu'est-ce qui le différencie de nous ?

La fille blonde leva timidement la main.

— Oui ? dit Nelson.

— Heu… Rien, monsieur.

— Rien ? Vous voulez dire que vous n'avez pas de réponse ?

Elle s'éclaircit la gorge et dégagea une mèche de cheveux blonds de son visage.

— Non, monsieur. En disant « rien », je voulais dire que rien ne nous sépare.

— C'est un point de vue intéressant. Vous voudriez développer ?

La fille remua sur son siège, visiblement mal à l'aise.

— Ce que je veux dire, c'est qu'ils sont plus semblables à nous que différents. Enfin, je dirais que c'est une différence de degré plutôt que de nature.

Nelson sembla impressionné.

— Très bien, mademoiselle Davenport, je n'aurais pas mieux formulé les choses.

Lee sourit. Malgré son arrogance, Nelson n'était jamais avare de compliments envers ses étudiants qui affirmaient leur propre opinion. Lee n'avait jamais réellement observé le visage de Dahmer auparavant, mais maintenant qu'il le voyait de près, il semblait perdu – tellement perdu, comme un petit garçon abandonné par ses parents – ce qui, bien sûr était le cas.

Nelson s'éclaircit la gorge.

— Monsieur Dahmer n'était pas un extra-terrestre, une bizarrerie de la science, et il n'appartenait pas non plus à une espèce exotique – ce n'était ni un mutant, ni un marsupial, ni une raie manta.

Il s'interrompit et se tourna vers mademoiselle Davenport, qui le regardait avec dévotion.

— *De même nature*, répéta-t-il d'une voix songeuse. Je voudrais que vous réfléchissiez tous à l'heureuse formulation de mademoiselle Davenport. Nous sommes tous de même nature – y compris les plus dégénérés, méprisés et exclus d'entre nous.

Il retourna près du projecteur de diapositives et reprit la

télécommande. En un clic, le visage de Dahmer disparut et fut remplacé par une illustration haute en couleur. Deux fils entremêlés – un rouge et un bleu – s'imbriquaient en une symétrie parfaite.

— Voici ce que nous avons tous en commun – l'ADN, la double hélice, la structure de la vie telle que nous la connaissons. Mais peut-être n'est-ce que le point de départ – tout ce que nous sommes ne peut être réduit à quelques taches d'encre sur un bout de papier.

Il appuya à nouveau sur la télécommande et une image en noir et blanc apparut – une tache d'encre que Lee reconnut aussitôt comme étant le test de Rorschach.

— Qu'est-ce que c'est ? demanda Nelson. Un papillon ? Ou peut-être une enclume ? Ou certains d'entre vous voient-ils une raie manta ? Ou un utérus ? Ou peut-être même un cadavre ? Si vous voyez un cadavre, êtes-vous un tueur en série en puissance ? Ou peut-être que le tueur en série est en proie à un tel refoulement que c'est lui qui voit un papillon ?

Il s'assit au bord du bureau, et balança sa jambe droite d'avant en arrière.

— Tout le monde sait que Flaubert a dit : « Madame Bovary, c'est moi. » Pour pouvoir écrire, un écrivain s'insinue dans l'esprit de son personnage – il se met dans sa peau, en quelque sorte. Le profiler doit faire la même chose, au même titre que l'acteur, qui devient le personnage qu'il joue.

Le théâtre avait certainement perdu un acteur de talent quand Nelson s'était lancé dans une carrière de psychologue. Avec sa forte personnalité, sa voix sonore et son charisme, Lee trouvait qu'il était fait pour la scène.

— Pour la plupart des récidivistes tels que les tueurs en série, le fantasme joue un rôle prépondérant. Souvent, leur identité même représente une sorte de fantasme – pour Ted Bundy, c'est celui du bon citoyen, de l'activiste politique et de l'ami affectueux, et pour John Wayne Gacy, c'est celui du clown amical, du membre du Rotary et du militant associatif qui organisait des spectacles dans les fêtes pour enfants. Autant de façades créées pour dissimuler une personnalité plus obscure que les récidivistes souhaitent cacher à la société.

Il s'interrompit pour laisser ses étudiants assimiler ce qu'il venait de dire et but quelques gorgées à la bouteille d'eau posée sur son bureau. Lee trouva Nelson fatigué, et les rides sous ses yeux bleus lui semblaient plus marquées. Il s'appuya à nouveau contre le bureau, et croisa les bras.

— Ronald D. Laing a dit que plus l'identité est fantasmée, plus elle est défendue avec intensité. Ça se tient, non ? Si vous savez qui vous êtes, il est donc inutile de vous défendre contre une attaque – réelle ou imaginaire – parce que vous n'avez pas de doute. Mais même si le sujet sait plus ou moins consciemment que son vrai moi est faux, l'alternative est impensable – ce n'est pas seulement la mort, mais un anéantissement complet. Le sujet ne voit pas que son faux moi pourrait être remplacé par un moi réel et authentique. Sa tragédie est qu'il ne voit pas ce qui se cache derrière tout cela – il a l'impression d'être dans un vide infini dans lequel il erre comme un zombie, une créature ostracisée par la société des humains, condamnée à arpenter la surface de la Terre, le regard vide sur un visage sans esprit et un corps sans âme. Et il défend cette fausse identité avec toute la férocité d'une lionne qui se bat pour sauver ses petits – parce que son instinct de préservation le lui dicte.

Mademoiselle Davenport leva la main.

— Vous voulez donc dire que ces gens n'ont aucune substance ?

Nelson sourit.

— Très concis, comme d'habitude, mademoiselle Davenport, dit-il avant de se tourner vers le reste de la classe. Mademoiselle Davenport vient de résumer l'ensemble de ma théorie complexe en quelques mots – mais pour l'essentiel, c'est à peu près ça. La carapace que le récidiviste construit pour se protéger du monde extérieur n'est pas plus « réelle » que la vie fantasmée qu'il vit en privé – en tout cas jusqu'à ce qu'il commette des crimes, car à ce stade, cela n'a plus rien de privé.

Il se pencha en avant, montrant un visage très sincère, presque vulnérable, puis il reprit :

— La plupart d'entre nous considèrent leur identité comme acquise. Vous, mademoiselle Davenport, par exemple. Disons que vous êtes la première enfant de vos parents et celle sur qui vos frères et sœurs peuvent toujours compter, et c'est une chose que vous gardez présente à votre esprit, bien avant de vous rappeler que vous êtes un être de langage. Savoir tout cela sur vous-même vous a donné une certaine sensation de sécurité dans le monde.

Mademoiselle Davenport rougit avec intensité, de la base de son cou jusqu'aux veines bleues de son front.

Nelson poursuivit :

— Je ne sais rien sur la famille de mademoiselle Davenport, bien sûr. Mais admettons qu'elle ait un jeune frère qui soit le clown de la famille, le petit rigolo, peut-être un peu irresponsable, mais qui fait toujours rire les gens, et que cela lui apporte également une certaine sécurité, la notion de qui il est. Ce que je veux dire, c'est que nous prenons tous ce genre de choses comme acquises – et quand nous pouvons verbaliser *qui* nous sommes, nous avons déjà le sens de cette réalité par la façon dont les autres communiquent avec nous, et par la façon dont nous communiquons avec eux. Mais pour celui qui devient un tueur en série, ce n'est pas le cas. Il ne possède pas la notion simple de qui il est, et par conséquent, il a parfois l'impression de n'être *absolument personne*. Il se sent impuissant. Il crée donc un monde imaginaire qui est l'exact opposé de ce qu'il perçoit comme étant la réalité – un monde dans lequel il est omnipotent et a un contrôle total sur les autres. Ce contrôle implique le plus souvent des fantasmes sexuels violents – encore une fois, c'est exactement l'inverse de ce qu'il perçoit à un autre niveau de la réalité – un rejet total des femmes (ou des hommes s'il est homosexuel).

Nelson marqua une brève pause, avant de reprendre :

— Jeffrey Dahmer a coupé la tête de ses victimes et les a mises dans un congélateur, pour qu'elles ne le quittent pas. Ce niveau de désespoir est directement lié au niveau de rage que ces criminels expriment envers leurs victimes – qui sont souvent les substituts de gens qui, au cours de leur vie, leur ont fait du mal. Donc, par exemple, un tueur de femmes très violent peut agir par rage envers une mère abusive sur le plan émotionnel.

Nelson regarda la pièce remplie de visages levés.

— Quelle est la différence entre la signature d'un tueur et son M.O. ? demanda Nelson. Oui, mademoiselle Davenport ?

— Le M.O. est l'abréviation de « modus operandi » – le mode opératoire du tueur – mais il est susceptible de changer. La signature fait référence à des actes rituels répétitifs – qui ne sont souvent pas nécessaires à la perpétration du crime – mais qui sont nécessaires au tueur pour qu'il reçoive une satisfaction émotionnelle ou sexuelle lors de son crime.

— Qu'est-ce qui pourrait représenter une signature, par exemple ?

Le jeune homme blond et frêle à la voix rauque leva la main.

— Oui ?

— Des choses telles que les mutilations post-mortem, ou la façon dont le corps est disposé – cela peut représenter des signatures, par exemple.

— C'est encore juste, dit Nelson en souriant. Une signature est extrêmement significative pour le tueur – et pour le profiler criminologue – parce qu'elle provient d'une dynamique inconsciente ou d'une obsession, et elle ne change pas dans son essence fondamentale, même si elle peut évoluer.

Un jeune homme brun leva la main au premier rang.

— Évoluer ? Que voulez-vous dire par là ?

— Eh bien, par exemple, la position du corps peut devenir plus élaborée, plus détaillée – les victimes de l'Étrangleur de Boston, du Tueur de la Green River et de Jack l'Éventreur présentaient toutes certaines similarités, mais dans tous ces cas, il y a eu une escalade au niveau des rituels, qui sont devenus de plus en plus complexes au fil du temps. Cela indique que le tueur devient de plus en plus à l'aise dans ce qu'il fait – il se sent plus libre d'exprimer son fantasme de façon plus détaillée. Ou, chez un tueur dérangé, cela peut représenter la pression accrue de sa maladie mentale.

Nelson jeta un coup d'œil à sa montre.

— OK, c'est terminé. N'oubliez pas de lire ce que je vous ai demandé pour le prochain cours.

Tandis que les étudiants se dirigeaient vers la sortie, Lee remonta une des allées, au bout de laquelle Nelson rassemblait ses notes et ses diapositives. Quand il leva la tête et vit son ami, Nelson sourit, mais son expression se dissipa quand il vit le visage de Lee.

— Oh non, dit-il. Il y en a eu un autre ?

— J'en ai peur. Chuck voulait que je te demande… Penses-tu que tu pourrais ?

— Il veut me consulter ?

Il lui sembla que Nelson essayait de cacher le plaisir qu'il ressentait à l'idée qu'on lui demande de collaborer à l'enquête.

— Si tu n'es pas trop occupé.

— Bien sûr que non, dit-il avant de s'interrompre et de regarder Lee d'un air sérieux. Qu'est-ce que tu penses du fait que je me joigne à vous ?

— J'en serais honoré. Et j'ai l'impression qu'on va avoir besoin de toute l'aide qu'on pourra obtenir.

Chapitre 25

L'inspecteur Leonard Butts examina le bureau de Chuck Morton comme s'il s'était retrouvé dans la tanière d'un petit animal d'une propreté discutable. Il observa la chaise la plus proche de lui comme s'il calculait le nombre et la gravité des maladies qu'il pourrait contracter en s'asseyant dessus, puis s'assit avec précaution d'un air résigné. Lee jeta un coup d'œil à Chuck pour voir s'il avait remarqué l'attitude de Butts, mais si c'était le cas, il n'avait pas réagi. Morton avança jusqu'à son bureau et s'assit sur le bord, les bras croisés. Nelson, pour sa part, s'assit dans un coin de la pièce, un gobelet de café entre les mains. L'inspecteur Florette prit place dans le coin opposé, semblant tout droit sorti de la couverture du magazine *GQ* – chemise Brooks Brothers rayée bleue avec boutons de manchette, mocassins Givenchy noirs fraîchement cirés. Tous avaient attendu, pas très à l'aise, que Butts fasse son apparition.

— Alors ? fit Nelson. Qu'est-ce que vous avez ?

Morton sortit une enveloppe kraft de son bureau et la lança à Nelson, qui l'attrapa de la main gauche.

— Ça s'est passé à Brooklyn cette fois, dit Morton. Elle a été retrouvée samedi. Même M.O. – strangulation, mutilation et elle a été laissée sur l'autel.

Nelson fronça les sourcils, ce qui pouvait signifier n'importe quoi, de la surprise au dégoût. Il regarda les photos qui se trouvaient dans le dossier, puis se tourna vers Lee.

— Tu t'es rendu sur la scène de crime ?

— Oui. Il y avait quelque chose de différent cette fois. On a trouvé des traces de lutte – et elles étaient nombreuses.

Chuck se passa la main sur le front d'un air las.

Nelson leva les yeux.

— Alors maintenant, il torture avant de tuer.

— Ouais.

— Cela veut dire qu'il doit les maîtriser, soit physiquement, soit chimiquement, commenta Nelson d'un air songeur. Avez-vous déjà le résultat des analyses toxicologiques ?

— Non, dit l'inspecteur Butts.

Nelson le regarda fixement.

— Butts est l'inspecteur principal sur cette affaire, dit Morton, étant donné que la première victime a été retrouvée dans sa juridiction. Je superviserai l'enquête, mais pour les détails au jour le jour, adressez-vous à lui.

L'inspecteur Butts remua sur sa chaise, affichant un air de satisfaction.

— Hum…. murmura Nelson en disposant les photos sur le bureau de Chuck. Que savons-nous des victimes ?

— La première était Marie Kelleher, répondit Butts, une étudiante de deuxième année à Fordham. Une fille sans histoires, catholique, qui étudiait la religion comparée, un petit ami stable et aucun ennemi connu.

— Ouais, c'est ça, marmonna Nelson en regardant les photos. Que sait-on de l'autre fille ?

L'inspecteur Florette sortit un compte rendu de scène de crime.

— Annie O'Donnell, vingt et un ans, étudiante en licence de philosophie à l'université de Brooklyn. Également une catholique sans histoires, un petit ami – pas de relation stable –, mais semblait être une gentille fille.

— Il semble donc choisir les gentilles filles, fit remarquer Nelson, regardant à travers les fenêtres sales le ciel gris de février.

— OK, dit Morton en se tournant vers Lee. Que peux-tu nous dire pour l'instant ?

— Eh bien, tout d'abord, dit Lee, ces fantasmes sont installés depuis longtemps – depuis bien avant le moment où il a commis son premier meurtre.

L'inspecteur Butts le dévisagea.

— Alors maintenant vous lisez dans les pensées ?

— OK, inspecteur, ça suffit, répliqua Morton sèchement, avant de demander à Lee : Comment le sais-tu ?

— En partie parce que c'est généralement le cas chez les tueurs en série, mais ici plus précisément parce que le crime est très particulier et ritualisé. Tout a été soigneusement préparé et planifié. Il ne s'agit absolument pas d'un meurtre impulsif, dit-il en regardant Nelson, qui hocha la tête en signe d'approbation.

— OK, dit Morton. Quoi d'autre ?

— Il a probablement des antécédents d'incendie volontaire, de maltraitance sur des animaux, et peut-être quelques arrestations pour voyeurisme – ou même pour harcèlement pour avoir suivi des femmes. Mais il peut aussi très bien n'avoir aucun casier.

— Ça ne nous aide pas franchement beaucoup, grommela Butts.

— Nous pouvons faire de nombreuses déductions à partir de la façon dont il laisse ses victimes. Il les met en scène de façon très précise…

— Non, sans blague, marmonna Butts à voix basse.

— … mais cela ne nous est pas destiné.

— Vraiment ? dit Florette ? Alors à qui est-ce destiné ?

— Si on le savait, maugréa Nelson, on aurait notre homme.

— Il est motivé par la rage, dit Lee, mais elle est dirigée contre Dieu, autant que contre les femmes. Il profane ces femmes devant Dieu, par conséquent, il provoque Dieu, autant qu'il nous provoque.

Butts se pencha en avant sur sa chaise, ce qui la fit craquer. C'était une vieille chaise de bureau des années 1930 qui avait été installée spécialement dans le bureau de Chuck pour que tout le monde puisse s'asseoir.

— A-t-on retrouvé des cheveux, des fibres ou des empreintes sur la deuxième fille ? demanda-t-il.

— Non, rien, répondit Morton en secouant la tête.

— Mais elle s'est débattue cette fois, fit remarquer Florette.

— Non seulement ça, mais elle était consciente quand il l'a

emmenée dans l'église ce coup-ci, ajouta Butts.

Chuck prit le presse-papiers en verre sur son bureau et le fit lentement passer d'une main à l'autre.

— On est à peu près sûrs qu'il portait des gants.

Lee fronça les sourcils.

— L'absence de preuve indique qu'il a des connaissances en matière d'enquêtes criminelles.

— Exact, confirma Nelson en s'appuyant contre le radiateur sale. Peut-être lit-il des magazines de faits divers. Peut-être même qu'il rêve de devenir flic. Vous pourriez peut-être consulter les dossiers à la recherche de la liste des postulants qui ont été recalés au cours des dernières années.

— Ça pourrait prendre une éternité, grommela Morton. Vous rendez-vous compte du nombre d'enquêtes qu'on a sur une année ?

— Hé, peut-être que c'est un flic, suggéra Butts, tandis que les autres le regardaient d'un air médusé. Je crois juste qu'on ne devrait pas éliminer cette possibilité, certains de ces types sont plutôt bizarres, vous pouvez me croire.

— L'inspecteur Butts n'a pas tort, dit Lee. La pire chose qu'on pourrait faire maintenant, c'est d'éliminer la moindre piste.

— Ce que je ne comprends pas, dit Florette, c'est pourquoi il n'y a aucun signe d'agression sexuelle. Je veux dire que le couteau a quelque chose de très phallique…

— Mais c'est un substitut phallique, précisa Lee. Et étant donné qu'il n'y a aucun signe de pénétration, je pense qu'il est possible qu'il soit vierge.

Nelson sembla tiquer à cette remarque.

— Il a passé sa vie à transformer toutes ses pensées de nature sexuelle envers les femmes en élans religieux, ajouta Lee.

— Jusqu'à ce qu'il décide de les tuer, souligna Florette.

— Ce qui veut dire que nous avons affaire à quelqu'un qui est extrêmement réservé dans sa vie personnelle et sociale, poursuivit Lee, se tournant vers Nelson. Peut-être a-t-il rêvé de faire partie de la police, mais je ne pense pas qu'il ait essayé de mettre ce fantasme en pratique. Il est bien trop introverti.

Nelson ne semblait pas convaincu.

— Peut-être, dit-il en buvant une gorgée de café, avant de faire une grimace et de reposer son gobelet sur le bureau.

— Et en plus de cela, continua Lee, d'un point de vue géographique, c'est un profil très étrange.

— Que voulez-vous dire ? demanda Florette.

— Eh bien, en général, les tueurs choisissent leurs victimes dans un lieu relativement proche de l'endroit où ils vivent – là où ils se sentent à l'aise. Mais ces deux endroits sont à des kilomètres de distance – dans des quartiers différents.

— Il a peut-être un boulot qui lui permet de voyager, suggéra Florette. Un boulot qui aurait un lien avec les églises.

— Ou bien cela pourrait être une tentative de couvrir ses traces pour qu'on ne puisse pas établir un profil géographique, songea Lee.

— Cela indiquerait qu'il a des connaissances très pointues en matière d'enquêtes criminelles, fit remarquer Nelson.

— As-tu pensé à celui qui t'a tiré dessus ? dit Chuck à l'intention de Lee. N'est-il pas possible que…

— Quoi ? gronda Nelson en se tournant vers Lee. Tu ne m'avais pas parlé de ça.

Lee lui parla de l'incident sur la 3e avenue.

— Mais cela n'a peut-être aucun rapport, ajouta-t-il. Je ne vois pas ce type comme un tireur.

— Ouais, ça changerait vraiment le profil, accorda Nelson.

— Qu'avez-vous d'autre ? demanda Butts en se levant pour se dégourdir les jambes. Est-ce qu'il n'y a vraiment *rien* ?

— Il ne correspond à aucune catégorie précise de tueurs, dit Lee, c'est pourquoi il est très difficile de le cerner.

— Mais ça n'est pas si inhabituel, dit Nelson.

— Perso, je trouve un tueur sexuel qui est vierge assez inhabituel, bon sang, grommela Butts en s'affalant à nouveau sur sa chaise.

— C'est une autre partie du puzzle, non ? répondit Florette en ajustant ses boutons de manchette.

— Bon, dit Nelson, avec ce genre de type, à un moment donné le sexe et la violence deviennent liés dans son esprit…

— Ainsi que la religion, ajouta Lee.

— Il y a un autre aspect qui est lié au motif de l'autel, souligna Florette. C'est le lieu où les couples se marient.

— Bien vu ! s'exclama Butts en jetant son gobelet vide vers la corbeille, avant de manquer son coup.

En râlant, il extirpa son corps volumineux de sa chaise, ramassa le gobelet par terre, et le mit à la poubelle.

— Oui, acquiesça Lee. Je pense que cela ne fait pas vraiment de doute, il est catholique, vu que les deux corps ont été retrouvés dans des églises catholiques.

— Je suis d'accord avec ça, mais je ne suis pas sûr qu'il soit vierge. Il est peut-être juste sexuellement déficient – il pourrait être impuissant.

— Que pouvez-vous dire d'autre à son sujet ? demanda Chuck.

— Il est probable qu'il soit du même niveau socio-économique que ses victimes, un catholique de classe moyenne – ce qui expliquerait pourquoi elles se sentent rassurées en sa présence, dit Lee.

— Mais vous pensez qu'il est vierge ? dit Butts. Alors quel âge a ce type d'après vous – treize ans ?

— Eh bien, son développement émotionnel a apparemment été interrompu, mais je dirais qu'il a une petite vingtaine d'années, répondit Lee, un âge proche de celui de ses victimes.

— Exact, confirma Nelson. Et il vit avec…

— Avec sa mère ou une autre parente, dit Lee, terminant sa phrase.

Chuck regarda Nelson, qui cherchait sur le bureau un gobelet de café plein.

— Bien sûr, il pourrait être plus âgé du point de vue de la

chronobiologie, dit Lee d'un air songeur. Par exemple, si un délinquant passe du temps en prison, il peut en sortir après un certain nombre d'années en ayant le même âge émotionnel qu'au moment de son incarcération.

— Tu veux dire, comme Arthur Shawcross, dit Nelson.

— Exactement.

Florette se cala au fond de sa chaise et fronça les sourcils.

— L'Étrangleur de Rochester ?

— C'est ça, répondit Lee. Il a été incarcéré pendant quinze ans pour meurtre, et à sa sortie de prison, il a aussitôt recommencé à tuer – avec à peu près le même niveau de maturité qu'à son entrée.

— Nom de Dieu ! lança Butts. Alors ça veut dire qu'on cherche peut-être un type qui a la cinquantaine ?

— C'est possible, avoua Lee.

— Shawcross était plutôt stupide, cela dit, souligna Nelson. Ce type est nettement plus intelligent.

— Et que diriez-vous de la méthode qu'il emploie ? dit Chuck. La strangulation est une façon très personnelle de tuer quelqu'un et elle implique une certaine proximité. Je veux dire, il y a de la rage ici, mais c'est une rage assez contrôlée.

— Je sais que c'est un peu tiré par les cheveux, dit Lee, mais je pense qu'il y a un indice dans la façon dont il les étrangle.

— Lentement, vous voulez dire ? demanda Butts.

— Eh bien, oui, je pense que c'est significatif.

— Il veut détenir le pouvoir de vie et de mort entre ses mains pendant aussi longtemps que possible, dit Nelson.

— Oui, c'est ça, dit Lee, mais je pense que ça a aussi un lien avec la respiration.

— Que veux-tu dire ? demanda Chuck, sortant quelques bouteilles d'eau du petit réfrigérateur, près de son bureau.

— Eh bien, peut-être qu'il a du mal à respirer – un genre de maladie chronique. Je sais que ça semble bizarre, mais il souffre avec elles, même au moment où il les tue.

— Quel genre de maladie chronique ? demanda Butts, prenant une bouteille d'eau.

— Je ne sais pas vraiment… bronchite, allergie… peut-être de l'asthme. Il est trop jeune pour souffrir d'emphysème, dit Lee.

— Intéressant, commenta Nelson, l'air songeur. Mais c'est un peu léger au niveau des preuves, tu ne trouves pas ?

— Je t'ai dit que c'était un peu tiré par les cheveux. Il y a autre chose, ajouta Lee.

Les autres se tournèrent vers lui, dans l'expectative.

— Je sais ce qu'il prend à ses victimes.

— Vraiment ? demanda Nelson, se penchant en avant.

— Il prend la croix qu'elles portent autour du cou. Le petit ami de Marie dit qu'elle la portait toujours, mais on ne l'a pas retrouvée sur son corps. Et même chose avec Pamela, d'après ses amis. Et je suis prêt à parier qu'Annie O'Donnell en portait une aussi.

— Prendre un bijou à la victime n'a rien d'inhabituel, signala Nelson, prenant la bouteille d'eau que Chuck lui offrait.

— Il n'a pas pris n'importe quel bijou, corrigea Lee. Il a pris une croix. Je pense que ça a un sens. C'est peut-être lié à la victimologie – à la façon dont il choisit ses victimes.

Butts but une gorgée d'eau et fit une moue déconcertée.

— Ah ouais ? Comment ça ?

— Il cherche de bonnes petites catholiques qui portent une croix autour du cou.

Le téléphone portable de Lee émit un bip, indiquant qu'il venait de recevoir un SMS. Il fouilla dans sa poche, le cœur battant.

Mais quand il lut le message, il était simplement écrit : *Salut boss, quand peut-on se voir ?* Il ressentit un intense soulagement. C'était juste Eddie. Il avait complètement oublié qu'Eddie essayait de le joindre. Il fut surpris qu'il lui envoie un SMS – ça n'était pas vraiment son style – mais il était content d'avoir de ses nouvelles.

— OK, dit Butts. Alors tout ce qu'il nous reste à faire, c'est de trouver un loser qui passe sa vie à fantasmer et qui vit avec sa mère.

Pourquoi ne pas simplement aller à une convention Star Trek ? Vous savez ce qu'on a sur ce type ? On n'a que dalle, voilà ce qu'on a.

Nelson lui sourit, mais ce n'était pas vraiment un sourire – c'était un défi.

— Eh bien, dit-il, il faut juste qu'on se mette au travail, n'est-ce pas ?

Chapitre 26

Chuck Morton parcourait le long couloir de la morgue, et ses pas résonnaient sur le sol aussi brutalement que des coups de feu. De toutes les obligations de son boulot de flic, c'était celle qu'il détestait le plus. Tandis qu'il approchait d'un couple d'âge moyen qui était au bout du couloir, l'homme et la femme étroitement blottis, se raccrochant désespérément l'un à l'autre, il reconnut le langage corporel. Il l'avait vu plus souvent qu'il n'aurait voulu. Il prit une profonde inspiration. La femme était pétrifiée devant la fenêtre en verre poli, mais l'homme tourna la tête vers Chuck. Sur son visage ravagé par l'anxiété, il pouvait lire la question inexprimée que Chuck avait vue trop souvent. Dites-moi que rien de tout cela n'est arrivé – n'est-il pas possible que vous ayez fait une erreur ? Chuck regarda, à travers la vitre, le corps recouvert d'un drap sur le lit en acier à roulettes et il rassembla son courage pour l'inévitable flot de chagrin qui allait suivre.

— Monsieur O'Donnell ?

— Oui ? répondit-il d'une voix hésitante.

Il était petit, avait des cheveux bruns et bouclés, exactement comme sa fille.

— Je suis le commissaire Chuck Morton. Nous avons besoin de…

La femme l'interrompit d'une voix que la douleur avait rendue perçante.

— Ça ne peut pas être elle ! Pas Annie – qui aurait pu vouloir lui faire du mal ?

Elle se cramponna au bras de son mari, comme si c'était la seule chose qui l'empêchait de s'effondrer. Ses yeux scrutèrent le visage de Chuck, à la recherche d'un soupçon de réconfort. Elle avait de grands yeux d'un bleu intense, avec de longs cils blonds, qui rappelèrent à Chuck sa propre mère, sa peau blanche et ses cheveux si blonds qu'ils étaient presque blancs. La femme avait elle aussi la peau pâle, mais le reflet verdâtre des néons lui donnait un teint terne et maladif.

— Je suis désolé, madame O'Donnell, dit-il d'une voix qui lui sembla désincarnée, comme si c'était celle de quelqu'un d'autre. Nous avons besoin de vous pour identifier votre fille.

Le mari se tourna vers sa femme.

— Écoute Margie, si tu préfères rester là, je peux…

— Non ! l'interrompit-elle brusquement, avant de se tourner vers Chuck. Je vais rester avec mon mari.

Chuck fit un signe de tête à l'assistant du légiste, qui attendait près du corps. C'était un jeune homme aux épaisses lunettes noires – ses cheveux noirs et raides étaient plaqués en arrière et brillaient sous la lumière des néons. Il releva le drap, révélant le visage de la fille. Chuck fut soulagé qu'il ait évité de montrer le reste de son corps mutilé. Ces détails n'avaient pas été révélés au public, ni à aucun des parents.

Madame O'Donnell retint sa respiration, et le silence s'installa pendant quelques instants, puis cela commença.

— Nooonnn ! Nooonnn ! Pas mon Annie, pas ma petite fille, mon bébé, pas elle ! Nooonnn !

Chuck regarda monsieur O'Donnell qui avait pris sa femme dans ses bras comme s'il s'était agi d'un bébé. Il resta là, à la bercer, murmurant à son oreille, tandis que Chuck regardait d'un air malheureux, les mains ballantes. Il détestait l'absurdité de tout ça, et l'impuissance qu'il ressentait, mais plus encore, il détestait être le témoin de la peine de ces gens. Il ressentait cela comme une atteinte à leur intimité, comme une nouvelle violation. Cela allait à l'encontre de son propre désir de préserver sa vie privée, et de sa réticence à montrer ses émotions en public.

Il posa doucement la main sur l'épaule de l'homme.

— Je dois partir. Vous pouvez rester aussi longtemps que vous voulez, et ensuite, quelqu'un vous raccompagnera jusqu'à la sortie. Je suis désolé.

O'Donnell le regarda d'un air absent, visiblement sous le choc. Morton le savait, mais il savait surtout qu'il ne pouvait rien faire de plus maintenant – excepté trouver l'assassin de leur fille.

Le téléphone portable de Chuck sonna.

— Veuillez m'excuser un instant, dit-il, soulagé par cette interruption, et il s'éloigna pour répondre.

— Morton.

— Chuck, c'est Lee.

— Que se passe-t-il ?

— Il y a un élément nouveau…

— De quoi s'agit-il ? dit Chuck en baissant la voix.

La dernière chose dont il avait besoin, c'était que les parents de la victime entendent sa conversation.

— Le prêtre a trouvé du sang dans le vin de messe.

— *Quoi ?*

— Le prêtre de l'église All Souls s'est rendu sur place pour préparer l'office de demain, et au moment de remplir la carafe du vin de messe, il a remarqué qu'il y avait quelque chose de bizarre. Il s'avère qu'il y a du sang dans la carafe.

— Oh, merde. Alors le CSI n'a jamais contrôlé…

— Eh bien, ils ont passé l'ensemble de l'église au crible, mais cette pièce était au fond, et elle était fermée à clé, sans aucun signe indiquant que la serrure ait pu être fracturée. Si tu veux, ils peuvent y retourner pour voir s'ils trouvent des empreintes, mais s'il n'en a pas laissé sur la scène de crime, je doute qu'il ait pris moins de précautions en manipulant le vin de messe.

— Nom de Dieu. Envoie-le au labo pour une analyse ADN pour

savoir si c'est le sang de la fille.

— Butts l'a déjà fait, dit-il, avant de marquer une pause, puis, presque à contrecœur, il ajouta : Tu sais ce que ça veut dire.

— Quoi ?

— Il évolue.

Chuck raccrocha et regarda autour de lui les murs brillants et aseptisés de la morgue, le front brûlant de rage. Pour la première fois, il pensa au tueur en utilisant le nom que Butts lui avait attribué. *Espèce de taré*, marmonna-t-il à voix basse. *Putain de psychopathe de Découpeur... Je te trouverai.*

Chapitre 27

La ville était plongée dans le calme du dimanche matin tandis que Lee et Nelson étaient assis avec l'inspecteur Florette dans le bureau de Chuck Morton, examinant les photos des scènes de crime. En bas, dans la rue, les voitures avançaient lentement, et on n'entendait pas les habituels klaxons impatients, ni les crissements de pneus provoqués par de brusques coups de frein. On n'entendait que de rares voitures démarrer, ou le bruit d'un camion vide qui passait à toute vitesse.

Chuck et Butts n'étaient pas encore arrivés, et les trois hommes étaient assis plus ou moins en cercle autour du bureau de Chuck. Sur le bureau, il y avait les dossiers de Marie Kelleher, d'Annie O'Donnell et de L'inconnue n°5 – qu'ils connaissaient maintenant sous le nom de Pamela. Mais personne n'était encore parvenu à une identification complète.

Après la découverte d'Annie, l'inspecteur du Queens en charge de l'enquête avait admis à contrecœur qu'il y avait peut-être un lien, et avait transmis les dossiers à Chuck.

— Du sang dans le vin de messe ? C'est carrément gothique, dit Nelson en vidant une tasse de café réchauffé.

Il grimaça en avalant la dernière gorgée de breuvage amer. Lee venait juste de les mettre au courant des derniers événements liés au dossier.

— Combien de temps cela prendra-t-il avant d'avoir les résultats ADN ? demanda Nelson.

— En général, il faut compter des semaines, répondit Lee, à moins qu'ils ne le traitent en priorité.

— Est-il vraiment important de savoir à qui appartient le sang ? demanda Florette. Je veux dire, pour que vous puissiez établir le profil de ce type ?

Nelson haussa les épaules.

— Pas vraiment – à moins, bien sûr, que ce ne soit son sang. Mais je pense qu'on peut supposer avec certitude que c'est celui de la fille.

— Ça fait donc partie de sa signature ? demanda Florette.

— Ouais, répondit Lee. Et cela veut dire qu'il évolue, ce qui n'est pas nécessairement une bonne chose.

— Les analyses toxicologiques sont négatives, dit Florette. Cela veut dire qu'il les maîtrise physiquement – il a donc au minimum une force moyenne.

— Pas nécessairement, dit Nelson. Il peut la prendre par surprise lors de l'attaque initiale et l'assommer avant de l'attacher.

Lee remua sur sa chaise, mal à l'aise. Il avait pris conscience qu'il avait espéré que les analyses toxicologiques seraient positives – au moins, si les victimes étaient droguées, il y avait une chance pour que leur souffrance soit atténuée.

— Certains produits chimiques ne restent pas assez longtemps dans l'organisme pour apparaître dans les analyses toxicologiques, ajouta Lee.

— Oui, certains, acquiesça Nelson. Mais il faudrait qu'il ait pu se les procurer.

— OK, il est donc assez proche d'elles pour pouvoir les attaquer de façon soudaine, dit Florette de sa voix de baryton qui ressemblait plus à celle d'un animateur de radio de musique classique qu'à celle d'un policier. S'il ne leur semble pas inquiétant à première vue, c'est peut-être parce qu'il a quelque chose de désarmant – peut-être même quelque chose qui leur plaît.

— C'est pourquoi des tueurs tels que Bundy sont si terrifiants, dit Nelson. En raison de la séduction qu'ils exercent. Ce type était à la fois un tueur, un escroc et le petit ami dont rêvaient toutes les jeunes filles.

— Il y a autre chose chez lui qui est exactement semblable à ce que faisait Bundy, dit Lee.

— Quoi ? demanda Florette en se redressant un peu.

— Avez-vous remarqué les ressemblances chez les victimes ?

— Tu veux dire que ce sont toutes de gentilles filles catholiques conservatrices ?

— Non, dit Lee. C'est plus précis que ça.

Nelson regarda les photos étalées devant lui.

— Oh bon sang ! Je ne l'avais pas vu, mais tu as raison !

— Raison à propos de quoi ? demanda Florette.

— Les cheveux, répondit Nelson. Vous vous souvenez que Bundy choisissait toujours des femmes brunes aux cheveux raides avec une raie au milieu ?

Florette fronça les sourcils.

— Je n'ai pas tout à fait la même expertise que vous…

Nelson l'interrompit.

— Toutes ses victimes ressemblent à la femme qui lui a brisé le cœur.

— OK, dit Lee. Ce qu'on essaie de dire, c'est qu'il y a également une ressemblance physique entre les victimes de ce type, ou du moins qu'il semble y en avoir une. Elles sont toutes brunes aux cheveux courts et bouclés.

— Vous avez raison, reconnut Florette.

— Je crois qu'on devrait garder l'esprit ouvert à d'autres possibilités, suggéra Lee.

— Que voulez-vous dire ? demanda Florette.

— Qu'il y a plus d'une personne qui est impliquée.

— Oh, c'est ridicule, Lee, commença Nelson.

— Écoute-moi jusqu'au bout…

— Est-ce que ce genre de tueurs n'opèrent pas seuls ? demanda Florette.

— Si, mais parfois, ils agissent à deux, répondit Lee. L'un est de type dominant, et l'autre un partenaire soumis – comme

Charles Ng, par exemple.

— C'était l'exception qui confirme la règle ! répliqua Nelson d'une voix irritée.

Charles Ng était un des tueurs en série les plus sadiques et déviants qui aient jamais existé – et on a appris beaucoup de choses sur lui, parce qu'il filmait ses crimes. Son acolyte Leonard Lake était le plus faible des deux, mais il était tout aussi coupable des mêmes horreurs – kidnappings, torture, et meurtres d'hommes et de femmes en Californie dans les années 1980.

— Et s'il était l'assistant ou l'acolyte d'un violeur, disons il y a cinq ans, et que progressivement, il ait commencé à perpétrer ses propres crimes ? suggéra Florette.

— À vrai dire, je pense que la nature des meurtres indique qu'il pourrait y avoir deux hommes qui commettent les crimes ensemble, dit Lee. Il y a à la fois des signes d'arrogance *et* de douceur…

— Qu'y a-t-il de « doux » dans ces crimes ? s'exclama Florette.

— Le tueur est un individu qui ne semble présenter aucune menace aux yeux de ses victimes, ce qui veut dire qu'il est probablement timide et modeste…

— Ou enjôleur et convaincant, comme l'était Bundy, répliqua Nelson.

— Et il y a également la difficulté physique à ce qu'un seul homme ait perpétré ces crimes, continua Lee.

— Oui, admit Florette, ça semble assez difficile en effet.

— Les filles étaient toutes des victimes présentant un faible risque que les choses tournent mal, qui ont été laissées dans un lieu public, poursuivit Lee. Et les entailles au couteau sont à la fois arrogantes et incroyablement risquées. Au moins un des tueurs est dominateur, organisé et a des connaissances poussées sur le travail de la police scientifique.

— Il est tout à fait crédible que cela puisse être l'œuvre d'une seule personne, répliqua Nelson.

— S'il y a deux tueurs, ajouta Lee, on peut s'attendre à ce que le partenaire soumis fasse preuve d'un comportement étrange, et qu'il commence à être gagné par le stress. Et les gens de son entourage vont le remarquer.

— Et en ce qui concerne l'autre type ? demanda Florette.

— S'il est en couple, il est sans doute dominant et peut-être violent, mais pas forcément violent physiquement. Mais c'est certainement un manipulateur. Il peut avoir des antécédents de délits mineurs – vol à l'étalage, vol par effraction, ce genre de choses. Mais il n'a peut-être pas encore de casier, en fonction de son âge et du fait qu'il ait eu de la chance ou non.

— Et ces mystérieux messages que vous avez reçus par SMS ? demanda Florette. Pensez-vous qu'ils aient un lien avec tout ça ?

— Je n'en sais rien, répondit Lee.

— Quels messages ? demanda Nelson. Je n'ai pas entendu parler de ça.

La porte s'ouvrit brusquement, et l'inspecteur Butts entra avec fracas, brandissant un journal au-dessus de sa tête comme s'il s'apprêtait à frapper quelqu'un avec.

— Qu'est-ce que c'est que ce bordel, nom de Dieu ? demanda-t-il en jetant le journal sur le bureau de Morton.

Nelson fronça les sourcils, et son regard se durcit, comme à chaque fois qu'il était irrité. Mais Butts ne remarqua pas l'humeur de Nelson, et son corps trapu était crispé par la rage.

— Regardez ce que ces tarlouses de journalistes ont écrit ! Comment peuvent-ils pondre ce genre de conneries ?

Lee baissa les yeux sur le journal, et lut son gros titre alarmant :

Le Découpeur continue de terroriser la ville – La police patauge.

— Bon sang, c'est bien la presse à sensation ! fulmina Butts en mettant un cigare mordu à la bouche.

— À quoi vous attendiez vous de la part du *Post* ? persifla Florette.

— On avait vraiment besoin de ça ! Une putain de panique ! lança Butts en s'affalant dans le fauteuil qui était devant la fenêtre.

Lee regarda le journal et lut le premier paragraphe de l'article : *Le tueur ne se contente pas de tuer, il mutile ses victimes pour assouvir ses penchants pervers...*

Il regarda Butts.

— Où a-t-il été pêcher ça ? Cette information n'a pas été révélée au public.

Ce qu'il ne dit pas, c'est qu'il était curieux que la presse ait repris le surnom que Butts avait lui-même choisi pour désigner le tueur.

— Aucune idée, répondit Butts. Ce sont des putains de vautours, des charognards qui gagnent de l'argent sur le dos de la mort de ces filles.

— Eh bien, si vous allez par là, nous aussi, fit remarquer Florette.

Butts mordit violemment son cigare, le coupant presque en deux.

— Ça n'a rien à voir ! Nous travaillons pour résoudre cette affaire. Notre boulot consiste à protéger les gens.

— Oui, eh bien, on ne va pas aller très loin si quelqu'un n'arrête pas de divulguer des infos à la presse, souligna Lee.

Butts jeta ce qu'il lui restait de son cigare dans la corbeille, près du bureau de Morton.

— Ça vient probablement d'un des types de la morgue, ou peut-être du CSI. Qui sait ? Ça pourrait être n'importe qui.

Chuck entra dans la pièce, le visage grave.

— On a un problème, dit-il en s'asseyant derrière son bureau. Walker a déposé une plainte officielle contre toi, Lee.

Butts donna un coup de poing sur le bras de son fauteuil.

— Le salaud !

— Qu'est-ce que ça veut dire pour l'enquête ? demanda Lee.

— C'est difficile à dire. Les Affaires internes vont devoir évaluer la plainte et décider de la conduite à tenir.

— Peuvent-ils me débarquer de l'affaire ? demanda Lee.

— Ils peuvent faire tout ce qu'ils veulent, répondit-il en levant les mains en signe d'impuissance.

Butts sembla déconcerté.

— Tout ?

Les relations entre les Affaires internes et les autres membres de la police étaient comparables aux relations entre un directeur de prison et des détenus – vigilants, méfiants et avec un manque de confiance mutuel. Les visiteurs des Affaires internes étaient à peu près aussi bienvenus dans les commissariats de quartier qu'une épidémie de poux dans une classe d'école primaire.

Le téléphone sonna sur le bureau et Chuck répondit.

— Morton, dit-il, écoutant brièvement, avant d'ajouter : Vraiment ? Quand ? Où sont-ils maintenant ? OK, merci.

Il raccrocha et poussa un soupir.

— L'inconnue n°5 a été identifiée. Ses parents viennent d'appeler et l'ont identifiée grâce à la photo qui figure sur notre site web.

Lee se leva brusquement.

— Qui est-ce ?

— Elle s'appelle Pamela Stavros. C'est une fugueuse qui vient de Nouvelle-Angleterre. Ses parents arrivent du Maine par avion aujourd'hui. Bon, ajouta-t-il, récapitulons ce que nous avons. (Il commença à lire à voix haute un rapport d'autopsie posé sur son bureau.) Deux des autopsies indiquent la présence de sperme. Une des filles prenait la pilule, et l'autre portait un diaphragme. La troisième fille a utilisé un préservatif. Dans chacun des cas, il y a eu un acte sexuel peu de temps avant la mort, mais rien n'indique qu'il y ait eu viol. Dans le cas de Marie Kelleher et d'Annie O'Donnell, leur petit ami a reconnu avoir eu un rapport sexuel avec elles la nuit avant qu'elles aient été retrouvées mortes.

Le visage de Lee se contracta.

— Il les observe.

Chuck le regarda, un peu perplexe.

— Tu veux dire… ?

— Il les observe pendant l'acte sexuel – mais il ne supporte pas les émotions que cela provoque en lui, et il doit donc les tuer.

— Alors, comme elles sont la source de son excitation, dit

Nelson, elles doivent mourir ?

— Mais ce n'est pas de cette façon qu'il voit les choses. D'une façon ou d'une autre, il réussit à rationaliser ses actes, à leur trouver une justification.

— Peut-être se considère-t-il comme leur sauveur, celui qui les délivre du péché charnel ? suggéra Florette.

— Oui, ce serait parfaitement logique, acquiesça Lee.

— Écoutez, le maire et le représentant du ministère public vont tous les deux nous tomber dessus, dit Chuck, alors nous allons…

— Rassembler les suspects habituels ? suggéra sèchement Nelson.

— Faire venir quelques délinquants sexuels connus supplémentaires pour les interroger, termina Morton en l'ignorant.

Ils avaient déjà interrogé une demi-douzaine de délinquants sexuels. Nelson n'avait pas daigné être présent pour ces interrogatoires, qu'il considérait comme une perte de temps et une dépense inutile de l'argent du contribuable, mais Butts y tenait beaucoup.

— Allez-y, dit Nelson. Mais ça ne vous mènera nulle part.

— Ah oui ? fit Butts. Et pourquoi ça ?

— Parce que ce n'est pas comme ça que vous le trouverez.

Butts haussa les épaules en levant les yeux au ciel.

Chuck se tourna vers Lee.

— Tu es d'accord avec lui ?

— J'en ai peur, répondit-il. Il a sans doute des antécédents de maltraitance sur animaux, peut-être d'incendie criminel, mais il y a de fortes chances pour qu'il n'ait jamais été pris.

— J'ai à nouveau passé le profil du suspect dans le fichier ViCAP[4], juste pour être sûr, dit Florette en ôtant une poussière invisible sur sa chemise immaculée.

---

4 ViCAP, *Violent Criminal Apprehension Program*. (NdT)

— ViCAP peut s'avérer inutile pour ce genre de type, répondit Nelson. Il a pu passer inaperçu jusqu'à maintenant.

— Oh, c'est le bouquet ! dit Butts, mordant un nouveau cigare. Vous avez dit que c'était un crime sexuel.

— Comme je l'ai dit, il a sans doute des antécédents de maltraitance sur animaux, dit Lee, et peut-être aussi de voyeurisme et de comportement fétichiste, ou même d'incendie criminel – mais les pyromanes sont difficiles à attraper, il n'a donc peut-être pas de casier.

— Fétichisme – vous voulez parler de fixation sur les chaussures ou les sous-vêtements féminins – ce genre de trucs ?

— Oui. Et ça n'est pas illégal.

— Pas encore, en tout cas, dit Florette d'un air abattu. Mais si l'administration avait son mot à dire…

— De plus, ce genre de comportement a plutôt tendance à être d'ordre privé, non ? demanda Chuck en ouvrant la fenêtre.

L'air glacial de février s'engouffra dans la pièce.

— C'est exact, confirma Lee. Il s'agit manifestement d'un voyeur, mais cela aussi peut être difficile à repérer, surtout s'il se montre prudent. Il n'entre pas chez ses victimes par effraction, il les kidnappe donc en dehors de leur domicile.

— Cela veut dire qu'il a moins de chances de laisser de preuves derrière lui, précisa Chuck.

— Exactement, dit Nelson. Et la dispersion des victimes implique qu'il se sent à l'aise dans une large zone géographique.

Lee désigna la carte accrochée au mur, posant le doigt sur le point rouge indiquant l'endroit où avait été retrouvé le corps de Pamela Stavros.

— Une des raisons pour lesquelles il est important d'inclure Pamela Stavros en tant que première victime est qu'il est très probable que le meurtre ait eu lieu dans le quartier où vit le tueur.

Butts fronça les sourcils.

— Vraiment ? Qu'est-ce qui vous fait dire ça ?

— Eh bien, il est vraisemblable qu'il vive à proximité de sa première victime. C'est l'endroit où il se sent le plus en confiance – près de chez lui. Ensuite, il est davantage susceptible d'élargir son champ d'action, mais statistiquement, le premier meurtre est le plus proche du domicile.

— N'y a-t-il pas en général une cause de stress, ou un facteur déclenchant qui fait basculer ces types ? demanda Florette.

— En général, mais pas toujours, répondit Lee.

— Quel genre ? demanda Butts.

— Oh, cela peut être n'importe quoi – la perte d'un emploi, la mort d'un parent, ou le fait de s'être fait larguer par une petite amie. Ce genre de choses – un événement qu'une personne normale peut encaisser, mais qui suffit à faire basculer ce genre de types.

— Écoutez, l'enterrement d'Annie O'Donnell a lieu après-demain, dit Chuck, et je me disais...

— Que l'un d'entre nous devrait y aller ? l'interrompit Nelson.

— Le meurtrier retourne toujours sur le lieu de son crime, murmura Florette.

— Certains criminels éprouvent beaucoup de plaisir à observer les conséquences de leur crime, observa Lee.

Butts commença à s'emporter et donna un coup de pied dans la corbeille.

— Ça me rend dingue, ce genre de trucs !

— Inspecteur Butts, dit Nelson, je suis sûr que nous sommes tous aussi affectés par ces événements, mais pensez-vous qu'il soit vraiment nécessaire de vous exprimer de façon constante sur le sujet ?

Butts écarquilla les yeux et resta bouche bée.

— Très bien, ça suffit, interrompit Chuck. Concentrons-nous.

— J'aimerais m'occuper de l'enterrement, proposa Lee.

— Croyez-vous que le suspect puisse se rendre sur les lieux ? demanda Florette en sortant une paire de lunettes de sa poche pour les nettoyer avec un mouchoir d'une blancheur immaculée.

— Il n'est pas rare qu'ils se rendent à l'enterrement de leur victime, répondit Nelson.

— On n'aurait donc pas à craindre un délit de fuite ? s'enquit Florette.

— Sans doute pas, répondit Lee.

— OK, tu peux t'occuper de l'enterrement, dit Chuck.

— Mais s'il a déjà tiré sur Lee…, protesta Nelson, avant d'être interrompu par Lee.

— On ne sait même pas si la balle m'était destinée.

— C'est vrai, acquiesça Chuck. Et personne ne sortira une arme en pleine journée au milieu d'un enterrement dans le Westchester. Ce n'est pas la même chose que de tirer sur quelqu'un dans la 3e avenue de nuit. Inspecteur Florette, j'aimerais que vous meniez une enquête sur les églises concernées jusque-là. Essayez de voir s'il peut y avoir un lien entre elles.

— Entendu, dit Florette en se levant. Je m'y mets tout de suite.

Lee jeta un coup d'œil autour de lui, dans la pièce. L'humeur s'était visiblement assombrie. Butts était affalé dans un fauteuil et avait même oublié de chercher des noises à Nelson. Bizarrement, le fait d'avoir mis un nom sur L'inconnue n°5 n'avait pas fait avancer les choses. Maintenant, ils avaient un nom à mettre sur la victime, mais toujours pas celui du tueur.

Chapitre 28

L'enterrement d'Annie O'Donnell avait lieu à Hastings, une des nombreuses villes pittoresques du Westchester qui bordaient la vallée de l'Hudson. Lee prit le métro à la station Grand Central à midi quinze sur la ligne de Harlem qui menait à Hastings en quarante minutes. La station était située près du fleuve, mais elle n'était pas loin de l'église, et il remonta la longue route incurvée qui s'enfonçait dans les terres. Hastings était perché en haut d'une falaise qui surplombait les courants violents de l'Hudson. Les nuages bas s'amassaient au-dessus des eaux grises, et des mouettes descendaient en piqué au-dessus de la surface opaque du fleuve à la recherche de poissons.

L'édifice blanc en bois était plutôt modeste pour une église catholique. À l'exception des tons sépia de la pelouse, le noir et le gris dominaient le paysage. Le ciel bas et morne pesait sur le cortège funèbre ; pas un seul rayon de soleil ne filtrait à travers l'épaisse couche grise. Le cadre monochrome, les costumes sombres des gens endeuillés rassemblés devant la petite église blanche, tout cela fit penser à Lee à une scène de film en noir et blanc. Un corbillard noir rutilant était garé dans l'allée, attendant la lente et majestueuse progression du cortège jusqu'au cimetière.

La cérémonie se terminait à peine lorsque Lee arriva. Tandis qu'il remontait l'allée, une des femmes assistant aux obsèques sortit de l'église, un bouquet d'œillets rouges à la main, aussi éclatants qu'une tache de sang frais sur sa robe noire.

Un corbeau solitaire perché sur la branche d'un chêne noir

observait la scène, la tête penchée sur le côté et ses yeux orange étaient aussi vifs que des aiguilles de pin. Le tronc de l'arbre était assombri par la pluie récente, son écorce rugueuse était encore visiblement humide, et de petites gouttes d'eau coulaient le long de ses larges fissures. Le corbeau poussa un cri enroué, puis s'envola de sa branche, s'élevant lentement dans le ciel brun grisâtre.

Lee le regarda s'éloigner, puis disparaître au-dessus d'un taillis tandis qu'une légère brume tombait sur le sol déjà détrempé. Le petit groupe de journalistes avait l'air pitoyable, s'abritant tant bien que mal sous d'immenses parapluies noirs, les caméras nichées sous leurs imperméables. Il les observa. La plupart étaient jeunes, sans doute des débutants à l'essai qui travaillaient pour des patrons revêches et surmenés. Aucun d'eux n'avait l'allure des stars de la profession, ni même de journalistes prometteurs – la couverture des funérailles de l'infortunée victime n'était pas exactement un boulot en or. Les vraies stars avaient la chance de couvrir la découverte du corps, les briefings de presse de la police, ce genre de choses.

Lee regarda le cortège quitter l'église, à l'affût de quoi que ce soit d'inhabituel, d'une apparence ou d'un comportement qui dénotait. Il ne savait pas exactement ce qu'il cherchait, mais il espérait qu'il le reconnaîtrait quand il le verrait.

Il parcourut du regard les membres du cortège funèbre. Ils avaient l'attitude solennelle de circonstance, certains avaient le visage gonflé et les yeux rougis par le chagrin, la plupart étaient pâles. Un homme grand aux cheveux blond roux qui avait de beaux traits et sans doute des origines irlandaises sortit côté l'église, soutenant une mince femme brune. Elle portait un long voile noir, mais on apercevait son visage dévasté à travers le tissu vaporeux. Il s'agissait visiblement des parents d'Annie. Leur fille tenait de sa mère, brune aux cheveux bouclés – on les appelait les « Black Irish », en raison de ces cheveux bruns bouclés qu'ils tenaient d'ancêtres italiens des siècles passés. Cependant, la mère d'Annie avait la même peau délicate que sa fille, témoignage d'ancêtres d'Europe du Nord.

Son père avait la beauté des Irlandais que Lee voyait souvent à New York – large front carré, yeux bleus enfoncés, mâchoire proéminente sous une bouche fine et volontaire. Il avait les joues colorées et la peau hâlée de quelqu'un qui avait passé son temps à l'extérieur à mener un troupeau de moutons sur la lande, plutôt qu'à travailler dans un cabinet comptable. Il avait les mains rugueuses d'un homme qui s'active au grand air.

Le reste des gens était assez hétéroclite – les amis et la famille, aussi bien que les voisins et camarades de classe. Environ une dizaine de jeunes gens en âge d'être étudiants étaient rassemblés d'un côté. Tandis que les O'Donnell descendaient les marches de l'église, la foule s'écarta avec respect pour les laisser passer, et avancer lentement en direction du cortège de voitures qui les attendaient. Quand madame O'Donnell vit le corbillard, elle trébucha et perdit l'équilibre, s'effondrant en avant. Une demi-douzaine de mains la rattrapèrent, et elle poursuivit son lent pèlerinage. Son mari resserra son étreinte, son beau visage n'étant plus qu'un masque de chagrin et de colère.

La famille monta dans les limousines prévues par le funérarium, tandis que le reste de la foule se dispersait, regagnant les voitures et laissant les journalistes seuls sur le trottoir humide, devant l'église. Lee observa les personnes en deuil, mais ne vit rien d'inhabituel parmi elles. Tous semblaient accablés par la douleur, et chacun était visiblement accompagné d'au moins une autre personne. Lee était à peu près certain que le tueur, s'il venait, serait seul. Il y avait quelques jeunes hommes qui correspondaient au profil, tant au niveau de l'âge que de l'apparence physique, mais ils étaient accompagnés de leur petite amie ou de leur famille, ou faisaient partie du groupe des étudiants de l'université du Queens. Lee regarda en direction des étudiants, mais il était très peu probable que le Découpeur soit étudiant à l'université, et encore moins un des camarades de classe d'Annie.

Les journalistes de télévision étaient debout, récitant leur baratin face à la caméra. D'autres griffonnaient avec sérieux sur leur calepin, tandis que quelques-uns allumaient une cigarette à l'abri de leur pull étalé au-dessus de leur tête pour se protéger de la pluie. Lee s'apprêtait à partir, quand, du coin de l'œil, il vit une silhouette qui se tenait à l'écart du groupe de journalistes.

Un jeune homme mince portant un imperméable bleu foncé était adossé à un sapin de Douglas. Même sous son large manteau, Lee voyait qu'il avait de frêles épaules, et ses poignets saillants indiquaient une maigreur physique. Il avait un cou long et mince et une pomme d'Adam protubérante, mais il avait la tête penchée sur son carnet de notes, Lee ne pouvait donc pas voir son visage. Il y avait quelque chose de troublant chez lui, ses épaules voûtées peut-être, qui faisaient penser à un vautour perché sur une branche d'arbre.

L'homme leva la tête pour regarder la file de voitures qui partaient, et Lee vit ses traits délicats, presque féminins, qui, sur une fille, auraient été considérés comme beaux. Son visage avait une expression tourmentée – les joues creusées et les yeux cernés, comme s'il n'avait pas passé une bonne nuit depuis longtemps. Il semblait avoir environ dix-neuf ans, mais Lee supposa qu'il en avait probablement vingt-cinq. Le plus frappant chez lui, c'étaient ses yeux dorés, aussi jaunes que la lumière d'une lampe – des yeux de loup. Attentifs et méfiants, ils brillaient comme des pierres gemmes sur son visage pâle. Lee ne parvenait pas à lire le nom qui figurait sur la carte de presse accrochée sur le revers de son imperméable bleu, et il ne voulait pas regarder de façon trop appuyée. Jusque-là, le jeune homme ne l'avait pas remarqué. Tandis qu'il l'observait, le jeune homme sortit un objet blanc de sa poche et le porta à sa bouche. Lee eut d'abord l'impression que c'était un paquet de cigarettes, mais il comprit ensuite que c'était un inhalateur. Son estomac se noua lorsque l'inconnu appuya sur le piston d'un geste sûr, avant d'inhaler profondément.

Le pouls de Lee s'accéléra quand l'homme remit l'inhalateur

dans sa poche. *Il était asthmatique !* Il commença à avoir les mains moites, et essaya de ne pas regarder l'homme tandis qu'il réfléchissait à un moyen de s'approcher de lui sans éveiller ses soupçons. Il pouvait lui demander une cigarette – non, pas quand plusieurs journalistes étaient en train de fumer à quelques pas de lui. Il devait trouver quelque chose qui n'éveille pas l'attention – mais alors qu'il essayait désespérément de penser à quelque chose, l'homme referma son carnet et le rangea dans son manteau.

Il jeta un coup d'œil autour de lui, jusqu'à ce que son regard croise celui de Lee, qui eut l'impression que c'était un regard de reconnaissance. Les yeux de l'homme se fixèrent sur lui et – était-ce son imagination ? – il hocha légèrement la tête, comme pour dire « Oui, c'est moi ». L'ombre d'un sourire passa sur son visage blafard. *Il sait qui je suis*, comprit Lee. L'homme resserra son manteau autour de son corps menu et partit à grandes enjambées, longeant un des côtés de l'église.

Lee se mit à sa poursuite, mais fut obligé de contourner un groupe de gens âgés qui sortaient de l'église, puis, lorsqu'il arriva à proximité d'un troupeau de journalistes, un petit homme chauve vint à sa rencontre.

— Excusez-moi, vous ne travaillez pas avec le NYPD ?

Pris au dépourvu, Lee le regarda, interdit.

— Eh bien, je…

— Oui, vous êtes le profiler, c'est ça ? Celui qui a perdu sa sœur ? dit l'homme. Mon pote a écrit un papier sur vous il y a deux ans. Je vous reconnais, il y avait votre photo.

Lee soupira. Il avait bien malgré lui suscité l'intérêt des médias lorsqu'il avait commencé à travailler dans la police – quelqu'un de la chronique locale avait eu vent de sa nomination, s'était souvenu de la disparition de sa sœur, et avait décidé que cela ferait une bonne histoire. Cela avait fait une bonne histoire en effet, mais Lee n'avait pas apprécié l'attention et la publicité qui avaient suivi.

— Vous travaillez sur cette affaire ? poursuivit l'homme, puis, sans attendre sa réponse, il ajouta : Vous avez des commentaires ?

Les autres, tentant aussi leur chance, se pressèrent autour de lui, criant leurs questions :

— Comment se passe l'enquête ?

— Vous avez des pistes ?

— Qu'avez-vous appris sur le Découpeur ?

— Va-t-il continuer à tuer tant que vous ne l'aurez pas arrêté ?

— Je suis désolé, répondit Lee, mais je ne peux pas faire de commentaire sur une enquête en cours.

Réponse standard, et il ne s'attendait pas à ce qu'ils s'en contentent.

Ils ne s'en contentèrent pas.

Il dut les pousser pour se frayer un passage, mais ils le suivirent comme autant de sangsues en imperméables noirs. Il se précipita derrière l'église, tournant à l'angle de la bâtisse, juste à temps pour voir une vieille voiture sombre s'engager dans un virage. Impossible de lire la plaque d'immatriculation de là où il était, et il ne connaissait pas assez bien les voitures pour savoir de quelle marque il s'agissait. Ce n'était pas un modèle récent, et il pensa que c'était une marque américaine – mais il n'en était même pas sûr. Noire ou bleu foncé, l'aile arrière était cabossée, mais c'était tout ce qu'il avait pu voir.

Les journalistes s'agglutinèrent autour de lui, aboyant leurs questions.

— Pensez-vous qu'il va recommencer ?

— Avez-vous avancé dans votre enquête ?

— Qui d'autre travaille sur cette affaire ?

— Allez-vous faire intervenir le FBI ?

Quand ils virent que Lee n'allait pas leur dire quoi que ce soit, ils se dispersèrent peu à peu, rangeant leurs carnets dans les poches de leurs imperméables, avant d'aller dans les restaurants du coin pour déjeuner aux frais de leurs employeurs.

Eh bien, si c'est lui, au moins maintenant je sais qu'il a une voiture, pensa Lee. Mais il en était déjà à peu près sûr. Ce type correspondait parfaitement au profil – jusqu'à l'inhalateur. Lee remonta le col de son manteau et enfonça les mains dans ses poches. La pluie tombait plus fortement maintenant, comme de petites aiguilles froides sur sa peau nue. Il marcha d'un bon pas jusqu'à la gare tandis que le ciel déversait un torrent assez intense pour laver les fautes d'une génération entière de pécheurs.

Chapitre 29

Plus tard, de retour dans son appartement, Lee regarda la pluie tomber doucement par la fenêtre. Il repensa à la conversation téléphonique qu'il venait d'avoir avec Chuck, qui n'avait pas été ravi du compte rendu de sa visite aux obsèques.

— Ces fichus journalistes – un vrai nuage de sauterelles ! Je n'arrive pas à croire que tu n'aies même pas pu voir le numéro de plaque.

Lee n'avait rien trouvé à dire pour leur défense. Il n'aimait pas trop diffamer la presse, mais il devait reconnaître qu'ils s'étaient mis en travers de son chemin.

— Comment s'est-il procuré une carte de presse, d'après toi ? Il a juste fait un faux, je suppose ?

— Probablement.

Chuck avait été exaspéré quand Lee avait admis ne pas avoir réussi à lire le nom sur sa carte de presse.

— C'était sans doute un pseudonyme, de toute façon, fit remarquer Lee.

Il avait vu le dessinateur de portraits-robots, juste au cas où. Lee s'était promis de ne jamais oublier le visage fin et harmonieux, ses étonnants yeux jaunes, ses pommettes hautes, ni son sourire commissural. On aurait dit un petit garçon égaré, jusqu'à l'instant où il avait souri – il s'était alors mis à ressembler à un loup affamé. Le portrait-robot était assez concluant, mais il ne traduisait pas l'impression qu'il avait ressentie, celle d'une personnalité retorse cachée derrière son sourire. Butts avait déjà montré le portrait-robot aux familles des victimes, mais aucune ne l'avait reconnu. Cela ne surprit pas Lee – le tueur ne faisait pas partie de leurs connaissances. Il n'y avait personne qui lui ressemblait non plus dans le fichier ViCAP, et une fois encore, cela n'avait rien de surprenant. Mais Lee avait malgré tout l'impression de l'avoir déjà vu – mais où ? Il avait beau essayer de faire un effort de mémoire, cela restait confus dans son esprit.

Lee regarda les gouttes d'eau dessiner des traînées sur le rebord de la fenêtre, telles des sentinelles d'argent silencieuses, restant brièvement coude à coude, avant de rejoindre la terre. *À quoi bon ?* pensa-t-il. Pourquoi toujours recommencer les mêmes guerres, encore et encore, faire les mêmes erreurs, massacrer et asservir nos semblables ? À quoi bon, vraiment, si ce n'était pas pour évoluer en tant qu'espèce ? Pourquoi chaque génération devrait traverser les mêmes expériences que la précédente, si l'humanité ne devient pas plus sage, meilleure et plus avisée ? L'abrutissante répétitivité de l'histoire était épuisante.

Il sentit la noirceur qui lui était désormais familière s'abattre sur lui, et se leva pour interrompre le fil de ses pensées. Il avait besoin de contrôler ce genre de pensées avant qu'elles ne s'emballent. La dépression était comme une ligne de faille souterraine, et il essayait de toutes ses forces de ne pas se laisser glisser jusqu'au fond. Une mauvaise pensée, une intuition soudaine, le soleil matinal qui entrait par la fenêtre d'une certaine façon – tout était susceptible de déclencher une crise.

Il fit un effort pour se concentrer sur les dossiers qui l'attendaient. À l'instant où il s'assit à son bureau, son téléphone portable émit un bip. Il le saisit et regarda l'écran : nouveau SMS. Il s'efforça de respirer plus lentement tandis qu'il affichait le message : *Il s'en est fallu de peu. Peut-être auras-tu plus de chance la prochaine fois.*

Il reposa le portable. *Peut-être auras-tu plus de chance la prochaine fois.* Maintenant il était certain que non seulement le Découpeur s'était fait passer pour un journaliste à l'enterrement d'Annie, mais aussi qu'il était bien l'auteur des messages concernant sa sœur. Mais comment pouvait-il connaître des détails qui n'avaient pas été révélés à la presse ? C'était troublant… très troublant.

Lee tendit le bras pour prendre le téléphone et appeler Chuck, mais au même moment, il se mit à sonner. Il décrocha.

— Allô ?

— Salut, boss. J'arrive enfin à te joindre !

— Salut, Eddie.

— Alors, quoi de neuf ?

Lee hésita. Il ne savait pas trop ce qu'il pouvait ou non révéler à Eddie. Après tout, il ne faisait pas partie de l'équipe qui travaillait officiellement sur l'enquête. Mais depuis ces nuits sombres passées à St. Vincent, Eddie avait été à la fois un confident, un confesseur et un thérapeute.

— Je pense l'avoir vu aujourd'hui.

— Merde. Vraiment ?

— Ouais, j'en suis à peu près sûr.

— Comment tu le sais ?

— Je ne veux pas vraiment rentrer dans les détails au téléphone.

— T'as peur d'être sur écoute ?

— Non, ce n'est pas ça.

En vérité, Lee voulait se remettre au travail.

— Hé, t'as déjà mangé ?

— Heu…, non.

— OK, retrouve-moi au Taj dans dix minutes, OK ? Je te dirai ce que Diesel et Rhino ont trouvé.

Le Taj Mahal était le restaurant indien préféré d'Eddie, dans la 6e rue, et c'était à deux rues de l'appartement de Lee.

Lee jeta un coup d'œil à la pendule, au-dessus de son bureau. Six heures et demie. Il allait devoir manger de toute façon à un moment donné.

— OK.

— Bon, je te retrouve là-bas dans dix minutes.

Lee laissa un message à Nelson chez lui et appela Chuck sur son portable. (Nelson n'avait pas de téléphone portable, qu'il considérait comme un signe de l'Apocalypse.) Chuck ne répondit pas, Lee lui laissa donc à lui aussi un message, puis il mit un manteau et partit pour le Taj Mahal.

Quand Lee arriva, Eddie était déjà installé, et grignotait des papadums – du pain indien croustillant aussi fin que du papier, parsemé de grains de poivre. Comme la plupart des restaurants de la 6e rue, le Taj Mahal était petit, long et étroit. Ses murs étaient ornés d'un assortiment de lampes décoratives qui donnaient le vertige – des guirlandes électriques colorées, des lanternes en forme de piments rouges, ainsi que des guirlandes de Noël. Tous les patrons de restaurants de la 6e rue semblaient se faire la même idée de la décoration. C'était toujours Noël dans la 6e rue. On repérait l'artère à des kilomètres – tout brillait, clignotait et scintillait. Lee avait essayé de trouver une théorie pour expliquer ce phénomène – une sorte de lien entre l'éclairage excessif et la nourriture épicée, peut-être.

Eddie était assis à sa table favorite, dans un coin au fond du restaurant, sous une voûte constituée d'un tissu violet. Il lui fit un signe de la main quand Lee entra.

— Comment ça va, boss ? dit-il en portant un morceau de papadum croustillant à la bouche.

Eddie était de bonne humeur. Mais Eddie était toujours de bonne humeur en public – ou du moins il prétendait l'être.

— Ça va, dit Lee en s'asseyant face à lui. Et toi ?

— Oh, super. Tu me connais – je retombe toujours sur mes pieds.

Lee savait que ce n'était pas vrai. C'était une tentative de suicide qui avait conduit Eddie dans un lit à côté du sien à St. Vincent. Eddie s'était entaillé les deux poignets, s'était allongé sur son lit dans un hôtel miteux, et avait attendu de mourir. Mais il n'avait pas encore perdu tout son sang quand un de ses voisins du Windermere, un hôtel voisin, l'avait trouvé. Quand Lee l'avait rencontré, ses poignets portaient encore un épais bandage, et il était sous Haldol.

Lee avait sans doute involontairement jeté un coup d'œil furtif aux poignets d'Eddy, parce qu'il lui lança un regard perçant.

— Quelque chose ne va pas, boss ?

— Non, j'étais dans mes pensées.

— Ah ouais ? À quoi tu pensais ?

— Aux circonstances dans lesquelles les gens se rencontrent. Je veux dire que si on n'avait pas partagé la même chambre à St. Vincent, on ne serait pas assis là tous les deux.

Ce n'est qu'après avoir prononcé ces mots que Lee prit conscience de ce qu'impliquait ce qu'il venait de dire – l'un d'eux pourrait être mort, et même tous les deux.

— Deux fêlés, voilà ce qu'on est. Je vais prendre le vindaloo, très épicé, dit Eddie dans la foulée au serveur qui s'approchait d'eux.

Le serveur nota sur son carnet, puis se tourna vers Lee.

— Et vous, monsieur ?

C'était un Indien beau et mince à la peau très foncée et aux cheveux noirs brillants.

— Je ne peux jamais résister à un bon poulet korma, dit Lee en refermant le menu. Merci.

— Très bien, monsieur, répondit le serveur.

Il reprit les menus et retourna en cuisine. Les serveurs indiens étaient toujours si courtois que Lee ne put s'empêcher de penser à l'époque de l'Empire britannique des Indes où l'excès de bonnes manières et de politesse cachait le désir d'écraser le régime d'occupation de l'homme blanc.

Après le départ du serveur, Eddie se pencha vers Lee, et lui dit à voix basse :

— Tu… ça t'arrive encore ?

— Quoi ?

— Tu sais… les pulsions.

Eddie voulait parler des idées suicidaires, mais il n'employait jamais ces mots, comme si le fait de les prononcer les aurait rendus trop réels.

— Non, pas ces derniers temps – Dieu merci, répondit-il, avant de regarder Eddie. Et toi ?

— Naaan… Je suis en pleine forme ! répondit Eddie de façon un peu trop énergique. Je suis aussi costaud qu'un bœuf !

Comme pour prouver ce qu'il venait de dire, il se donna une bonne claque sur le ventre qui, bien qu'épais, semblait dur. Pourtant, Lee ne le croyait pas, et il sentit chez Eddie une agitation plus vive qu'à l'accoutumée – une énergie inquiétante.

— Tu prends ton lithium ?

— Bien sûr ! répliqua Eddie, un peu trop rapidement à son goût.

Lee était inquiet, mais il ne voulait pas pousser le bouchon trop loin. Quelque chose lui disait que s'il s'attardait trop sur le sujet de la santé mentale d'Eddy, son ami allait se fermer comme une huître. Eddie savait vraiment écouter, et ils avaient partagé beaucoup de choses pendant cette sinistre semaine passée à St. Vincent. Eddie était à l'aise dans le rôle du confident, mais le faire parler de ses propres problèmes était une autre paire de manches. Il aimait avoir le contrôle de la situation – en fait, il avait laissé son trouble bipolaire se dégrader parce qu'il aimait trop les phases maniaques. Pendant cette semaine à St. Vincent, Eddie avait parlé de la sensation de liberté, d'énergie et de puissance… de la douce illusion d'omnipotence. C'était une perspective séduisante, et Lee n'avait aucun mal à imaginer que quelqu'un comme Eddie puisse s'habituer aux phases dépressives de sa maladie, juste pour pouvoir être à nouveau dans le tourbillon grisant de la phase maniaque.

— Écoute, je crois que j'ai quelque chose pour toi, dit Eddie en engloutissant le reste du papadum.

— Oui, c'est ce que tu me disais.

— Oh, non, ce n'est pas ce pour quoi je t'ai appelé l'autre jour – ça n'a pas mené bien loin, finalement. Mais cette fois, je crois qu'on tient vraiment quelque chose.

— De quoi s'agit-il ?

— Un type. Un type qui a peut-être vu quelque chose.

— Ah oui ? Et ce type… C'est qui ?

Eddie jeta un coup d'œil autour de lui dans le restaurant, comme s'il vérifiait qu'il n'y avait pas d'espion, mais les seuls autres clients à cette heure étaient un couple de jeunes gens qui se tenaient la main à l'autre bout du restaurant. Ils murmuraient à voix basse, sur le ton intime des amants, penchés au-dessus de la table.

— Ce type est un SDF, OK ? Il traîne surtout du côté de Prospect Park. Il ne ferait pas un super témoin devant un tribunal, mais tu peux toujours lui parler, pour te faire une idée.

— Comment l'as-tu trouvé ?

Eddie se pencha en avant.

— Tu te souviens de Diesel et Rhino ?

Eddie sourit, laissant paraître ses dents jaunes de traviole, et ajouta :

— OK, je suppose qu'on ne les oublie pas si facilement.

— Non, en effet. Ils ont trouvé ce type ?

Eddie engloutit un samossa entier. Il mâcha une fois, puis l'avala. Cela fit penser à Lee à un crocodile – un crocodile aux dents jaunes qui souriait.

— Ouais, ils ont plus ou moins surveillé l'église, tu sais. Ils ont gardé un œil sur les allées et venues. Et ce type était resté dans le coin deux nuits de suite. Il va à la soupe populaire le week-end.

— OK, dit-il. Dis-moi juste où et quand.

Un large sourire se dessina à nouveau sur le visage d'Eddie.

— OK, boss. C'est comme si c'était fait.

Chapitre 30

Ils le trouvèrent assis sur un banc, pas très loin du hangar à bateaux de Prospect Park. Il y avait pas mal de monde en général dans cette partie du parc, mais ce jour-là, c'était plutôt calme aux alentours de l'étang marécageux. L'homme était aussi long et mince que les roseaux qui bordaient les rives du lac. Ses cheveux gris filasse étaient attachés en arrière avec une chaussette rouge, et il portait la chaussette assortie à la main gauche, avec des trous pour laisser passer les doigts. Sa main droite était nue, et ses doigts osseux tremblaient convulsivement de temps à autre.

Il était habillé de façon convenable – un pantalon marron en velours côtelé avec une ceinture en cuir, attachée avec un nœud, parce que la boucle manquait. Il portait une chemise bleue et verte également en bon état sur un maillot de corps rouge qui dépassait par endroits de son pantalon. Une parka vert vif bien conservée, des chaussettes en laine et des Docksides aux semelles épaisses venaient compléter sa tenue. Soit quelqu'un prenait soin de lui, soit il était tombé sur le jackpot dans un magasin de fripes. Lee se dit que quoi qu'il en soit, il était content que l'homme soit habillé chaudement. Être sans-abri n'était pas une partie de plaisir, même par beau temps, mais cela pouvait être particulièrement rude au mois de février.

Il regarda Lee et Eddie approcher d'un air méfiant.

— Salut, dit Eddie. Vous vous souvenez de moi ?

— Bien sûr, que je me souviens de vous. Vous étiez ici avec deux gardes du corps, dit l'homme en examinant minutieusement Lee.

Celui-là n'a pas l'air très impressionnant. Qu'est-il arrivé aux deux autres ?

— C'est mon garde du corps du week-end, dit Eddie en riant.

L'homme fronça les sourcils.

— Je ne veux pas vous vexer, dit-il à Lee, mais vous n'avez pas l'air très effrayant.

— Je ne le suis pas.

— Mon ami s'appelle Lee, dit Eddie. Et je suis…

— Non, ne me dites pas, l'interrompit l'homme. Larry. Elmer. Pete. Elijah.

— Eddie.

— Oui, c'est ça. Eddie. Je m'en souviens maintenant. Mes amis m'appellent Willow, dit-il à Lee, avant d'ajouter, avec un petit rire qui ressemblait davantage à un hoquet : Mes ennemis ne m'appellent pas. Vous ne leur direz pas que vous m'avez vu n'est-ce pas ? demanda-t-il en scrutant le visage de Lee.

Il avait les yeux humides et injectés de sang, mais il émanait de son regard une vive intelligence.

Son visage était aussi long et mince que son corps, avec des joues si creuses qu'elles ne faisaient qu'accentuer le fait qu'il avait les dents en avant. Ses yeux noirs et enfoncés étaient injectés de sang, et Lee ne savait pas si c'était à cause de la picole, du manque de sommeil, d'une maladie, ou juste d'un mauvais état de santé général.

— Hé, ne t'en fais pas, dit Eddie. On ne dira rien à personne. On t'a apporté quelque chose, dit-il en sortant une cartouche de Marlboro qui était sous sa veste.

Willow se leva d'un bond et s'en empara avec empressement, les yeux brillants.

— Merci ! Comment vous saviez que c'est la marque que je fume ? demanda-t-il en déchirant l'emballage en cellophane pour sortir un paquet.

Il l'ouvrit d'un geste brusque et prit une cigarette, qu'il examina sous tous les angles.

— Faut que je vérifie s'il n'y a pas de micropuce, dit-il en la mettant à la bouche.

Il sortit un briquet de sa poche, alluma la cigarette et inspira si profondément que Lee imagina que ses joues se touchaient à l'intérieur de sa bouche. Il exhala une bouffée de fumée et sourit d'un air béat. Son expression sur ses traits décharnés lui donnait un air étrange, et rendait son visage encore plus grotesque.

— Ça va mieux, fit-il en tirant à nouveau sur sa cigarette, avant de s'installer à nouveau sur le banc.

La main qui tenait la cigarette ne bougeait pas, appuyée sur son genou, mais son autre main tressaillait nerveusement. Il arracha la peinture verte écaillée sur le banc, et pour une mystérieuse raison, cela sembla le calmer. Ses yeux parcoururent le parc, comme s'il essayait de repérer d'éventuels espions ou saboteurs. Cependant, il n'y avait personne d'autre en vue qu'une jeune mère promenant un bébé dans une poussette, et un vieil homme accompagné d'un Boston terrier décati. Le chien et son propriétaire avançaient d'un pas traînant, aussi arthritiques l'un que l'autre. L'homme était emmitouflé dans une écharpe rouge sous sa parka, et le chien portait un petit manteau rouge, fait avec la même laine.

Le couple n'échappa pas au regard affûté de Willow.

— Regardez ça ! dit Willow, comme pour lui-même. Tel maître, tel chien.

Il marmonna quelque chose dans sa barbe et tira à nouveau intensément sur sa cigarette. Il garda la fumée, avant d'expirer lentement par le nez.

Eddie s'assit à côté de lui.

— Alors, vous avez dit à mon ami que vous aviez quelque chose pour nous ? Des informations sur ce que vous avez vu.

— Je vois beaucoup de choses. Des tas de choses !

— Oui, je sais, répondit Eddie. Mais il y a quelque chose en particulier que vous avez vu et qui nous intéresse, vous vous rappelez ?

Au lieu de répondre, Willow prit une autre cigarette et l'alluma avec la première, qu'il jeta par-dessus son épaule. Lee perdit tout espoir – ce type était un fiasco, une impasse. Il avait traversé toute la ville pour se rendre à Prospect Park et regarder un SDF schizophrène fumer comme un pompier jusqu'à ce que mort s'ensuive.

Mais alors, à sa plus grande surprise, Willow hocha la tête. Jetant un dernier regard alentour, il baissa encore plus la voix.

— OK, je vais vous dire ce que j'ai vu, d'accord ?

— D'accord, dit Eddie.

— Si vous promettez de ne pas en parler aux Fédéraux, à la CIA, ni au FBI – ils sont tous après moi. Vous le saviez ?

— Ouais, j'en ai entendu parler, dit Eddie. Bon, qu'avez-vous vu ?

— Eh bien, y'avait ce type, et ce qu'il avait d'étrange, c'est qu'il emmenait des poubelles *à l'intérieur* de l'église. J'ai trouvé ça bizarre. J'ai pensé que c'était peut-être un des types qui étaient après moi – je suis toujours sur le qui-vive.

— Bien, bien, l'encouragea Eddie. Il s'agit bien de l'église d'All Souls ?

— Ouais.

— Quand était-ce ? demanda Lee.

— Ben, c'était samedi soir dernier. Je le sais, parce que c'est le jour de la soupe populaire, et j'y vais toujours. Et des fois, ils jettent des trucs à la fin de la journée, alors je fouinais dans le coin, vous voyez – rien d'illégal.

— Non, bien sûr que non, le rassura Lee.

— Alors, c'est samedi soir, et y'a vraiment personne qui traîne dans le coin, et je vois ce type.

— De quoi avait-il l'air ? demanda Eddie.

— Un petit mec – un peu faiblard, vous voyez ? Genre, si c'était un chiot qui venait de naître, on l'aurait noyé. Mais apparemment, on l'a pas noyé, parce qu'il était là.

Une idée dérangeante traversa l'esprit de Lee – il aurait mieux valu pour tout le monde que quelqu'un ait noyé l'homme qu'ils recherchaient.

— Faiblard, dans quel sens ? demanda Eddie. Vous voulez dire difforme ou quelque chose comme ça ?

— Naan… rien de ce genre, juste petit, et maigre. Peut-être pas aussi maigre que moi, mais vachement maigre quand même.

— Avez-vous vu son visage ? demanda Lee.

Willow secoua la tête, ce qui fit glisser la chaussette qui tenait sa queue de cheval grise. Lee préféra ne pas imaginer ce qui pouvait se nicher dans cette touffe de cheveux gras.

— Non, pas très bien, il faisait trop sombre. Y'avait pas de lune cette nuit-là, et un des réverbères a grillé – ça fait un moment déjà. Mais j'ai vu la lumière de l'autre lampadaire, celui qui est de l'autre côté de la rue, briller sur son front. Il avait un grand front, un peu comme s'il perdait ses cheveux, vous voyez ?

— Ce sac qu'il portait, dit Eddie, est-ce qu'il avait l'air plein ?

— Ouais, c'est l'autre truc qui était bizarre, dit Willow en se grattant la tête. Qui est-ce qui emmène une poubelle pleine *dans* un bâtiment ? C'est bizarre.

— Vous l'avez vu transporter quelque chose en sortant ?

— Non. J'ai vu un type allumer une clope au coin de la rue, et je lui en ai tapé une. Et après ça, je n'ai rien vu d'autre.

— Vous vous rappelez comment il était habillé ?

— Hum… Des vêtements sombres. Un imperméable un peu comme celui que portent les Fédéraux, mais ce type ne faisait pas partie des Fédéraux, il n'était pas assez bien nourri pour ça.

— Autre chose ?

— Ah ouais, y'avait un autre truc.

— Quoi ?

— Sa respiration. Elle était un peu sifflante, vous voyez ? Comme un type qui aurait fumé pendant trop longtemps. Mais je ne l'ai pas vu allumer de clope.

— Pensez-vous que vous pourriez l'identifier à partir d'un

portrait-robot ?

Willow se gratta une croûte au menton.

— J'sais pas, peut-être. Qu'est-ce que j'y gagne ?

— OK, écoutez, dit Lee. Vous nous avez été vraiment utile. Est-ce que je peux faire quoi que ce soit pour vous ? À manger, un endroit où dormir ?

Willow brandit sa cartouche de cigarettes.

— Plus de clopes ?

— Écoutez, dit Lee en sortant cinq billets de vingt dollars de son portefeuille. Si je vous donne ça, promettez-vous de le dépenser en achetant à manger et en vous payant une nuit quelque part ?

Willow prit l'argent et le compta.

— Tu t'es planté, mec, c'est des billets de vingt.

— Je ne me suis pas trompé. Je veux vous donner cet argent. Mais, s'il vous plaît, achetez-vous quelque chose à manger, OK ? Et une chambre quelque part peut-être ?

— Y-M-J-A[5], chanta doucement Willow, je peux passer la nuit au Y-M-J-A. Da da da da da, je trouve tout ce que je veux au Y-M-J-A, dit-il, avant de jeter un coup d'œil vers Lee. Je suis juif, vous me suivez ?

— Oui, dit Lee, je vous suis. Vous le ferez ? Promis ?

— Bien sûr ! s'écria Willow, mais son attention fut attirée par un joggeur qui passait par là, un jeune black en tenue de sport en lycra rouge.

— Lui, par contre, c'est bien un Fédéral, murmura Willow. Vous voyez ? Ils m'ont déjà trouvé. C'est des rapides, j'vous dis.

Puis, il se remit à chanter :

— Qui a besoin d'un bunker en Irak-ak-ak-ak-ak-ak ? entonna-t-il, avant de passer à la chanson de Billy Joel *Movin'out* : *If that's what's movin'in, I'm gettin'out.*

---

5 *Young Messianic Jewish Alliance* (Alliance des jeunes juifs messianiques). (NdT)

Sans lui dire au revoir, Willow se leva et partit en direction du hangar à bateaux.

Eddie regarda Lee.

— Bon, je suppose qu'on n'en tirera pas davantage.

— Non, dit Lee. Écoute, où est-ce que je peux te joindre ?

— Tu ne peux pas me joindre, répondit Eddie. Je t'appellerai.

Lee voulut protester, mais il savait qu'essayer de faire pression sur Eddie était le meilleur moyen de le faire fuir. Et tandis qu'ils sortaient du parc, il se demandait pourquoi quelqu'un pouvait emmener une poubelle dans une église en pleine nuit.

Chapitre 31

Sa mère ne s'opposerait sûrement pas à ce qu'il passe du temps avec cette fille. Elle était si légère, si frêle. Elle ressemblait plus à un oiseau qu'à une fille, en réalité. Un petit moineau – oui, c'était ça. Elle était exactement comme un petit moineau sous-alimenté, et il se languissait de la prendre dans ses bras et de lui donner à manger jusqu'à ce qu'elle s'endorme, satisfaite et protégée par sa douce étreinte. Cela n'avait rien de lascif – c'était plutôt le sentiment qu'on pouvait avoir envers un animal bien-aimé, un désir de prendre soin de lui, de s'en occuper comme on le ferait avec un petit chiot, ou n'importe quelle créature sans défense. Quel mal pouvait-il y avoir à ça ?

Il fit la grimace et se mit les mains sur les oreilles, comme si cela pouvait couvrir la voix qui résonnait dans sa tête, mais la voix parvint jusqu'à ses tympans, lui donnant le vertige. Le souvenir de cette horrible première humiliation défila comme une bande magnétique dans son esprit, du début à la fin.

— *Sam-u-el* ! Comment as-tu pu faire ça – comment as-tu pu toucher cette affreuse créature, cette sale petite catin ? Comment as-tu pu me faire ça à moi – et à Lui ? Tu veux faire pleurer Jésus ? C'est ça ?

La figurine en bois représentant Jésus sur la croix au-dessus de son lit le regardait avec mépris. La déception se lisait sur son visage en bois sculpté. Les yeux torturés l'imploraient de l'aider – lui, Samuel – comme s'il pouvait apaiser la souffrance de Jésus.

— *Sam-u-el* ! Regarde-moi quand je te parle ! Pensais-tu

que Jésus ne te verrait pas, qu'il ne connaîtrait pas tes pensées dégoûtantes ?

Il ne pensait pas que ses pensées étaient dégoûtantes, mais peut-être avait-il tort. Sa mère avait dit que le Diable déguisait les pensées parfois, pour tromper le pécheur – peut-être que son cœur était rempli de luxure, après tout. Il pensa à la fille, si mince, si pâle, dont les os étaient aussi fragiles que ceux d'un oiseau. Même son délicat petit menton ressemblait un peu à un bec. Ce qu'il ressentait ne ressemblait en rien à de la luxure – d'après ce qu'il savait de la luxure du moins – mais comment pouvait-il contester la parole de Dieu ? Pire encore, comment pouvait-il contester la parole de sa mère ?

Il fallait qu'il fasse taire la voix avant que sa tête n'explose. Il devait faire le bonheur de Dieu, et il connaissait un moyen pour ça – grâce à son Maître. Il regarda sa montre. Il ferait bientôt nuit, et alors son travail pourrait commencer.

Chapitre 32

— Oh, ouais, ce type est le rêve de n'importe quel tribunal, dit Butts en levant les yeux au ciel.

Il était affalé sur un des fauteuils face au bureau de Chuck. Lee était assis dans l'autre fauteuil, face à lui. Ils étaient dans le bureau de Morton, le lendemain, à comparer leurs notes. Chuck était perché sur le rebord de la fenêtre, les bras croisés ; Nelson était assis dans le fauteuil de Chuck, derrière le bureau, pianotant du bout des doigts sur le bras du siège. L'inspecteur Florette était sur une chaise, dans un coin de la pièce, dans une position aussi rigide que les boutons de manchette de sa chemise d'une blancheur immaculée.

— Beaucoup de sources crédibles font de très mauvais témoins dans un tribunal, souligna Chuck. Vous le savez aussi bien que moi, inspecteur Butts. On bosse tous les deux dans le Bronx, bon sang.

— Excusez-moi monsieur… Heu, Willow, c'est ça ? poursuivit Butts. Pouvez-vous me dire qui, dans cette cour, est un informateur qui travaille pour le FBI ? Oh, je vois… cet homme, dans la grande robe noire ? Et comment le savez-vous ? Oh, à cause des micropuces qu'ils vous ont implantées dans le cerveau ?

— D'accord, inspecteur, arrêtez, dit Chuck d'un air las. Il est évident qu'on ne peut pas utiliser ce type devant un tribunal. Toute la question, c'est de savoir si c'est une piste qui vaut la peine d'être suivie ?

Nelson haussa les épaules.

— Il est peut-être le seul témoin oculaire dont on dispose pour l'instant.

— À moins que ce ne soit vraiment le Découpeur que Campbell ait vu aux obsèques, fit remarquer Butts.

— Je ne vois pas comment cela pourrait être quelqu'un d'autre, dit Florette. Ce dernier SMS semblait plutôt probant.

À ce stade, tous avaient été informés des SMS que Lee avait reçus et ils s'accordaient à dire que le tueur envoyait probablement des messages à propos de Laura, cependant Chuck restait sceptique.

— Vous avez dit que ce Willow n'avait pas très bien vu ce type, c'est ça ? demanda Butts.

— C'est exact, confirma Lee.

— Mais toi tu l'as bien vu, dit Nelson. En partant du principe que c'était lui, bien sûr. Des retours positifs sur le portrait-robot montré aux familles ?

— Non, personne ne l'a reconnu.

Chuck prit le portrait-robot sur son bureau et le mit devant lui, pour le montrer aux autres. Même maintenant, simplement en le regardant, Lee en avait des frissons dans le dos. Le dessinateur de l'identification judiciaire avait réussi à rendre l'intensité de son regard, la lueur à la fois d'égarement et de danger dans ses yeux.

— Pourquoi ne montrerais-tu pas le portrait-robot à ce Willow pour lui demander s'il ressemble au type qu'il a vu ? demanda Chuck.

— Très bien, répondit Lee, mais il a dit qu'il faisait trop sombre pour distinguer ses traits.

Ce qu'il ne dit pas, c'est qu'il n'avait aucune idée sur la façon dont il pouvait joindre Eddie – c'était toujours Eddie qui l'appelait, en général depuis un téléphone public. Lee n'avait jamais mentionné le nom d'Eddie, et il n'avait jamais parlé non plus de la façon dont ils s'étaient rencontrés. Pour les autres, Eddie était un « informateur fiable ». Personne ne lui avait demandé davantage d'informations. Dans la police, tout le monde avait ses sources, et en général ce n'étaient pas des enfants de chœur.

— Imaginons qu'on arrive à déterminer que le type vu par ce

Willow est le même que celui que vous avez vu à l'enterrement – et supposons qu'il soit notre suspect, avança Florette, vous avez dit que ce type pouvait avoir un casier, comme ne pas en avoir ?

— C'est exact, dit Nelson. Les criminels sexuels commencent souvent par des vols avec effraction, des cambriolages, ce genre de choses – et parfois ce sont des voyeurs, qui passent ensuite à des délits plus graves.

— Et pensez-vous que les SMS viennent de lui ? demanda Butts.

— Ça me semble probable, répondit Lee. Sinon, le moment choisi serait une trop grande coïncidence.

— Et où en êtes-vous de votre idée selon laquelle il y aurait plus d'un meurtrier ? demanda Florette.

— Ah, oui, où en es-tu là-dessus ? demanda Chuck.

— Je pense juste qu'il y a vraiment peu de chances que ce soit le cas, protesta Nelson. Ça n'est juste pas…

Le téléphone sonna sur le bureau de Chuck. Il décrocha.

— Morton, dit-il, en écoutant avant que son visage ne s'assombrisse. Non, je n'ai aucun commentaire à faire sur l'affaire, lança-t-il en raccrochant brutalement. Ces fichus journalistes – ils grouillent comme des mouches attirées par du miel, dit-il en se calant au fond de son fauteuil. Écoutez, je n'ai pas besoin de vous dire qu'on ne croule pas sous les preuves dans cette affaire, nous devons donc essayer d'envisager les choses sous tous les angles possibles. Et pour les églises, demanda-t-il à Florette, ça a donné quelque chose ?

— Eh bien, on a interrogé le personnel, mais ça ne nous a pas donné grand-chose – personne n'a rien vu d'inhabituel. L'inspecteur Butts et moi enquêtons parmi les fidèles, mais cela prend du temps.

— Oui, confirma Butts. Jusque-là, personne ne correspond au profil de l'agresseur. Et personne ne reconnaît le portrait-robot du type vu par Lee.

— Nous avons également cherché ce que ces églises pouvaient avoir en commun, ajouta Florette.

— Et vous avez trouvé quelque chose ? demanda Chuck.

— Rien de particulier – en dehors du fait que ce sont deux églises catholiques. Mais ensuite, on s'est penchés sur tous les programmes lancés par les églises – la plupart d'entre elles organisent pas mal de réunions, des groupes d'entraide, ce genre de choses.

— C'est vrai, dit Nelson. Il y a des groupes d'entraide pour absolument tout de nos jours. Les femmes qui produisent trop de lait, les adultes enfants de parents républicains – absolument tout.

— Mais la plupart de ces groupes sont anonymes, souligna Lee.

— Exactement, répondit Florette. On n'a donc pas pu faire grand-chose à ce niveau-là. Il nous aurait fallu davantage d'indices reliant ce type à un des groupes.

— Ce que nous n'avons pas, ajouta Butts en sortant un cigare mal en point de sa poche.

— Bon, dit Florette, mais ensuite on a commencé à faire des recherches sur les associations caritatives auprès desquelles l'église s'implique – qui distribuent des repas aux SDF, ce genre de choses.

— On sait que Marie Kelleher était bénévole dans son église une fois par mois, dit Butts.

— Et vous avez des pistes là-dessus ? demanda Nelson.

— On a d'abord pensé qu'il travaillait peut-être pour une de ces associations, répondit Florette.

— OK, dit Chuck, continuez là-dessus, on pourra comparer tous les employés que vous pourrez dénicher avec le profil dont nous disposons pour l'instant.

On frappa à la porte.

— Qui est-ce ? demanda Chuck.

La réponse fut brève, et professionnelle.

— Affaires internes.

— Oh, nom de Dieu, dit Chuck en ouvrant la porte. Le moment est mal choisi.

— Le moment est toujours mal choisi pour les AI, marmonna Butts.

L'homme était grand et austère avec un visage impassible. Il fit penser à Lee à un croisement entre le principal de son lycée et Abraham Lincoln.

— Monsieur Campbell ? dit-il, regardant Lee.

— Oui ?

— Lieutenant Ed Hammer, Affaires internes. J'enquête au sujet de la plainte pour brutalité policière déposée par monsieur Gerald Walker, qui a été soumis à un interrogatoire dans cette unité…

— Oui, nous savons de qui il s'agit, interrompit Chuck. Venez-en au fait, s'il vous plaît.

— Est-ce que l'un de vous était présent lors de l'interrogatoire ?

— Oui, moi, dit Butts. Et je peux vous dire que ce type est une raclure de première.

— C'est possible, inspecteur…

— Butts.

L'homme jeta un coup d'œil au carnet qu'il tenait à la main.

— Inspecteur Butts, voulez-vous bien me dire pourquoi vous n'avez répondu à aucun de mes appels, et pourquoi vous ne m'avez pas rappelé ?

— J'ai des choses plus importantes à faire. Laissez-moi vous dire une chose, lieutenant Hammer, ce type l'a bien cherché.

— Vous avez donc vu monsieur Campbell malmener le suspect ?

— Malmener mon cul ! lança Butts d'un ton hargneux tandis que le rouge lui montait aux joues. Il l'a à peine touché.

Le lieutenant Hammer regarda Lee.

— C'est comme ça qu'il s'est retrouvé avec un œil au beurre noir ?

— Écoutez, lieutenant, s'insurgea Butts, Walker est un pleurnichard, doublé d'un type qui aime bien cogner sa femme.

— Viendrez-vous dans nos bureaux faire une déposition ?

— Et comment ! répliqua Butts, prenant son manteau.

Chuck lui fit signe de se rasseoir.

— Juste une minute, inspecteur, dit-il en se levant pour se rapprocher d'Hammer.

— Écoutez, lieutenant Hammer, je comprends parfaitement que vous essayiez juste de faire votre travail, mais monsieur Campbell et l'inspecteur Butts sont deux membres importants de notre équipe d'investigation. Je vous promets que je veillerai personnellement à ce que monsieur Butts fasse une déposition et l'envoie à votre bureau. Je n'ai pas besoin de vous dire que notre travail est d'une importance vitale pour la sécurité des citoyens de cette ville. Et à chaque minute que nous perdons, une autre femme peut mourir.

Hammer soupira.

— Oui, commissaire Morton, je le comprends. Mais, comme vous venez de le dire, j'ai un travail à faire, tout comme vous. Nous aimerions que vous fassiez également une déposition.

— Très bien, dit Chuck froidement sans détourner le regard. Je vous la faxerai demain. Donnez-moi votre numéro.

Hammer griffonna un numéro sur son carnet, déchira la page et la donna à Chuck, qui la fourra dans sa poche.

— Et maintenant, si vous voulez bien nous excuser, nous avons du travail.

— Je compte sur votre déposition avant huit heures demain matin, dit Hammer. La vôtre aussi, s'il vous plaît monsieur Campbell.

Sur ces mots, il partit. Il y eut un silence gêné, puis Butts grommela :

— Pour qui se prend-il, bordel ?

— Ça n'a pas d'importance, dit Lee. Je pense qu'on devrait tous lui donner notre déposition le plus tôt possible.

— Je suis d'accord, dit Chuck. Bon, oublions ça pour l'instant, OK ? Pouvons-nous revenir à notre affaire ?

— L'angle catholique est intéressant, avança Florette. Vous êtes à peu près certains qu'on a affaire à une sorte de fanatique religieux ? Je veux dire, il ne fait pas semblant ?

— Je ne sais pas si le tueur essaiera de faire valoir l'aliénation mentale, mais la ferveur religieuse est bien réelle, garantit Lee.

— Vraiment ? Pourquoi ? demanda Florette.

— Laisser les corps dans des églises est risqué et compliqué – il aurait facilement pu se faire prendre, et il est trop intelligent pour ne pas le savoir. Et le fait de découper les corps est encore plus risqué. C'est une partie importante de sa signature, ce dont il a besoin pour obtenir une satisfaction sexuelle.

— Ah, ouais ? Alors maintenant qu'on sait ce qui le pousse à agir, en quoi est-ce que ça nous aide à le choper ? demanda Butts.

— Vous savez, inspecteur, si vous passiez moins de temps à critiquer le profiler, et davantage à travailler avec lui, vous auriez peut-être plus de chances d'attraper ce type, dit Nelson d'une voix pleine de sarcasme.

Butts fronça les sourcils, puis croisa les bras.

— Ouais, et si ma tante en avait… marmonna-t-il.

— OK ! lança Morton. Je sais que cela est frustrant pour tout le monde, mais n'oublions pas que nous sommes dans la même équipe, alors arrêtons de nous lancer des piques, dit-il en regardant Butts fixement, jusqu'à ce que l'inspecteur soupire et détourne les yeux.

Morton jeta un coup d'œil vers Nelson, qui sourit.

— Je suis entièrement d'accord avec vous, commissaire Morton, ajouta-t-il.

— Bon, reprit Butts, ce type va forcément faire une connerie tôt ou tard.

Nelson regarda l'inspecteur comme s'il essayait de déterminer à quelle espèce il appartenait.

— La question est, dit-il sur un ton acerbe, qu'allons-nous dire aux parents de la prochaine victime – qu'on a décidé d'attendre qu'il « fasse une connerie » ?

Le visage couvert de cicatrices de Butts vira au violet, et il serra les poings.

— Écoutez, je veux attraper ce type au moins autant que vous ! Et si quelqu'un dit le contraire…

— Très bien ! s'écria Chuck. Vous allez arrêter, vous deux ? On a du boulot ! lâcha-t-il en désignant une carte des cinq quartiers concernés punaisée au mur. Bon, les points rouges indiquent les lieux où il a déjà frappé.

— Le Bronx, le Queens, Brooklyn, dit Florette. Jusque-là, il a procédé quartier par quartier.

— Peut-il s'agir d'une coïncidence ? demanda Chuck.

— Non, répondit Lee. Ce type est compulsif et méthodique – il fait preuve d'une organisation obsessionnelle. Je pense que chaque crime fait partie d'un plan d'ensemble. Il marque son territoire.

— Je suis d'accord, confirma Nelson. Cependant, la question est : Quelle est la prochaine étape ? Va-t-il venir à Manhattan, ou descendre jusqu'à Staten Island et laisser Manhattan pour la fin, comme le dernier joyau de sa couronne ?

— Tu as raison, acquiesça Lee. On n'a aucun moyen de le savoir.

— Pourquoi ne met-on pas en place un dispositif d'alerte, en demandant aux filles de ces deux quartiers de ne pas sortir seules ? suggéra Butts.

Nelson réprima son agacement.

— On a déjà essayé ça avec le Fils de Sam[6]. Ça n'a rien donné à ce moment-là, et il n'y a pas plus de raisons que ça donne de meilleurs résultats maintenant. On ne peut pas empêcher les gens de faire ce qu'ils ont envie de faire.

— Bien sûr, on pourrait lancer une alerte, dit Chuck en se frottant les yeux.

— Ça n'aura aucun effet, dit Nelson. Ce type est patient. Le seul moyen d'empêcher ces meurtres, c'est de l'arrêter, *lui*.

— C'est juste, approuva Lee. Il attendra – tôt ou tard, il trouvera quelqu'un qui correspond à son profil.

---

6 Surnom de David Berkowitz, un tueur en série américain qui a avoué le meurtre de six personnes et en a blessé plusieurs autres à New York, dans les années 1970. (NdT)

— Alors il établit le profil de ses victimes de la même façon qu'on fait le sien ? demanda Florette.

— Plus ou moins, oui, répondit Lee.

— Merde, fit Butts. Ça fout la chair de poule.

Nelson sourit.

— Inspecteur Butts, je ne peux qu'être de votre avis sur ce point.

Tandis qu'ils sortaient du bureau, Nelson prit Lee à part.

— Qu'y a-t-il ? demanda Lee en voyant le regard préoccupé de son ami.

— Je suis inquiet à ton sujet, mon pote. Tu as l'air fatigué. Peut-être devrais-tu prendre quelques jours de congé pour te reposer ?

— Je vais bien, répondit Lee.

— Eh bien, tu n'as pas l'air d'aller bien. Ce sont les messages qui te contrarient ? Ça doit être très perturbant.

— Ça va, je t'assure. Et j'ai besoin d'aller au bout de cette affaire. Je ne veux pas arrêter avant la fin.

Le visage de Nelson était dur et grave.

— La fin risque d'être plus rude que tu ne l'imagines.

— Merci de t'inquiéter pour moi, mais ça ira.

— Bon, au moins, promets-moi d'être prudent, tu veux bien ?

— Je serai prudent, je te le promets.

Mais même en prononçant ces mots, il savait que la prudence ne suffirait peut-être pas – pour lui, ou pour la prochaine victime du Découpeur.

Chapitre 33

Le parc était désert, exactement comme l'aimait Willow. Ses seuls compagnons ce matin-là étaient les bernaches du Canada qui avaient fait une halte pour se reposer au cours de leur migration vers le nord, après leurs vacances annuelles en Floride. C'est ce qui lui en donna l'idée : des vacances en Floride. Sa mère était partie en Floride, mais elle n'était jamais revenue. Il l'imagina voler dans le ciel, lui lancer un cri d'une voix aussi perçante que les bernaches qui se dandinaient autour du lac. Il s'assit sur son banc et regarda les oies picorer dans la terre mise à mal par la neige et le gel hivernal.

Se frottant les mains, Willow regarda le parc avec satisfaction. C'était une bonne journée. Les voix ne s'étaient pas encore manifestées, avec leurs chuchotements insidieux qui le provoquaient et le poussaient à errer en se parlant à lui-même, tout en éloignant les autres de lui.

Dans ses moments les plus lucides, il savait comment il devait leur apparaître, et pourquoi ils l'évitaient. Il était peut-être dingue, mais il n'était pas stupide. En fait, sa mère lui avait dit une fois qu'il avait un QI de 150. « Presque un génie », avait-elle dit. *Presque un génie…* ouais, pour ce que ça lui avait apporté. Ses médocs – quand il pensait à les prendre – ne pouvaient totalement faire taire les voix qui lui rappelaient ceux qui étaient à ses trousses. La CIA, le FBI, et à l'occasion des extra-terrestres qui se faisaient passer pour des joggeurs ou de jeunes mères – et parfois même pour leurs gamins.

Schizophrénie paranoïaque, c'est comme ça qu'ils l'appelaient. Ils pouvaient appeler ça comme ils voulaient, qu'est-ce que ça pouvait lui faire ?

Merde, il lui fallait une clope. Il fouilla dans ses poches, mais tout ce qu'il y trouva, c'étaient des bouts de ficelle et des emballages de hamburger. Chicken McNuggets, son préféré. Il aimait garder des trucs dans ses poches, parce que ça lui tenait chaud.

Il se frotta les mains à nouveau, et leva les yeux pour voir l'homme qui s'approchait de lui.

— Hé, vous avez une cigarette ? s'écria-t-il.

L'homme sourit.

— J'en ai dans mon sac à dos, mais je l'ai laissé dans les bois.

Willow trouva ça bizarre, mais il haussa les épaules.

— Vous ne devriez pas le laisser là-bas, on pourrait vous le piquer.

— Venez avec moi, et je vous en donnerai une.

— OK, dit Willow d'un air méfiant. Hé, vous ne travaillez pas pour le FBI, au moins ?

L'homme sembla surpris.

— Oh, mon Dieu, non – en fait, ils sont à ma poursuite. Ne leur dites pas que vous m'avez vu, OK ?

Willow lui fit un clin d'œil.

— Ne vous inquiétez pas, vous ne risquez rien avec moi, votre secret sera bien gardé.

— Je savais que je pouvais compter sur vous. Et pour cette cigarette, on y va ?

Willow se leva et suivit l'homme en direction du bois, de l'autre côté du parcours des joggeurs.

Derrière eux, les oies continuaient de picorer sur les rives du lac. Quand un bruit de suffocations étranglées s'éleva du bois, elles ne levèrent même pas la tête.

Chapitre 34

Pleine à craquer comme une duchesse douairière dans une robe bien trop serrée, pendant des années, Chinatown s'était étendue aux quartiers adjacents, empiétant sur Little Italy au nord, et sur le quartier du tribunal, au sud. C'était peut-être le quartier le plus vivant – et le plus chaotique – de Manhattan. Quand Kathy Azarian avait appelé Lee pour lui dire qu'elle était en ville pour la soirée, et avait suggéré qu'ils se voient, c'était le premier endroit auquel il avait pensé.

Ils se retrouvèrent à Chatham Square et se promenèrent dans les rues tortueuses et étroites jusqu'à la tombée de la nuit. Chinatown s'approvisionnait en bric-à-brac partout autour d'eux, elle s'étendait comme une toile tissée par une araignée ivre. Il n'y avait aucun angle droit – tout était fait de coins et de recoins, de rues aussi tortueuses que celles du centre-ville étaient rectilignes. Il y avait un mystère à chaque coin de rue, derrière les vitrines embuées des restaurants aux spécialités de nouilles asiatiques, coincés entre les petits restaurants de dim sum, avec leurs plateaux de bouchées sublimes qu'on distinguait dans les vitrines un peu sombres. Lee avait toujours aimé les entrées faiblement éclairées des boutiques de bibelots, les pharmacies et herboristeries, avec leur énorme stock de remèdes au thé vert, de soupes d'ailerons de requin et de boîtes à l'odeur suspecte remplies d'herbes rares aux noms imprononçables. Chinatown n'était pas juste un autre quartier – c'était un univers à part.

Lee était venu sur place juste après le 11 septembre, et avait eu l'impression d'errer au milieu du décor d'un film catastrophe. C'était totalement irréel, les rues autrefois familières étaient devenues le décor d'une incroyable dévastation. Au-delà de Canal Street, trois personnes sur quatre portaient un uniforme – il y avait les hommes de la Garde nationale dans leur tenue de camouflage paramilitaire, semblant prêts au combat, des policiers d'État avec leur impeccable tenue bleue et grise – et les flics de la ville de New York, disséminés un peu partout. Ils parcouraient les rues dans leur uniforme bleu amidonné et leurs grosses chaussures noires, l'air méfiant, mais déterminé.

Et, bien sûr, il y avait les pompiers, épuisés mais comme animés par une flamme intérieure, rayonnants de cet héroïsme incandescent, passant péniblement d'une scène d'horreur à une autre dans leurs bottes et leur manteau en épais caoutchouc, le visage barbouillé de sueur, de saleté et de courage.

Au centre-ville, dans les jours qui suivirent, l'air de la nuit était chargé de suie, de minuscules particules issues de l'explosion, et les rues et les trottoirs étaient couverts d'une épaisse poussière grise. En le traversant à vélo, Lee avait repensé aux films qu'il avait vus sur les ravages du nucléaire. Mettant pied à terre, il avait poussé sa bicyclette jusqu'à l'intersection de Liberty et de Nassau. Il fut surpris qu'on le laisse approcher si près – il avait un point de vue dégagé sur Ground Zero. Une fois encore, il avait eu l'impression d'être dans un décor de film. D'immenses projecteurs stroboscopiques projetaient leur lumière éblouissante sur les vestiges des buildings condamnés, dont le métal se contorsionnait, ressemblant aux ruines d'anciens châteaux qui semblaient être là depuis des siècles.

L'air était inondé d'une brume dorée dont on sentait l'odeur et le goût, et de façon incongrue, cela avait quelque chose de cruellement beau.

Maintenant, il était de retour à Chinatown, mais cette fois, Kathy était à ses côtés. La nuit tombait et Lee ressentait encore cette terrible tristesse, mêlée à présent à une nouvelle émotion

– l'espoir. Ils marchèrent en silence le plus souvent, s'arrêtant de temps à autre pour admirer un objet sculpté dans une vitrine, ou sentir l'arôme de canard rôti qui s'échappait d'un restaurant préparant des soupes de nouilles. Il essayait de ne pas penser à l'affaire en cours, mais les titres des journaux continuaient à défiler dans son esprit.

Le Découpeur continue de terroriser la ville – La police patauge.

En regardant Kathy sous la lumière au néon de la vitrine d'un restaurant vietnamien, il eut un léger pincement au cœur. La lumière créait un doux halo autour de ses cheveux bruns bouclés, et une seule mèche tombait sur son front. Il la dévisagea, fasciné par le pouvoir d'une simple mèche de cheveux.

— Ça te dirait de manger ici ? demanda-t-elle en le regardant à son tour.

— Oui, bien sûr. Je n'y suis jamais allé, mais ça a l'air bon.

Ils descendirent un escalier plutôt raide, les marches craquèrent sous leurs pas et ils arrivèrent dans une entrée embuée. Une femme asiatique d'âge moyen les conduisit jusqu'à une table dans un coin, près de la fenêtre, et leur tendit de grandes cartes recouvertes de plastique rouge. La femme était plutôt froide et impersonnelle. Ils s'assirent et prirent la carte, puis Kathy lui demanda :

— Auriez-vous de la bière Saigon ?

Un large sourire éclaira le visage de la femme. Elle regarda Lee.

— Deux ?

— Oui, pourquoi pas ?

Tandis que la femme s'éloignait, il se tourna vers Kathy.

— Tu l'as rendue heureuse.

— Je crois que c'est parce que j'ai demandé de la bière vietnamienne, et non chinoise.

— Et tu connaissais même le nom de la marque.

— Il y a des restaurants vietnamiens à Philadelphie, tu sais.

Lee se mit à rire avec une facilité qui l'étonna. Il n'avait pas beaucoup ri ces derniers temps.

— Essayons de ne pas basculer trop vite dans la rivalité entre grandes villes.

— OK, j'ai juste pensé qu'il valait mieux que je marque mon territoire dès le départ.

Elle pencha la tête pour lire le menu, et la même mèche de cheveux bruns tomba sur son front. Il sentit son estomac se nouer. Il baissa les yeux sur la carte, mais il n'avait pas très faim.

C'était un dimanche soir tranquille, et il n'y avait que quelques autres clients dans le restaurant, tous asiatiques. Nelson lui avait toujours dit que c'était bon signe à Chinatown, et que cela signifiait que la nourriture était décente, ou du moins authentique.

Kathy leva les yeux. À la lumière de la lampe, ses yeux étaient de la couleur de l'Hudson par temps nuageux.

— Que penses-tu du poulet à la citronnelle et au piment ?

— Ça m'a l'air bon.

En vérité, il aurait pu être question de sciure de bois, qu'il lui aurait répondu la même chose.

— OK, prenons ça. Et que dirais-tu de champignons en entrée ? Ça te tente ?

— Bien sûr.

Ils finirent par se décider pour une autre entrée, quelque chose avec des nouilles.

— Alors, dit-elle en mettant les coudes sur la table et en se penchant vers lui, tu aimes le boulot que tu fais ?

— C'est parfois très frustrant, mais j'ai l'impression d'être à ma place – pour l'instant au moins.

Il envisagea de lui parler de l'enquête des Affaires internes, mais il ne voulait pas gâcher la soirée.

— Je vois ce que tu veux dire, fit Kathy. C'est ce qu'il y a de plus important – on ne peut pas dire que le boulot soit facile, mais ce qui compte, c'est de sentir qu'on est fait pour ça.

— Tu sais, beaucoup de gens pensent que ce que je fais, c'est une science molle, un genre de science au rabais en fait. Ils ne la respectent pas beaucoup.

Elle regarda sa tasse de thé, comme si elle cherchait sa réponse dans le liquide sombre.

— Et toi, qu'en penses-tu ?

Lee sourit.

— Tu parles comme le docteur Williams.

— Oh… Est-ce que c'est… ?

— Ma psy – oui.

Elle baissa à nouveau les yeux, comme s'il était inapproprié de répondre.

— C'est ce qui me plaît avec les os, dit-elle. Ils n'ont rien de « mou ». Ils sont si propres, si lisses – c'est la dernière chose qui cède dans le processus de décomposition. Tu sais que s'ils sont bien conservés, ils peuvent durer indéfiniment ? Ils sont héroïques en quelque sorte.

— Je n'y avais jamais pensé sous cet angle.

— Très souvent, quand on retrouve les corps, il ne reste plus que les os – c'est le dernier témoin de ce qui était autrefois un être humain. Sans les os, il y aurait encore plus de crimes qui ne seraient pas résolus.

Quelque part, au fond des bois peut-être, les os de Laura attendaient que lui – ou quelqu'un d'autre – les découvre.

La femme revint avec deux bières et les versa dans de grands verres étroits, sans cesser de sourire à Kathy.

— Tu t'es fait une amie, dit Lee après le départ de la femme.

Elle regarda autour d'elle, dans le restaurant.

— C'est différent ici, maintenant, n'est-ce pas ?

— Ouais, dit-il. Il y a eu cette impression, dans les semaines qui ont suivi, qui est difficile à décrire précisément, mais c'était une sorte de camaraderie – ce sentiment qu'on était tous ensemble dans cette épreuve.

— Je vois ce que tu veux dire. C'était un peu comme ça à Philadelphie aussi. Et on pensait tous qu'il y aurait peut-être d'autres attaques – on ne savait pas à quoi on devait s'attendre.

— Où étais-tu quand c'est arrivé ? demanda-t-il.

— J'ai honte de le dire. J'étais aux Caraïbes.

— Pourquoi avoir honte ?

— Je faisais de la plongée à St. Thomas quand j'ai entendu la nouvelle. Je suppose que j'avais envie de rentrer ici – pour aider, d'une façon ou d'une autre. Et au lieu de cela, j'ai été forcée de rester une semaine de plus à Crystal Beach. J'étais vraiment à plaindre – une autre semaine de fruits de mer, de bière Tecate et de palmiers.

— Comment c'était là-bas ? Comment les gens ont réagi ?

— D'abord ils ne voulaient pas y croire, et ensuite ça a été le choc. Le choc total. Je me rappelle que j'étais assise au bar ce soir-là – il n'y avait pas de télévision, mais quelqu'un avait apporté une radio, et on était tous réunis autour, à écouter.

Elle regarda les gouttes de pluie glisser sur la vitre.

— C'est ironique en fait, reprit-elle. Un des principaux arguments de vente de ce lieu de vacances, c'était qu'il permettait « d'échapper à tout » – tu sais, ni télé, ni téléphone dans les chambres. On était tous là-bas parce qu'on voulait être coupés du reste du monde. Et alors ce terrible événement s'est produit, et on était réunis au bar – je suppose qu'il y avait une bonne dizaine de clients et quatre ou cinq employés. Et on est restés assis à écouter cette fichue radio toute la nuit. Au petit matin, on se connaissait tous par nos prénoms. C'était comme une amitié instantanée, tu sais ? Comme en temps de guerre – notre pays avait été attaqué.

— Vous étiez donc tous Américains ? demanda Lee.

— Il y avait un couple de Canadiens, et deux vieilles Anglaises qui voyageaient ensemble. On pensait tous qu'elles étaient amantes, mais elles étaient très discrètes sur leur relation. On les appelait Gertrude et Alice quand elles n'étaient pas dans les parages.

— Comme Gertrude Stein et Alice B. Toklas ?

— C'est ça.

La serveuse apporta des assiettes de nourriture fumantes et les posa sur la table. Kathy ajouta de la sauce piquante sur son poulet – beaucoup de sauce. Lee fut étonné quand elle en prit une bouchée et l'avala comme si de rien n'était.

— Jusqu'à cette nuit-là, reprit-elle, tout le monde buvait des piña colada, des margaritas – enfin, des cocktails glacés avec des fruits frais et de petites ombrelles en papier – mais ce soir-là, on a tous commandé du scotch, du whiskey et du gin. Les gens ne buvaient plus pour s'amuser, ils buvaient pour se calmer. C'était un peu surréaliste – tout ce qu'on arrivait à capter sur cette petite radio, c'était une station locale qui transmettait les infos qu'elle recevait de la BBC. Le présentateur semblait vraiment bouleversé – c'était surprenant d'entendre cet Anglais un peu coincé et flegmatique sur le point de péter les plombs à l'antenne.

Elle but une longue gorgée de bière et fit un signe à la femme de lui en apporter une autre.

— Mais au moins on a échappé aux images cette nuit-là, reprit-elle. Dieu merci.

— Avec qui voyageais-tu ? demanda Lee, en proie à un soupçon de jalousie qu'il ne put réprimer.

— Mon père. On adore tous les deux la plongée. Je suis fille unique, et depuis que ma mère n'est plus là, je suppose qu'on dépend un peu l'un de l'autre, dit-elle avant de le regarder avec un air sérieux. Tu trouves ça bizarre ?

— Non, je trouve ça adorable.

Elle prit le plat de nouilles, et faillit renverser sa bière. Elle était un peu dingue, pensa-t-il – en dépit de sa formation scientifique et de son côté méticuleux dans le cadre professionnel, en dehors du travail, elle était spontanée et avait des attitudes un peu enfantines. Quand elle parlait, il y avait une grande force derrière les mots, une passion pour les menus détails de la vie qui lui donnaient envie de boire ses paroles.

Une pensée jaillit spontanément dans son esprit.

Au milieu de la mort, il y a la vie.

Il ne se rappelait pas où il avait entendu cela, mais en regardant le beau visage enthousiaste de Kathy Azarian, il comprit ce que cela signifiait.

Chapitre 35

Ils s'attardèrent à la fin du dîner, jusqu'à ce qu'ils soient les derniers clients du restaurant. Lee poussait les aliments dans son assiette avec sa fourchette et réussit à manger un peu, mais il avait l'estomac aussi noué que les nouilles de riz, la spécialité maison.

Kathy avait bon appétit, et elle se servait de ses baguettes de façon experte pour prendre la nourriture qu'elle glissait entre ses dents d'une étonnante blancheur. Elle transperça un morceau d'ananas avec une baguette et le porta à sa bouche.

— Hum…, j'aime bien quand ils offrent des fruits en dessert, dit-elle en jetant un coup d'œil à l'assiette de Lee. Tu n'as pas beaucoup mangé.

— J'ai un appétit capricieux.

Ce qu'il n'était pas prêt à lui dire, c'était que pendant six mois après la disparition de Laura, il n'avait presque rien mangé, se nourrissant presque exclusivement de boissons protéinées.

— Hum… fit Kathy, il va falloir que nous te remplumions.

Elle me trouve trop mince. Malgré tout, pensa-t-il, l'emploi de ce « nous » était prometteur.

— Oh, j'ai parfois un appétit d'ogre, dit-il. Ne t'en fais pas.

— Tu sais que tu ne devrais jamais dire à une femme que tu peux t'empiffrer sans prendre un gramme, non ?

— Oui, je crois que ça, je le sais, dit-il en riant.

Il était heureux de sa présence – elle l'aidait à décompresser, tout en faisant battre son cœur plus vite. Lee regarda autour d'eux, dans le restaurant. Les autres clients étaient partis depuis longtemps, et le personnel était assis autour d'une table ronde, en train de rouler des wontons.

— On empêche ces pauvres gens d'aller se coucher, dit-il. On devrait payer et s'en aller.

Il commença à sortir son portefeuille, mais Kathy posa la main sur son poignet.

— Cette fois, c'est moi qui t'invite.

Quand ses doigts touchèrent sa peau, il sentit un échange de chaleur entre eux, et se demanda si elle aussi l'avait ressenti. Si c'était le cas, elle n'en montra rien, sortant son propre portefeuille d'un petit sac à dos. Elle choisit une carte de crédit et fit un signe au serveur, qui hocha la tête, et apporta l'addition.

— Merci, dit-il tandis qu'ils remontaient l'étroit escalier, avant de sortir dans la rue presque déserte.

Depuis le 11 septembre, Chinatown avait souffert. L'argent des touristes qui autrefois coulait à flots était réduit à un mince filet. Le maire en personne faisait souvent des appels à la population, demandant aux habitants de rendre visite à la communauté en difficulté et de dépenser ce qu'ils pouvaient.

Ils avançaient dans le soir brumeux. La température avait atteint les vingt degrés, et s'était accompagnée d'une petite bruine – les gouttes étaient comme suspendues dans l'air, comme si elles n'étaient pas assez lourdes pour tomber sur le sol. De l'autre côté de la rue, les lumières jaunes d'un salon de thé étaient entourées de halos, des cercles concentriques de lumière qui miroitaient comme des ondulations sur un lac.

— C'est si beau que c'est presque douloureux, non ? dit-elle.

Oh, oui, eut-il envie de dire. *Pour moi ça l'est, en tout cas.* Mais il dit simplement :

— Oui, c'est vrai.

Ils marchèrent sans se presser en direction du métro. Certains coins de Chinatown avaient encore l'aspect gris d'une zone de combat. Les commerçants essuyaient encore la suie qui recouvrait bols, bouddhas en acajou, taureaux en jade sculptés et oiseaux en papier aux couleurs vives.

— Je me sens coupable, tu sais, de ne pas avoir été là quand c'est arrivé.

— Qu'est-ce que tu aurais pu faire ?

— En réalité, rien. Mon travail commence à peine. Je fais partie de l'équipe d'identification des corps, dit-elle en poussant un soupir. Les dépouilles entières sont pratiquement inexistantes. La plupart des gens se sont juste désintégrés.

Ils gardèrent tous deux les yeux fixés sur la circulation pendant un moment. Lee jeta un coup d'œil à sa montre, surpris de voir l'heure qu'il était.

— Tu retournes à Philadelphie, ce soir ?

— Oui, je dois voir mon père demain. Il prépare une présentation pour la société Vidocq, et il veut que je lui donne un coup de main.

— Ouah ! s'écria Lee. Ton père est membre ?

— Oui, ça fait dix ans maintenant.

La société Vidocq, basée à Philadelphie, était nommée ainsi en hommage à François Vidocq, le criminel de génie du XVIIIe siècle qui était devenu détective à la fin de sa vie. La société se consacrait à la résolution d'affaires classées que les gens leur soumettaient, partout à travers le monde. On ne devenait membre que sur invitation, et Lee pensa qu'il n'y avait sans doute pas un spécialiste en criminologie vivant qui n'aurait considéré comme un honneur de rejoindre le groupe. Tous les membres occupaient une position importante dans leurs champs d'activité respectifs.

— À quelle fréquence se réunissent-ils ? demanda Lee.

— Une fois par mois dans le Public Ledger Building. C'est un lieu intéressant, assez désuet, avec d'épais tapis d'Orient et de lourdes tentures – c'est très Belle époque, à vrai dire. Le genre d'endroit qui aurait plu à Mycroft, le frère de Sherlock Holmes.

Quand je l'ai vu pour la première fois, j'ai imaginé que le club de Mycroft devait ressembler à ça.

— Tu es fan de Conan Doyle ?

Elle lui fit un petit sourire en coin.

— Tout le monde ne l'est pas ?

— Ton père est donc membre de la société Vidocq – c'est très impressionnant. Est-il anthropologue, lui aussi ?

— Il est toxicologue en médecine légale.

— C'est pour ça que tu t'es intéressée à la médecine légale ?

— Plus ou moins.

— Je suis sûr qu'il est fier de toi.

— Je suppose. Tu sais comment sont les pères.

Non, pensa Lee, *je ne le sais pas*, mais il ne dit rien.

Il la raccompagna jusqu'aux marches du métro et attendit avec elle. Le dimanche soir, les rames n'étaient pas très nombreuses, et Lee se surprit à espérer que le métro n'arrive jamais.

Ils se tenaient côte à côte, à moitié face au quai, et à moitié face à face.

Il jeta un coup d'œil à Kathy. Que lui avait-elle dit ? « Les os me parlent. » C'était une façon de penser plutôt mystique – pourtant, elle n'avait rien de mystique. Avec sa coupe de cheveux courte et énergique, son sac à dos en cuir noir et son menton volontaire, Kathy Azarian n'avait rien d'une personne éthérée. Dans un monde où les avions tombaient du ciel, les tours s'écroulaient et les jeunes femmes étaient brutalement arrachées à la vie, Kathy avait une présence solide et tridimensionnelle qui était rassurante.

Debout, près d'elle, il sentait un lien entre eux, comme un courant. Il regarda autour d'eux dans la station de métro pratiquement déserte. Une sensation de bien-être l'enveloppa, comme une couverture, et il aurait pu rester là toute la nuit, près d'elle, à attendre un train qui ne viendrait jamais.

Mais bientôt le métro de la ligne 9 arriva avec fracas dans la station, ses phares éclairant le tunnel, tels les yeux jaunes d'une bête mythique.

— OK, dit Kathy en glissant un jeton dans la fente. À bientôt – tu as mon numéro.

À la dernière seconde, elle se retourna et lui planta un baiser dans le cou. Elle semblait avoir visé sa joue, mais étant plus petite que lui, dans sa précipitation, elle avait fini par atteindre le cou. Ses lèvres étaient douces et chaudes, et prirent Lee par surprise.

Il tourna la tête pour l'embrasser à son tour, mais à cet instant, le métro s'arrêta avec un bruit de ferraille, les portes s'ouvrirent, elle se précipita à l'intérieur, puis la sonnette d'alarme ne tarda pas à retentir. Les portes se refermèrent, le train quitta la station en grondant, et Lee resta seul sur le quai vide. Mais il avait le cœur gros et la tête dans les nuages. Pour la première fois depuis la mort de sa sœur, depuis le 11 septembre, depuis toutes les horreurs de la semaine passée, il pouvait imaginer à quoi ça pouvait ressembler de se sentir bien à nouveau. Il se dirigea vers l'escalier qui menait à la rue – c'était une si belle nuit qu'il avait décidé de parcourir les deux kilomètres qui le séparaient de l'East 7th Street à pied.

Ses agresseurs semblèrent sortis de nulle part.

Il ne vit pas d'où venait le premier coup. C'était un coup bas – un mouvement de karaté à la base de son cou, qui le fit basculer en avant. Il se tourna pour faire face à ses assaillants, mais un autre coup le prit par-derrière, cette fois au niveau des reins. Il tomba à genoux, mais sentit aussitôt que des mains imposantes l'attrapaient pour le frapper encore et encore. La plupart des impacts l'atteignirent au corps, ce dont il fut étrangement reconnaissant. Il détestait être frappé au visage – mais cela faisait tout aussi mal. C'étaient de petits coups secs et rapides, un boulot de professionnel. Lui n'avait jamais eu l'occasion de donner plus d'un seul coup.

Les deux hommes firent leur boulot de façon rapide et silencieuse. Ce fut terminé en moins de deux minutes. Ils le laissèrent roulé en boule sur le quai du métro, appuyé au mur, hagard et couvert de bleus.

La seule chose dont il fût sûr, plus tard, c'était qu'ils étaient tous les deux trapus, qu'ils portaient des masques de ski qui couvraient leur visage, et qu'ils étaient tous deux blancs. En dehors de cela, cela aurait pu être n'importe qui.

Il entendit un bruit de pas qui s'éloignaient rapidement, puis il sombra dans le noir total.

Chapitre 36

Evelyn Woo était fatiguée. Elle avait mal aux pieds et le dos raide. La seule chose qu'elle avait en tête, c'était un bain chaud et un verre de vin de prune, avant de s'effondrer dans son lit avec bonheur.

Au premier coup d'œil, elle pensa que l'homme étendu sur le quai du métro était un des ivrognes qu'elle avait vus des dizaines de fois le samedi soir, en sortant de son service de nuit. C'était une employée sérieuse, et son patron l'aimait bien, mais elle était toujours parmi les dernières à quitter le restaurant Happy Luck, et détestait les trajets en métro tard le soir pour regagner le petit appartement de Chelsea où elle vivait avec son petit ami, un étudiant en médecine à l'université de New York. Elle commencerait ses études de médecine l'année suivante, mais d'ici là, elle cumulait deux boulots pour économiser de l'argent. Le cousin de son père était le propriétaire du Happy Luck, et elle avait la possibilité de rentrer chez elle avec pas mal de nourriture gratuite, ce qui rendait le boulot intéressant.

Elle passa devant l'homme, un sac rempli de cartons de plats à emporter à la main. Il gémit, essaya de se relever, et elle regarda furtivement son visage. Il avait un beau visage, et il y avait quelque chose dans ses yeux noirs qui la poussa à le regarder de plus près. Elle s'arrêta de marcher et le dévisagea. À l'évidence, ce n'était pas un ivrogne, il était bien habillé et avait une allure soignée. Sa bouche saignait cependant, et elle vit des hématomes sur ses joues.

— Est-ce que ça va ? demanda-t-elle en restant à une distance prudente.

L'homme leva la tête et lui fit signe. Elle s'approcha.

— S'il vous plaît, pouvez-vous m'aider ?

Plus tard, elle se rappellerait avoir pensé que c'était étrange qu'il ait refusé d'aller à l'hôpital. Au lieu de cela, il lui avait demandé de l'aider à aller jusqu'à un taxi. Elle n'avait pas entendu l'adresse qu'il avait donnée au chauffeur, mais elle se souvint de ces yeux noirs – et de leur regard blessé qui la hanta longtemps après. Elle pensa aussi par la suite qu'avant le 11 septembre, elle ne l'aurait peut-être pas aidé, mais à présent – eh bien, les choses étaient différentes, avait-elle dit à sa mère et à ses cousins. Maintenant, nous devons tous veiller les uns sur les autres.

Chapitre 37

— Nom de Dieu, Lee, vas-tu arrêter ces conneries et aller voir un médecin ? dit Chuck Morton tandis qu'ils traversaient le labyrinthe de couloirs du bâtiment qui abritait le bureau du légiste.

Leurs talons claquaient bruyamment sur le sol fraîchement nettoyé, dont l'écho résonnait dans les couloirs du bâtiment carrelé.

— Ça va, dit Lee en tournant en direction du hall.

Au plafond, les néons fluorescents projetaient une lumière jaune maladive sur le visage de Lee, et Chuck se demanda s'il avait aussi mauvaise mine que Lee sous cette lumière.

— En tout cas, tu n'as pas l'air bien, répondit Chuck, lui jetant un regard de côté.

Il en avait vraiment assez du côté buté de Lee. Sous sa colère, il y avait l'inquiétude, bien sûr, mais jamais il ne le montrerait.

— Tu pourrais au moins prendre un ou deux jours de congé, grommela-t-il.

— Pas maintenant. Je dois voir ces gens – j'ai besoin de savoir qui ils sont. Tu sais autant que moi que je dois être là.

Chuck serra les poings, enfonçant les ongles dans les paumes de ses mains. Lee avait raison, mais il n'aimait pas du tout voir son ami sur pied et déjà au travail après s'être fait attaquer la veille. Deux agresseurs mystérieux qui avaient agi avec rapidité et efficacité, visiblement des professionnels, avait dit Lee – et ils n'avaient rien pris, ni même feint qu'il s'agissait d'une agression pour vol. Ils avaient même porté des gants, pour minimiser les chances de laisser des traces ADN. C'était manifestement un message – mais de la part de qui ? Tout cela lui donnait la chair de poule.

Ils empruntèrent un nouveau couloir, et poussèrent les portes du hall, où les parents de Pamela Stavros les attendaient. Ils étaient seuls dans la salle d'attente miteuse, avec sa collection de chaises en plastique dépareillées et de plantes en train de mourir qui envahissaient le rebord de fenêtre poussiéreux. La seule autre créature vivante dans la pièce était une mouche qui essayait vainement de remonter le long de la vitre sale, bourdonnant faiblement chaque fois qu'elle glissait vers le bas. Certains lieux donnent l'impression de s'être détériorés, tandis que d'autres semblent voués au renoncement, avant même d'avoir la moindre prétention. La salle d'attente du bureau du légiste était un de ces lieux.

Les Stavros étaient des gens simples et directs, manifestement en état de choc. Theodore Stavros était un homme trapu qui avait les cheveux coupés ras, en brosse sur le dessus, sans doute la même coupe que lorsqu'il était enfant. Cette masse tondue de façon si méticuleuse aurait eu besoin d'un bon coup de ciseau. Il entourait sa femme d'un bras protecteur. Il avait le teint terreux de la cinquantaine, mais Lee vit sous ses traits délicats qu'il avait sans doute été beau.

— Je sais que c'est très difficile pour vous, dit Chuck au couple en les conduisant à travers les couloirs qui menaient à la salle d'examen où se trouvait leur fille.

C'était la seconde fois que Lee se rendait dans ce lieu dans la même semaine, et il ne supportait toujours pas l'odeur de formaldéhyde qui s'insinuait dans les couloirs à travers les portes en métal verrouillées. Il avait mal à la tête et ses côtes le faisaient souffrir à chaque inspiration, mais il serra les dents et essaya de rester impassible. Après avoir signalé l'attaque dont il avait été victime à l'officier de police responsable du quartier de Chinatown, il s'était assoupi, avait dormi pendant onze heures d'affilée et s'était réveillé en se sentant horriblement mal. Mais il avait insisté pour être présent ce jour-là. Et voilà, il était là.

— Vous n'êtes pas obligée de faire ça si vous ne le voulez pas, dit Chuck à madame Stavros.

Elle regarda son mari et pinça ses lèvres tremblantes.

— Elle y arrivera, répondit monsieur Stavros. Terminons-en.

Il avait un accent aussi plat que le littoral du Maine, et glissait sur les « r » comme une mouette descendant en piqué sur les eaux glaciales de la côte de la Nouvelle-Angleterre.

En entrant dans la salle remplie de congélateurs contenant tous les corps non identifiés, ils virent un jeune technicien qui les attendait. C'était un Asiatique aux cheveux noirs épais avec de fines lunettes cerclées de métal. Lee repensa à la jeune fille asiatique qui l'avait aidé la nuit précédente. Il ne connaissait même pas son nom. Le technicien fit un signe de tête à l'intention de Chuck et Lee, et attendit tandis que le groupe se rassemblait dans la pièce.

Madame Stavros fit un bruit étrange, comme un sanglot étouffé. Lee jeta un coup d'œil en direction de Chuck, qui semblait gêné et mal en point. Chuck n'avait jamais été très à l'aise dans les situations sociales où les règles n'étaient pas clairement établies. En tant que policier, il était entré dans une société pleine de règles, de règlements et de conduites proscrites. À l'université, c'était Lee qui était chargé d'aplanir les situations délicates avec un trait d'humour ou d'esprit – il était le charmeur, tandis que Chuck était le type sérieux.

Les Stavros étaient aussi raides que des pierres, le visage figé et enflé des larmes qu'ils n'avaient pas versées, tandis que le technicien tirait le plateau sur lequel se trouvait le corps de leur fille. Une fois encore, Lee fut marqué par l'absolue propreté du métal brillant de l'immense congélateur, et par la blancheur immaculée du drap qui recouvrait le corps. Chuck hocha la tête et le technicien souleva le drap, exposant le visage de la fille. Il était intact, aussi blanc que de la craie, mais de sombres marques de strangulation violettes étaient visibles autour du cou.

Madame Stavros fut prise d'un sanglot et enfouit son visage dans les bras de son mari. Chuck fit un autre signe de tête à l'assistant, qui remit le drap en place et fit glisser le corps dans le congélateur. Au même instant, monsieur Stavros couvrit le visage de sa femme pour lui éviter cette terrible vision.

— C'est elle, dit-il brusquement, comme s'il était en colère envers Chuck pour l'avoir fait venir là.

Lee avait déjà vu cette colère déplacée auparavant, et il fut désolé pour son ami. Ces gens étaient tellement remplis de chagrin et de rage qu'ils déchargeaient leur frustration sur la seule personne qu'ils avaient sous la main – Chuck Morton. Lee savait que c'était difficile pour son ami – en tant que commissaire de quartier, il avait l'habitude de donner des ordres et d'être obéi, mais pour les parents de Pamela il était simplement le porteur de mauvaise nouvelle.

Tous les quatre, ils parcoururent les couloirs en silence pour regagner l'entrée du bâtiment. Lee savait que la colère des Stavros allait lui rendre la tâche plus difficile. Ils allaient résister à ses questions, et peut-être même refuser d'y répondre. Alors qu'ils arrivaient dans le hall d'entrée, il décida de tenter sa chance.

— Voudriez-vous répondre à quelques questions pour nous aider à attraper l'assassin de votre fille ?

Monsieur Stavros se retourna pour lui faire face.

— *L'attraper ? L'attraper ?* Je veux bien vous aider à le désosser, à le faire bouillir ou frire, cracha-t-il. Mieux encore, vous me conduisez jusqu'à lui, et vous me laissez m'occuper du reste, hein ?

Theodore Stavros était un homme grand et aussi fort que du granit, et Lee ressentit comme une menace physique tandis qu'il lui tournait autour, les yeux injectés de sang et de rage. Il eut une prise de conscience soudaine : Ted Stavros était alcoolique. Il se demanda comment il ne s'en était pas rendu compte plus tôt – les joues rouges, les veines éclatées dans les yeux, le léger tremblement des mains. Sans doute en raison de l'insistance de sa femme, il n'avait pas bu ce jour-là, mais une chose était sûre, il ressemblait à un type qui avait foutrement besoin d'un verre.

Lee regarda l'expression timide et apeurée sur le visage de madame Stavros, et il comprit alors pourquoi Pamela s'était enfuie. Ce n'était pas une famille heureuse, et ils avaient leur façon bien à eux d'être malheureux. La violence suintait de chacun de ses pores – la rage à peine masquée était évidente à sa façon de se tenir, à sa bouche contractée et à sa voix volontairement monocorde. Pour une adolescente, c'était probablement terrifiant.

— Que… voulez-vous savoir ? demanda madame Stavros, assise sur une des chaises en plastique jaune.

— Avez-vous une idée de qui étaient les amis de Pamela ici, à New York ? demanda Chuck.

Madame Stavros secoua la tête.

— Non… Elle… Heu, elle ne nous a pas dit où elle allait. On ne savait même pas qu'elle était à New York jusqu'au…

Elle essayait courageusement de contrôler ses émotions, mais sa voix lâcha. Son mari termina sa phrase pour elle.

— Jusqu'au moment où on a vu votre site Internet. Elle avait un « petit ami », continua-t-il, prononçant ce mot comme s'il avait dit « cafard ». C'était un sale type, un junkie qui la trompait, mais elle l'avait dans la peau.

Si les dés sont pipés dès le départ, ils le seront à l'arrivée, pensa-t-il. *On suit tous les schémas qui nous sont familiers*, avait-il envie de dire, *et votre fille ne fait pas exception*. Mais il ne dit rien et prit une expression de sympathie et de sollicitude.

— Vous pensez donc qu'elle est venue ici avec lui ? demanda Chuck.

— J'en sais rien, répondit Stavros. Il n'était pas du coin, et on l'a revu en ville il y a environ deux semaines ; il disait qu'il n'avait rien à voir avec sa disparition.

— Vous le croyez ? demanda Chuck.

Ted Stavros détourna les yeux, un sourire imperceptible au coin des lèvres. Lee imaginait très bien la scène – Stavros menaçant le jeune homme, ou pire.

— Ouais, je suppose. Je lui ai donné toutes les chances de changer sa version des faits.

Lee traduisit silencieusement sa remarque. Il avait mis une sérieuse raclée au petit ami, et quand le gamin terrifié s'en est tenu à sa première version, même sous la torture, Stavros l'a cru. Même si le petit ami n'était pas un ange, il était loin d'être aussi mauvais que le père. Stavros semblait content de lui.

Lee regarda madame Stavros. Ce qu'il avait pris avant pour un comportement provoqué par un immense chagrin, il le voyait maintenant comme les signes d'une femme battue. Les épaules voûtées, comme si elle avait peur de prendre trop de place. Elle regardait son mari en permanence, vérifiant auprès de lui avant de dire ou de faire quoi que ce soit, comme si elle avait peur de provoquer son mécontentement. *Attitude de soumission classique*, pensa Lee, et il plaignit cette femme autrefois jolie qui était enchaînée à ce mufle qui la tyrannisait, liés l'un à l'autre par leur histoire – et maintenant, leur deuil commun.

— Une autre question, dit-il. Votre fille était-elle croyante ?

Ted Stavros fronça les sourcils.

— Qu'est-ce que ça a à voir ?

— Non, pas particulièrement, répondit sa femme. Nous sommes Grecs orthodoxes, mais elle n'était pas particulièrement croyante.

— Portait-elle une croix autour du cou ?

Madame Stavros sembla surprise par la question.

— Oui, à vrai dire elle en portait une. Tu te rappelles ? demanda-t-elle à son mari, dont le visage était toujours aussi crispé. La croix en jade que Nana lui avait offerte pour Noël une année.

— Oh, oui, dit-il. C'est vrai. Elle l'aimait beaucoup, elle la portait tout le temps.

Son visage s'adoucit, et il sembla presque sur le point de pleurer.

— En jade ? répéta Lee. Elle était donc verte ?

— Oui. Je suppose qu'on peut la récupérer ? demanda timidement madame Stavos. C'était un cadeau de sa grand-mère.

Lee échangea un regard avec Chuck, puis regarda la femme avec compassion.

— Je suis vraiment désolé, madame Stavros. Nous serions très heureux de vous la rendre, mais nous ne l'avons pas.

Elle écarquilla les yeux.

— Vous ne l'avez pas ? Alors qui…

Elle laissa la question en suspens.

— J'espère qu'un jour, nous pourrons vous apporter une réponse à cette question, dit Lee tandis que Chuck l'escortait à l'extérieur.

Malgré tout, Lee avait obtenu une réponse à sa véritable question : Pamela Stavros était, sans aucun doute, la première victime connue du tueur – celui que tout le monde connaissait sous le nom du Découpeur.

Tandis qu'ils attendaient un taxi sur le trottoir, madame Stavros baissa les yeux, et ses joues ressemblaient encore plus qu'avant à des beignets dégonflés. Il n'y avait rien de flamboyant ni de vivant chez elle, et si elle avait eu une de ces qualités, elle s'était éteinte il y avait longtemps déjà.

— Alors, heu… A-t-elle beaucoup souffert ? demanda-t-elle à voix basse.

— Non, répondit Lee avec douceur. L'attaque a été très soudaine, elle n'a pas eu le temps de comprendre ce qui se passait.

— Alors elle ne s'est pas défendue, elle n'a pas donné quelques coups à ce salaud ? siffla monsieur Stavros, tandis que sa face de bouledogue devenait de plus en plus rouge.

— Elle n'en a pas eu le temps, répondit Lee.

Ce qu'il ne dit pas, c'est qu'elle avait eu le temps de comprendre qu'on l'étranglait, de regarder le dernier visage qu'elle verrait de son vivant – celui de son tueur.

Madame Stavros soupira – un petit son désespéré, comme de l'air s'échappant d'un ballon. Lee eut de la peine pour cette femme calme et docile à qui on avait arraché sa seule source de réconfort.

— Donc, si elle ne s'est pas défendue, cela veut dire que le tueur ne porte pas de marques sur lui, remarqua Ted Stavros, montrant plus d'intelligence que Lee ne l'en aurait cru capable.

— C'est exact, dit Chuck.

Si elle s'était défendue – si elle l'avait griffé ou mordu, éventuellement – il y aurait peut-être des traces d'ADN sous ses ongles. Mais ils n'avaient pas de preuve médico-légale. En fait, ils n'avaient absolument rien. Ils auraient pu aussi bien être à la poursuite d'un fantôme.

Chapitre 38

— Tu n'es donc toujours pas décidé à aller voir un médecin ? demanda Chuck tandis qu'ils descendaient la 1re avenue.

Ils avaient mis les Stavros dans un taxi, puis s'étaient dirigés vers le 9e district, dans le centre-ville. Le ciel était d'un gris monotone, c'était un jour de février comme il y en avait tant à Manhattan. Même les arbres semblaient frigorifiés, leurs branches nues s'élevant vers le ciel impitoyable, comme pour le supplier.

— Écoute, répondit Lee, si ça peut te rassurer, j'irai. Mais je ne pense pas avoir quoi que ce soit de cassé.

— Tu ne *penses* pas avoir quelque chose de cassé, dit Chuck, révolté. Nom de Dieu, qu'est-ce qui ne va pas chez toi, Campbell ? On n'est pas dans un putain de match de rugby !

— Disons juste que j'ai eu ma dose de médecins et d'hôpitaux pour un moment.

Cela lui cloua le bec. Ni l'un ni l'autre ne voulaient parler de la dépression de Lee à ce moment précis.

— As-tu eu des nouvelles des flics de Chinatown ? demanda Chuck tandis qu'ils passaient devant une rangée de marchands ambulants de nourriture à emporter sur le versant est de la 1re avenue, devant l'hôpital Bellevue. Les gens faisaient la queue devant les étals, fumant des cigarettes, parlant, comptant leur argent tandis qu'ils attendaient leur souvlaki, leur hot-dog ou leur kebab.

— Je ne pense pas qu'ils aient beaucoup de preuves sur lesquelles s'appuyer, répondit Lee. Je vais y passer plus tard dans la journée pour faire une déposition complète.

— OK, dit Chuck en faisant un pas de côté pour éviter un petit garçon qui avait échappé à la surveillance de sa mère et courait vers lui les bras grands ouverts.

Elle courut après lui, le visage tendu, en leur adressant un sourire d'excuse tandis qu'elle attrapait son enfant.

Lee et Chuck savaient l'un et l'autre que la déposition n'aboutirait à rien, mais ils devaient en passer par là, de toute façon.

— Apparemment, c'étaient des professionnels, dit Chuck. Je me demande depuis combien de temps ils te suivaient.

— J'en sais rien. Ils ont choisi un bon moment pour attaquer – un dimanche soir, et le quai du métro était désert.

— Ouais, acquiesça Chuck. Écoute, je ne t'en voudrais pas si tu décidais de prendre quelques jours de congé – tu pourrais te reposer un peu.

— Tu me retires l'affaire ?

Chuck s'interrompit tandis qu'une ambulance remontait la 1re avenue, gyrophare allumé et sirène hurlant à tue-tête.

— Non, dit-il enfin. C'est juste que…

— Bien, l'interrompit Lee. Alors parlons de l'affaire, OK ?

— Je suis juste inquiet à ton sujet. Qui que soit celui qui t'a fait ça…

— Qui que ce soit, il ne correspond pas au profil du Découpeur.

Chuck fronça les sourcils.

— Tu ne penses pas qu'il y a un lien ?

— J'en sais rien, dit Lee tandis qu'ils continuaient de marcher.

— J'essayais de comprendre pourquoi il te prendrait pour cible en particulier – je suppose que c'est parce que tu as vu son visage.

— C'est possible. Mais il se peut que ça n'ait aucun rapport.

En son for intérieur, Lee pensait qu'il y avait un lien, mais il n'était pas prêt à le dire à son ami.

— Donc, d'après toi, ce n'est pas le petit ami qui est responsable de la mort de Pamela.

Ils continuèrent de marcher un moment en silence, passant la 23e rue, où une longue file de gens attendait le bus qui traversait la ville. Ils avaient tous l'air las des travailleurs du milieu de semaine, les yeux fatigués et mal aux pieds.

— Tu crois qu'il pourrait s'agir d'un copycat ? suggéra Chuck.

— Non, dit Lee. Je suis plus convaincu que jamais que c'est l'œuvre de notre homme. Si la disparition du collier ne suffisait pas…

— C'est vrai que c'est une drôle de coïncidence, admit Chuck, mais elle aurait pu le perdre n'importe où. Elle aurait pu le vendre, ou se le faire voler.

— Non, franchement, dit Lee, on n'a jamais divulgué cette information à la presse. Tu ne trouves pas ça un peu gros comme coïncidence ?

— J'en sais rien, dit Chuck. J'ai l'impression de ne plus rien savoir.

— Réfléchis, dit Lee, elle a été retrouvée dans la pose de la crucifixion, exactement comme les autres – la seule différence, c'est qu'elle n'était pas dans une église.

— Et elle n'était pas mutilée.

— Non, parce qu'il ne se sentait pas à son aise là où il se trouvait. Il n'a pas eu assez de temps, ou…

Lee promena son regard au bas de l'avenue – de là où ils étaient, il voyait un long panache de fumée qui remontait vers le ciel depuis les ruines encore fumantes. L'odeur était plus prononcée que d'habitude ce jour-là – l'odeur insidieuse et âcre de la défaite.

— Ou quoi ? demanda Chuck.

— Il peaufine sa signature en permanence – comme le sang dans le vin, qui est quelque chose de nouveau. Les tests ADN sur le sang ont-ils donné quelque chose ?

— C'est le sang de la victime. Rien de surprenant, je suppose.

— Ce qui ne me plaît pas, c'est qu'il devient de plus en plus organisé, plutôt que le contraire, dit Lee. Ce qui veut dire qu'au lieu de perdre ses moyens, comme c'est le cas chez certains tueurs, il contrôle de mieux en mieux la situation au fil du temps.

— As-tu revu ce Willow ? demanda Chuck alors qu'ils esquivaient un groupe d'écoliers.

Ils devaient avoir sept ans environ, pensa Lee – exactement l'âge de Kylie – et ils marchaient main dans la main, suivis par une enseignante visiblement soucieuse.

— Heu…, non. Pas encore.

Lee avait attendu qu'Eddie le contacte, mais jusque-là, il n'avait pas eu de nouvelles de son ami.

— Tu as envoyé ta déposition aux Affaires internes ?

— Oui, je l'ai fait après la visite de ce type dans ton bureau.

— Merde… Est-ce que tout ça ne te tape pas sur les nerfs ?

Lee le regarda.

— Chuck, ces jours-ci, tout me tape sur les nerfs, OK ?

— OK, OK, pas la peine de t'en prendre à moi. Je posais juste la question.

— Écoute c'est comme ça, je n'y peux rien. Toute cette affaire est horrible, mais je sens que je peux faire quelque chose, que j'ai un certain contrôle sur tout ça, tu comprends ? Je ne peux pas exercer de contrôle sur ce que font ces types, mais je peux aider à les attraper – et c'est ce qui me fait me lever le matin. Et pendant pas mal de temps, c'était la partie la plus difficile de la journée. Ça l'est encore, je suppose.

Chuck s'arrêta de marcher et mit les mains dans ses poches.

— Je sais que tu as traversé pas mal d'épreuves, dit-il, les yeux fixés sur la circulation. C'est juste que… Parfois, je m'inquiète pour toi, tu sais. Enfin, je ne veux pas t'ennuyer, mais tu n'as pas franchement bonne mine en ce moment.

— *Vraiment ?* demanda Lee. *Tu trouves ?*

Pour une raison qui leur échappait, cela leur sembla drôle, et ils éclatèrent de rire. Une brunette en survêtement fronça les sourcils en arrivant à leur niveau, comme si elle avait l'impression qu'ils se moquaient d'elle. Elle était toute mince et avançait en marche rapide, en faisant de grands mouvements avec les bras, et elle leur sourit en passant devant eux sans ralentir son rythme. Cela les fit rire de plus belle, et plus ils essayaient d'arrêter, plus cela devenait impossible. Ils avaient les larmes aux yeux, et furent forcés de s'arrêter de marcher, immobilisés par un éclat de rire hystérique. Lee s'appuya sur un parcmètre, et Chuck s'effondra sur les marches d'une épicerie fine, en se tenant le ventre. Lee avait lui aussi mal au ventre, mais il lui était impossible de s'arrêter de rire.

Des passants leur adressèrent des regards inquisiteurs, comme s'ils désapprouvaient une telle désinvolture si peu de temps après la pire tragédie de l'histoire de la ville. Pourtant, Lee savait que ça n'était pas de la désinvolture. Leur fou rire avait quelque chose d'incontrôlé. La tension des jours précédents avait atteint une telle intensité que seul un gigantesque éclat de rire pouvait les en libérer. Le seul fait de respirer était douloureux, et rire était une agonie – mais il lui était impossible de s'arrêter. Il serra le parcmètre, s'y accrochant comme un ivrogne, tandis que Chuck était assis, plié en deux, sur les marches de l'épicerie fine.

Après quelques minutes, ils commencèrent à s'essouffler en même temps. Lee essuya les larmes qu'il avait au coin des yeux et Chuck finit par se relever.

— Qu'est-ce qui nous est arrivé ? demanda-t-il d'une voix rauque.

— Eh bien, je suppose que c'était ce que les types qui font le même boulot que moi appellent la catharsis.

— Merde, pourquoi est-ce qu'on riait, au juste ? dit Chuck en ajustant sa cravate.

— Rien, dit Lee. C'était juste un relâchement physique, provoqué par trop de stress.

— J'ai tout à coup complètement perdu le contrôle, dit Chuck. C'était bizarre.

— Notre corps avait accumulé trop de stress, et a trouvé un moyen de l'évacuer.

— OK, dit Lee. C'est toi le toubib.

Le commentaire de Chuck lui fit penser à Eddie Pepitone, et il se demanda comment il allait. Il espérait qu'il l'appellerait rapidement pour pouvoir montrer le portrait-robot à Willow, et voir s'il pouvait identifier un gamin dans leurs fichiers.

— Alors, tu ne penses pas qu'il y en ait eu d'autres avant Pamela ? demanda Chuck.

Les réverbères commençaient à s'allumer un à un sur la 1re avenue, et à l'intérieur des restaurants, les serveurs allumaient des bougies.

— C'est possible, mais je ne crois pas. Le positionnement du corps a été envisagé à la hâte, contrairement aux crimes suivants, qui ont été mis en scène avec beaucoup de soin et de préparation. C'était également risqué de laisser les corps là où il l'a fait, et ce type n'est pas un imbécile. Il était conscient du risque. Le meurtre de Pamela, en revanche, présente toutes les caractéristiques de la spontanéité. C'est comme s'il avait disposé de moins de temps. Le meurtre n'était peut-être même pas prémédité.

Lee regarda à travers la vitrine du pub irlandais Ryan's les clients réguliers accoudés au bar, le visage penché sur leur verre, les yeux plus ou moins rouges, en fonction de la quantité d'alcool déjà ingurgitée. Il se demanda comment allait Nelson.

— Pourquoi un type comme ça se met tout à coup à tuer ? demanda Chuck.

— Il y a en général un facteur de stress qui précipite les choses, un événement qui le fait basculer.

— Tu veux dire, comme le fait de perdre son boulot ou rompre avec sa petite amie ?

— Oui, sauf que dans ce cas, il s'agit d'autre chose. Je doute sérieusement qu'il ait jamais eu de petite amie, et je ne pense pas que son stress était lié à son boulot.

— Qu'est-ce qui te fait dire ça ?

— Disons… une intuition. Non, chez ce type, c'est autre chose – c'est lié au contrôle et à son sentiment de frustration et d'impuissance, dit Lee, avant de changer de sujet : As-tu regretté d'avoir quitté Princeton ?

Il avait besoin de savoir si Chuck éprouvait du ressentiment à son égard parce qu'il avait obtenu son diplôme, et pas lui – ressentiment qui aurait pu compromettre leur travail commun.

Chuck arrêta de marcher.

— Oui, dit-il. Je suppose que oui.

— Tu avais un choix à faire, et tu as choisi d'être un bon fils.

— Ouais, mais ça ne m'a pas fait plaisir pour autant.

— Faire le bon choix ne fait pas toujours plaisir.

— Je t'en ai voulu à un moment donné, parce que tu as pu terminer, et moi non. Puis, j'ai regardé ce que tu n'avais pas, et que moi j'avais.

— Un père, par exemple.

— Oui, entre autres.

— Tu veux parler de Susan.

— Ouais.

Il y eut un silence, puis Chuck reprit la parole.

— Dis-moi quelque chose, Lee. Est-ce qu'elle t'a vraiment quitté pour moi ?

— Bien sûr, tu le sais d'ailleurs, mentit-il. Pourquoi me poses-tu la question ?

— Parfois, je me pose la question, c'est tout. Elle est si... Comment dire ? Je me demande à quel point elle a réellement besoin de moi.

— D'après ce que je sais, elle t'adore.

— En tout cas, elle me pousse à me bouger ! dit-il en tapotant son ventre plat. Elle m'a même fait suivre un régime, nom de Dieu ! Merde, je l'aime Lee, et je l'ai toujours aimée, peut-être que je suis un imbécile, mais c'est comme ça. Elle représente encore l'incarnation de ce dont j'ai toujours rêvé.

— C'est super, Chuck. Je trouve ça génial.

Susan Beaumont était une femme qui adorait être vénérée – sans cela, Lee pensait qu'elle se serait étiolée.

Le téléphone de Lee sonna.

— Allô ?

— Salut, boss.

Eddie avait la voix des mauvais jours.

— Eddie, quoi de neuf ? J'attendais ton appel.

— Mauvaise nouvelle.

— Qu'est-ce qui ne va pas ?

— C'est à propos de Willow. Il est mort.

Lee arrêta de marcher.

— Que s'est-il passé ?

— On l'a retrouvé en train de flotter sur le lac de Prospect Park.

— Il s'est noyé ?

— Non, boss. Il ne s'est pas noyé, aucun doute là-dessus.

— Quoi, alors ? demanda Lee en jetant un coup d'œil en direction de Chuck, qui le regardait avec un air inquiet.

— Il a été massacré à coups de couteau.

— Oh, nom de Dieu.

— Quoi ? fit Chuck. Qu'y a-t-il ?

Lee lui fit signe d'attendre.

— Comment a-t-il été massacré ? dit-il au téléphone.

— C'était un passage de la Bible, boss. C'était…

— Non, pas la peine de me le dire. C'était *Que ton règne vienne, Que ta volonté soit faite.*

— Ouais.

— Merde !

— C'était lui, c'est ça, boss ?

— Écoute, Eddie…

Chuck le tira par la manche, et à nouveau, Lee lui fit signe d'attendre.

— Désolé pour tout ça, boss. Je suppose que le Découpeur l'a trouvé avant nous.

— Tu n'y es pour rien, Lee. Tu veux me rendre un service ? Fais attention à toi, OK ?

— Bien sûr, ne t'inquiète pas pour moi, boss. Je suis l'homme de fer.

— Fais quand même attention, s'il te plaît.

— D'accord, boss.

— Très bien. Appelle-moi bientôt.

— Entendu. Je le ferai.

Lee remit le téléphone dans sa poche et regarda Chuck.

— C'est Willow. Ils l'ont retrouvé dans le lac.

— Bon sang, s'exclama Chuck, le visage rouge de colère. Merde ! Et c'était… ?

— Oui. Il a pris son temps. Il s'est donné la peine de graver au couteau la suite de la prière sur le pauvre Willow, juste pour qu'on sache que c'était lui.

— Quel salaud ! Il nous nargue !

— Oui. Il s'amuse bien avec tout ça – et il commence à se sentir invulnérable. Mais c'est ce qui le poussera à faire une connerie, au final.

La partie clé de la phrase était « au final », Lee le savait. La seule pensée d'une nouvelle victime semblait trop difficile à supporter à cet instant. Ils marchèrent en silence pendant un moment, puis Chuck dit :

— Tu sais, sans preuve médico-légale, essayer de trouver ce type, c'est comme chercher une aiguille dans une botte de foin. Je veux dire, ne le prends pas mal, mais le boulot de profiler a ses limites.

— Je sais, répondit Lee. Je voudrais tellement qu'on ait des cheveux, des fibres, des empreintes – *n'importe quoi*.

— Dans quel quartier penses-tu qu'il attaquera la prochaine fois ? demanda Chuck.

— Je voudrais pouvoir te le dire, répondit Lee.

Il ne dit pas ce qu'ils pensaient tous les deux. Au moment où il le saurait, il sera peut-être trop tard, et quelqu'un d'autre serait mort.

Chapitre 39

À un moment donné, Lee prit conscience que faire l'amour avec Kathy était inévitable.

Peut-être était-ce lorsqu'elle avait posé la main sur la sienne lorsqu'ils furent bousculés l'un contre l'autre dans le café bondé de Madison Avenue. À moins que ce ne soit le regard qu'ils avaient échangé dans la boutique de bagels de la 72ᵉ rue, lorsqu'elle avait posé le petit pain entre eux… le cercle brun bien rond, grillé et croustillant à l'extérieur et moelleux à l'intérieur. Lee sentit une vague de chaleur envahir son visage à l'instant où il était sur le point de la pénétrer.

Chez elle, tout lui semblait incroyablement charmant – la façon dont elle enroulait son index autour de sa tasse de café, la façon dont elle se tenait, en faisant peser son poids sur une seule hanche, les bras croisés sur la poitrine ; l'habitude qu'elle avait de passer sa langue sur ses dents quand elle se concentrait. Kathy Azarian l'avait séduit au premier regard – son air résolu, la courbe langoureuse de sa lèvre supérieure, la façon dont une mèche bouclée retombait sur son front.

Il ne savait pas du tout si elle éprouvait les mêmes sentiments, et il ne voulait pas le lui demander, au cas où la réponse serait non.

L'invitation qu'elle lui avait faite de la raccompagner à l'appartement de son amie chez qui elle résidait, dans l'Upper West Side, avait été un nouveau pas dans la danse qu'ils menaient depuis leur rencontre.

— Je garde son appartement pendant le week-end, et elle ne

254

rentrera pas avant dimanche soir.

Elle sourit, et il vit la petite fossette de son menton se creuser.

C'est ainsi qu'ils se retrouvèrent, plus tard cet après-midi-là, allongés au lit, dans l'appartement de son amie, sur un couvre-lit vert, tandis que la lumière de la fin de journée formait des ombres sur le mur opposé, que les chatons de son amie attaquaient en faisant de petits bonds.

Quand sa bouche finit par trouver celle de Kathy, il n'eut pas envie d'aller plus loin, il voulait que ce baiser dure toujours. Il passa la langue sur ses dents d'une blancheur parfaite, les imaginant briller à l'intérieur de sa bouche, attendant que sa langue les découvre. Il avait toujours trouvé incroyable que cet acte d'intimité soit nécessaire à la perpétuation de l'espèce – le fait qu'un corps en pénètre un autre. On aurait sûrement pu trouver des moyens plus simples, moins risqués. Au lieu de cela, la nature leur avait fait ce cadeau – le miracle de la chair.

La nuque de Kathy sentait la tarte et quelque chose de frais, comme des fleurs d'hiver – des œillets peut-être, ou bien des narcisses ? Son corps était si mince qu'il avait peur de l'écraser, mais la peau tendre entre ses cuisses se tendit et frémit quand il y passa la langue. Ses seins étaient petits mais saillants, et d'une rondeur parfaite, et leur pointe était aussi douce et colorée que des cerises.

Il retarda le moment de la prendre autant que possible, jusqu'à ce que son corps meure d'envie de venir en elle, et il y céda, s'enfonçant dans sa moiteur sombre et inconnaissable. Elle le prit en elle, et il sentit son corps l'attirer plus profondément encore.

Il regarda son visage. Elle lui souriait, les yeux mi-clos, et il vit sa fossette au menton se creuser. Il s'était demandé à quoi ressemblait son visage dans le feu de la passion, et maintenant, il le savait. Sa peau mate s'était empourprée et ses lèvres étaient pleines et ouvertes.

Il alla plus loin en elle. Elle gémit et enfonça les ongles dans son dos. Être en elle lui donnait la sensation d'être au centre de la Terre. Il avait déjà connu des relations sexuelles qui lui avaient donné beaucoup de plaisir, c'était simplement un rapprochement physique, la satisfaction d'un besoin mutuel – mais cette fois, c'était différent. Il se sentait englouti, cerné, et il s'abandonna avec plaisir, espérant qu'en s'appropriant son corps, elle le délivrerait de toute la douleur des dernières années.

Il trouvait toujours incroyable que ces belles créatures – les femmes – se laissent caresser, lécher et pénétrer.

Elle respirait de plus en plus fort, puis elle commença à gémir sous lui. Il aimait le sentiment de puissance que cela lui donnait de la faire gémir ainsi ; elle frémit et se mit à crier, son corps mince se contorsionna sous le sien, et il vit perler quelques gouttes de sueur au-dessus de ses lèvres et dans son cou. Il voulait connaître des choses que personne d'autre ne savait d'elle.

Pour lui, l'instant qui succéda à l'orgasme fut comme le coucher de soleil hivernal derrière les rideaux de dentelle, le jour qui laissait lentement place à la nuit, se transformant en une palette de couleurs pastel subtiles et délicates. Il regarda les nuances du crépuscule hivernal, à mesure que le jour semblait soulagé de lâcher prise et de se laisser lentement glisser dans la nuit. Ils restèrent enveloppés dans le couvre-lit vert tandis que la lumière baissait, dans un enchevêtrement de bras, de jambes et de poils de chat.

Il se prépara à la tristesse qui venait toujours ensuite. Elle monta en lui, juste sous le sternum. Elle lui serra la gorge, lui coupa la respiration, jusqu'à ce qu'il reprenne son souffle en poussant un profond soupir.

Elle le regarda, inquiète. Dans la pénombre, elle avait les yeux de la couleur des épines de pin – gris bleu, aussi opaques que le tonnerre.

— Qu'y a-t-il ? Tes blessures te font mal ?

— Non.

— Pourquoi ce soupir, alors ?

Il ne savait pas trop comment cela pouvait être perçu, de parler de la tristesse qui s'abattait sur lui après l'amour. Il avait peur qu'elle le prenne mal.

Elle se tourna sur le côté, les seins serrés l'un contre l'autre, créant comme une petite vallée entre eux. Il eut envie de se perdre dans cette vallée, de glisser entre la douceur de ses seins, et de s'y nicher pour toujours, comme un petit animal. Leur pointe était d'un rouge profond, presque brun.

— Est-ce la tristesse ? demanda-t-elle.

La question était si inattendue, qu'elle le prit par surprise. Elle sourit, et prit appui sur un coude.

— Toi aussi, tu ressens parfois de la tristesse, après ?

Il détourna les yeux. Il n'avait jamais parlé de ça avec quiconque.

— Parfois, je suppose.

Elle tendit la main vers lui, et dessina une ligne droite sur son avant-bras, du bout du doigt. Cela le fit frissonner.

— J'ai toujours pensé que c'était pour ça que les Français appelaient l'orgasme « la petite mort ».

Il ne savait pas quoi dire. Il avait toujours pensé que cette réaction lui était particulière. En parler lui semblait plus intime que de faire l'amour.

Elle traça à nouveau la ligne sur son bras, dans l'autre sens.

— C'est probablement une sorte de réaction biochimique. Je ne pense pas que ce soit très inquiétant.

Son franc-parler scientifique le fit rire.

— Ouf ! J'aime mieux ça. Je vais appeler la patrouille de l'angoisse existentielle.

Elle rit et se mit sur le dos. Ses seins étaient la partie la plus blanche de son corps, mais ils étaient malgré tout moins blancs que sa peau à lui.

— Je ne pensais pas que quelqu'un d'autre ressentait ça.

— Tu n'en avais jamais parlé à personne ?

— Non.

— C'est vraiment un truc bizarre, quand on y pense – le sexe, je veux dire, dit-elle.

— Comment ça ?

— Eh bien, je suppose que la nature a rendu les choses difficiles pour le mâle pour une raison – une autre forme de sélection naturelle, je suppose.

— Alors, en quoi le fait que les geeks aient toutes les peines du monde à baiser est bon pour l'espèce ?

Elle lui donna un petit coup dans le bras.

— Ce n'est pas de ça que je parle. Je veux dire que ça nécessite une certaine… endurance. Si ce n'était pas une activité relativement athlétique, alors n'importe qui pourrait s'accoupler, et ce serait mauvais pour l'espèce.

— J'adore quand tu parles de science.

Il passa la langue sur les contours de son oreille, goûtant le mélange de sueur et de lavande.

Après la troisième fois, il plongea dans un sommeil profond. Des images troubles s'insinuèrent dans ses rêves, avant de sombrer sous la barrière de sa conscience. Lorsqu'il se réveilla, la clarté de l'aube filtrait à travers les rideaux blancs et il entendit des bruits de casserole réconfortants venant de la cuisine. Pendant quelques minutes, il resta étendu sur le dos, les yeux fermés, écoutant la ville s'éveiller autour de lui. Le bruit de la circulation se faisait plus dense sur Amsterdam Avenue, et il distingua les différents sons dans son esprit : le grondement sourd du bus M11, le bruit des camions de livraison faisant des embardées à chaque nid-de-poule rencontré sur la route, le fracas des rideaux de fer des commerçants qui ouvraient leur magasin pour la journée.

Les deux petits chatons gris firent irruption dans la pièce et attaquèrent ses pieds restés sous la couverture. Les chats s'attaquaient mutuellement de façon permanente en sautillant, puis, sans transition, se mirent à se lécher.

Il fut envahi par une vague de bien-être. Les bruits venant de la cuisine furent remplacés par des bruits de pas – déjà, il reconnaissait son pas, rapide et léger. Elle apparut dans l'embrasure de la porte, portant un peignoir en éponge vert, noué à la taille de façon assez lâche, de sorte qu'il laissait entrevoir le haut de ses cuisses, comme une invitation. L'odeur de café pénétra dans la chambre par la porte ouverte.

Lorsqu'elle entra dans la pièce chambre, les chats en sortirent précipitamment en lui frôlant les chevilles.

Kathy rit.

— Ces deux-là, on dirait de vrais adolescents en train de chercher quelque chose à faire. N'importe quoi de préférence.

— Ils offrent un spectacle intéressant. Mais toi aussi.

Elle pencha la tête sur le côté. Les boucles noires, décoiffées, frôlèrent son épaule.

— Café ?

Il tendit les bras vers elle.

Chapitre 40

Le jour suivant, Lee fit le long trajet en voiture jusqu'à la maison de sa mère afin d'aller chercher sa nièce pour une visite en ville prévue de longue date. Chuck avait insisté pour qu'il prenne un week-end de repos, et même s'il n'était pas d'accord avec son ami, il n'avait pas eu d'autre choix que d'obéir.

Fiona Campbell vivait encore dans la maison où Lee et Laura étaient nés, dans un petit village de la vallée du Delaware. Elle y avait vécu depuis le premier jour de son mariage infortuné, et « elle jurait d'y mourir, grands dieux ! » répétait-elle souvent, ce qui tenait davantage du juron que d'un appel à la volonté divine.

Quand Lee arriva pour prendre sa nièce, Kylie était dans le jardin, devant la maison, à l'attendre debout sur le rocher de la tortue. C'était une grosse pierre ronde, et enfants, Laura et lui prétendaient qu'il s'agissait d'une tortue géante. Parfois, c'était une baleine, un vaisseau pirate, ou même un tapis magique, mais le plus souvent, c'était une tortue. La pierre formait un arc élégant, dont les contours polis étaient parfaits – on pouvait y monter à califourchon, se tenir debout ou sauter à terre. Un jour, il y avait quelques années de cela, sa mère avait envisagé de s'en débarrasser, mais Laura et Lee avaient fait tellement d'histoires qu'elle y avait renoncé.

Sa nièce portait une doudoune rose et blanche, avec des baskets roses assorties et un ruban rose attaché autour de ses cheveux blonds. Le rose était la couleur préférée de Kylie – suivie du violet. Contrairement à la mère de Lee, qui avait le caractère à la fois bien trempé et austère d'une écossaise presbytérienne, Kylie avait la douceur et la gentillesse d'une fillette, mais elle n'était pas dénuée d'espièglerie.

Lee sortit de la voiture.

— Coucou, la fille aux couleurs pastel.

Kylie fit une grimace, et se mit en équilibre sur un pied.

— Pourquoi tu m'appelles comme ça ?

— Est-ce qu'on n'a pas le droit de plaisanter, aujourd'hui ? demanda Lee en l'attrapant sur la pierre, avant de la mettre sur ses épaules.

Il réussit à l'empêcher de voir son visage – pour quelques instants du moins.

— Je ne sais pas, dit-elle en lui mettant les mains sur les yeux.

Ses doigts sentaient le citron.

— Devine qui c'est !

— Laisse-moi réfléchir… La fille aux couleurs pastel ?

— Non !

Kylie poussa un petit cri d'exaspération simulée, comme le faisait Laura à son âge.

— Où est ta grand-mère ? demanda-t-il en lui tenant les chevilles pour l'empêcher de tomber tout en se dirigeant vers la maison.

La maison avait été construite en 1748 – les grosses pierres irrégulières étaient agglomérées par de la maçonnerie blanche. Le parquet et les poutres étaient d'origine pour l'essentiel, et les plafonds étaient assez bas – environ à un mètre quatre-vingt du sol – ce qui lui avait toujours donné la sensation de devoir se courber.

— Maman ? lança-t-il en poussant la lourde porte d'entrée en chêne.

Dans le hall d'entrée, flottait une odeur d'eucalyptus, de pommes et de vieilles poutres en bois. Les murs étaient peints en blanc cassé et décorés de gravures de chasse assez masculines.

— Salut, maman ! héla-t-il à nouveau.

— Fiona ! cria Kylie.

— Tu n'as pas besoin de crier, je suis là, dit sa mère en sortant de la salle à manger.

Elle entendait parfaitement bien, mais certaines de ses amies avaient acheté des prothèses auditives, c'était donc un sujet sensible. La faiblesse physique n'était pas tolérée quand on était un Campbell.

— Oncle Lee est là ! cria Kylie, en se précipitant dans les jambes de sa grand-mère.

Fiona Campbell tapota la tête de Kylie avec indifférence, avant de s'extraire de l'étreinte de sa petite-fille, tel un chat enjambant une flaque d'eau sur le sol.

Fiona Campbell avait une mâchoire prononcée qui n'était pas précisément un des critères de la beauté classique, mais « elle vieillissait bien », d'après ses propres termes. Grâce à ses pommettes saillantes, son teint rayonnant, ses yeux bleu clair, son nez droit et sa bouche volontaire, c'était une belle femme. Lee lui avait un jour suggéré d'essayer de devenir mannequin pour des magazines destinés aux seniors, et elle avait aussitôt écarté cette idée d'un geste méprisant. Il ne savait pas trop si son mépris était suscité par l'idée de poser en tant que mannequin, ou par l'idée que qui que ce soit puisse la considérer comme une « senior ». Elle parlait des « vieilles femmes » qu'elle voyait à l'église comme s'il s'agissait d'une espèce étrangère.

Fiona échangea le nécessaire baiser sur la joue avec son fils unique, puis elle l'examina de plus près.

— Que t'est-il arrivé, au nom du ciel ?

— J'ai eu un accident.

— Oh, mon Dieu !

Kylie leva les yeux vers lui dans la faible lumière.

— Tu as un œil noir, oncle Lee !

— J'ai pris une porte dans la figure, mentit-il. C'était idiot.

Kylie fut satisfaite de cette explication, mais pas sa mère. Elle leva les yeux au ciel, mais il secoua la tête en regardant Kylie. Sa mère comprit le message et changea de sujet.

— Alors, où allez-vous aujourd'hui ? demanda-t-elle.

— Est-ce qu'on peut aller chez Jekyl and Hyde ? S'il te plaît ! demanda Kylie.

— Bien sûr, répondit Lee.

Kylie se tourna vers sa grand-mère.

— C'est super cooool ! s'écria-t-elle en sautant d'un pied sur l'autre.

— Bon, et ne te couche pas trop tard, dit Fiona.

— Non !

— OK, on ferait mieux d'y aller, dit Lee.

— Tu veux une tasse de thé avant de partir ? demanda sa mère.

Lee jeta un coup d'œil à sa montre.

— Non, merci. On a pas mal de route à faire.

— Très bien, alors allez-y, dit-elle brusquement en les entraînant vers la sortie, après les avoir embrassés.

Lee décida de passer par River Road – il aimait les paysages traversés par la route tortueuse qui longeait le Delaware. À mesure qu'il se dirigeait vers le fleuve à travers champs, il prit un virage familier. Et là, face à lui, il vit le mont McGill. Il offrait une pente très abrupte, ce qui en faisait un des lieux de premier ordre pour faire de la luge. Les gens venaient depuis Doylestown pour cela.

Le mont McGill était un trajet exaltant. Sa crête formait une courbe si escarpée que les luges décollaient du sol, avant de retomber, et de descendre la pente à toute vitesse, puis de s'élever dans les airs à nouveau une fois arrivées en bas. On débouchait ensuite sur une cuvette qui traversait la plaine, jusqu'au ruisseau. Si le ruisseau était gelé, et si on ne ratait pas le virage, on pouvait glisser sur la glace pendant un moment. Le truc, c'était de ne pas rentrer dans les arbres qui bordaient la rive. Il avait vu pas mal de contusions cérébrales quand quelqu'un arrivait la tête la première contre le tronc d'un arbre, et il s'était lui-même cogné une fois ou deux en essayant de prendre le virage traître.

Le mont McGill était une icône qui avait encore du succès auprès des enfants du coin, qui dévalaient la pente sur tout et n'importe quoi, du sac en plastique aux luges les plus sophistiquées – et ils essayaient encore de prendre le virage dangereux, espérant faire durer la descente un peu plus longtemps.

Une fine couche de neige recouvrait à peine l'herbe brune d'un versant de la montagne, et cela fit penser à Lee à un moka recouvert d'un glaçage à la vanille. Un chien solitaire trottait en direction du sommet, s'arrêtant à chaque arbre, suivi à une certaine distance par une jeune femme portant une laisse enroulée à la main, ainsi qu'un livre, sans prêter attention à ce qui se passait autour d'elle.

Lee dut réprimer une envie soudaine d'arrêter la voiture et de lui dire d'être plus prudente. La vue d'une femme seule dans un endroit isolé suscitait ce genre de sentiments chez lui à présent. Laura adorait faire de la luge sur le mont McGill.

— Est-ce que ta grand-mère t'emmène ici pour faire de la luge ? demanda-t-il à Kylie, qui était assise à côté de lui, les yeux mi-clos, bercée par les mouvements et la chaleur qui régnait dans la voiture.

— Des fois, répondit-elle. Et elle aime qu'on l'appelle Fiona, pas grand-mère.

Lee sourit. Il ne savait pas à quoi rimait la dernière lubie de sa mère – ça n'avait sans doute rien à voir avec son âge. Elle disait son âge à qui voulait l'entendre – en général après avoir demandé aux gens de deviner –, et elle rayonnait de fierté quand on lui annonçait dix ou quinze ans de moins, ce qui se produisait en général. Une fois, une jeune serveuse black avait deviné son âge exact, et Fiona avait été de mauvaise humeur pour le reste du déjeuner.

— Elle a voulu m'insulter ! avait-elle marmonné en mangeant sa mousse de saumon. Elle aura de la chance si elle est aussi bien que moi à mon âge !

— C'est toi qui lui as demandé de deviner, avait souligné Lee, en vain.

— Je m'en fiche – c'est juste impoli, voilà ce que c'est ! insista-t-elle.

— Ne t'en fais pas, maman. On se ressemble tous à leurs yeux, dit Lee avec malice, mais la plaisanterie lui était totalement passée au-dessus de la tête.

Il avait laissé un pourboire particulièrement généreux, au cas où la serveuse aurait entendu ce que sa mère avait pu dire.

Il regarda Kylie, dont les paupières se fermaient, la tête posée contre la vitre, sur laquelle sa respiration formait une légère trace de buée. C'était une jolie petite fille, qui ressemblait à son père – elle avait les mêmes yeux bleus et cheveux blonds. Il murmura une prière silencieuse aux dieux en qui il ne croyait pas, une bénédiction dépourvue de la puissance de la foi. Les choses qui étaient mystérieuses dans son enfance l'étaient encore à présent. Les grandes questions de la vie restaient sans réponse, et il n'avait pas l'espoir qu'elles en trouvent un jour.

Chapitre 41

Kylie dormit pendant presque tout le trajet de retour vers la ville, mais alors qu'ils approchaient de Jekyl and Hyde, elle se réveilla et commença à tendre le cou pour mieux voir le restaurant.

— On y est ! hurla-t-elle quand la voiture remonta la 6ᵉ avenue.

Jekyl and Hyde était un restaurant à thème destiné à une clientèle vivant en dehors de la ville et aux fans d'Harry Potter – entre sept et douze ans. Il occupait les quatre étages d'un immeuble étrangement bas, à l'angle de la 6ᵉ avenue et de la 58ᵉ rue, niché entre les grands buildings d'une banque et des immeubles de bureaux. Sur la façade néogothique, l'enseigne se détachait en lettres pourpres, semblant éclaboussées de sang.

THE JEKYL AND HYDE CLUB

Des acteurs parcouraient les quatre étages du restaurant, portant les costumes de personnages tout droit sortis de films de série B – le scientifique fou, le professeur foldingue, la grosse femme de chambre – tandis que des statues grotesques de gargouilles et de squelettes parlaient et bougeaient. Le lieu était agrémenté de portraits qui donnaient la chair de poule, dans des cadres dorés rococo, dont les yeux vous suivaient à travers la pièce.

Tandis qu'ils avançaient vers le restaurant, Kylie sautillait en chantant doucement, pour elle-même :

— Chicken nuggets, chicken nuggets.

Kylie adorait les bouchées de poulet frit, mais la mère de Lee refusait de lui en acheter, disant que c'étaient « des cochonneries ».

Ils entrèrent dans l'immeuble et furent absorbés par l'atmosphère gothique du restaurant. Les murs étaient recouverts de papier peint en velours rouge, et d'épais rideaux victoriens bloquaient le moindre rai de lumière qui aurait pu filtrer à travers les immenses portes-fenêtres.

Le club était plongé dans une éternelle pénombre, et seules quelques flammes vacillant dans des lampes à gaz éclairaient les clients tandis qu'ils se promenaient dans les couloirs sombres qui faisaient froid dans le dos.

Un acteur cadavérique habillé en vampire vint à leur rencontre et les escorta dans les escaliers jusqu'au deuxième étage. Ils furent installés à une table, dans un coin, sous un portrait aux dorures rococo. Le tableau représentait un homme d'âge moyen aux traits grossiers qui portait une cape doublée de fourrure rouge et un chapeau – vraisemblablement un courtisan du xixe siècle. Sous ses épais sourcils, les yeux de l'homme bougeaient. Lee supposa que cet effet était créé à l'aide d'une télécommande. Peut-être y avait-il quelqu'un dans le personnel dont le boulot consistait à faire bouger les yeux des personnages des tableaux. Lorsqu'il s'assit avec Kylie, il vit les yeux suivre leurs mouvements.

Cela n'échappa pas à Kylie.

— Oncle Lee ! cria-t-elle d'une voix perçante. Il nous regarde !

— Oui, répondit Lee en jetant un coup d'œil dans le restaurant.

Il avait l'impression troublante qu'on les observait. Mais l'endroit était peuplé pour l'essentiel de familles dont les enfants gigotaient sur leur chaise en regardant le personnel costumé aller de table en table.

Kylie lui donna un petit coup de coude dans les côtes.

— Voilà le Professeur !

Lee se tourna et vit l'acteur qui jouait le Professeur Foldingue s'approcher de leur table. De sinistres instruments dépassaient des poches de sa blouse blanche, qui était parsemée de taches d'un rouge douteux. Il avait les cheveux ébouriffés et sa blouse blanche laissait à penser qu'il avait l'habitude de dormir tout habillé.

— Bonjour, toi, dit-il d'une voix rauque. Comment t'appelles-tu ?

Kylie se cala au fond de sa chaise et leva les yeux vers lui.

— Kylie.

Le Professeur haussa les sourcils. Il avait un visage anguleux avec des pommettes hautes et des yeux enfoncés. Sous le maquillage du personnage, Lee vit qu'il était assez jeune, sans doute n'avait-il pas plus de trente ans.

— Kylie ? Quel genre de nom est-ce là ? aboya-t-il d'une voix enrouée.

Lee se demanda si sa voix était fatiguée à force de parler plus fort que la musique et le chahut des enfants, ou si elle était naturellement rauque.

— C'est un joli nom, répondit Kylie, relevant le menton avec un air de défi.

— Un joli nom ? Un joli nom ? brailla le Professeur. Vous avez entendu ça ? dit-il en s'adressant à la table d'à côté, occupée par une famille aux enfants blonds aux joues roses. Qu'en dis-tu ? demanda-t-il en se penchant vers un des garçons qui portait un tee-shirt Pokémon. Tu trouves que Kylie c'est un joli nom ?

Le garçon cligna des yeux et regarda sa mère, une femme grassouillette, visiblement gênée. Elle fit un pauvre sourire et engloutit une bouchée de penne primavera.

— Eh bien ? demanda l'acteur. Nous t'écoutons, mon garçon !

— Heu… Oui, je crois, dit enfin le garçon.

— Tu crois ? Pourrais-tu être un peu plus indécis ? dit le Professeur avant de regarder Kylie. On dirait que je n'ai pas choisi un garçon très courageux pour te défendre.

Le garçon regarda Kylie, qui se mit à rire. Soulagé, il sourit.

— Oui, c'est un joli nom ! déclara-t-il en croisant les bras sur sa poitrine potelée.

— Je ne sais pas ce qui se passe avec les jeunes d'aujourd'hui, se lamenta le Professeur sur le ton de l'exagération, tout en sortant un scalpel en plastique de la poche de sa blouse. Peut-être que je devrais disséquer l'un d'entre vous pour le découvrir. Qu'en penses-tu ? demanda-t-il à Kylie. Tu crois que je devrais découper ton ami ? Qu'en dis-tu ?

— Non, laissez-le tranquille ! répondit-elle en essayant de lui prendre le scalpel, mais le Professeur fut le plus rapide.

Il s'éloigna pour ne plus être à sa portée, rangea son instrument et passa à la table suivante.

— Les jeunes d'aujourd'hui ! marmonna-t-il.

Kylie sourit au garçon, puis mit la tête sur le bras de Lee.

— Il est marrant. J'ai faim. Est-ce que je peux avoir des chicken nuggets ?

— Tu peux commander tout ce que tu veux.

— Tu ne le diras pas à Fiona ?

Lee se pencha vers elle et murmura à l'oreille de sa nièce :

— Je ne dirai rien.

Kylie prit ses couverts et commença à tambouriner sur la table.

— Chi-cken nug-gets, chi-cken nug-gets !

La mère qui était à la table d'à côté leur lança un regard de désapprobation. Lee prit le couteau et la fourchette des mains de Kylie.

— Regarde, le spectacle commence, dit-il.

Les lumières clignotèrent autour de la scène, et un brouillard blanc apparut à mesure que le corps de Frankenstein s'élevait au-dessus de sa tombe. Des lumières stroboscopiques dansaient au-dessus de la forme inerte du monstre. Le vrombissement du monte-charge hydraulique était couvert par une musique assourdissante. Puis, la musique fut remplacée par la voix tout aussi forte de l'animateur.

— Et maintenant, mesdames et messieurs, le spectacle va commencer !

— Je dois aller aux toilettes, dit Kylie.

— OK, dépêche-toi de revenir, sinon tu vas manquer le spectacle.

Elle glissa de sa chaise, et courut au fond du restaurant. Lee ne la quitta pas des yeux, jusqu'à ce qu'elle soit sortie de la salle du restaurant. Il envisagea de la suivre, mais ne voulut pas l'embarrasser. Kylie n'avait que six ans, mais elle était têtue et indépendante, et détestait qu'on soit sur son dos.

Quand le serveur arriva, Lee commanda des chicken nuggets et du poulet sauté à la thaïlandaise pour lui, puis il porta son attention sur la scène, où le scientifique fou rôdait autour du corps allongé de son monstre. Le brouillard s'éleva à nouveau du fond de la scène et se dissémina autour de sa tête. Le scientifique laissa échapper un fou rire maniaque, puis se tourna, posant une main sur un interrupteur géant fixé au mur, se préparant à allumer « l'électricité » nécessaire pour animer son horrible création.

Lee se demanda si Mary Shelley avait eu conscience de l'incroyable découverte qu'elle avait faite par hasard, la nuit où elle avait couché sur le papier ses rêves agités – la création de la vie à partir de la mort, une matière inerte transformée en être vivant doué de sensations. Savait-elle qu'elle aussi avait créé un « monstre » quand elle avait écrit Frankenstein, et que cent cinquante ans plus tard, cette histoire engendrerait un nombre incalculable d'imitations et de nouvelles versions ?

— Et maintenant, regardez ! cria le scientifique, ôtant brusquement le drap posé sur le corps d'un seul geste.

Les lampes se mirent à vibrer et s'éteignirent pendant un instant, puis un seul spot bleu éclaira le monstre, qui se dressa en position assise, raide, les bras tendus. Les enfants de la table d'à côté avaient les yeux écarquillés, fixés sur le monstre – l'enfant abandonné par le parent qui lui avait donné la vie.

Lee regrettait que Kylie soit en train de manquer cette partie. Et d'ailleurs, n'était-elle pas partie depuis un peu trop longtemps ? Un vent de panique s'empara de lui.

Il se leva et se précipita dans les toilettes des dames, essayant de contrôler la panique qui brûlait les parois de son estomac, comme du vinaigre. Il frappa à la porte, et, n'entendant aucune réponse, l'ouvrit et cria à l'intérieur :

— Kylie ! Kylie ! Tu es là ? Kylie !

Il n'y eut pas de réponse. Il fit demi-tour et se dirigea vers l'entrée du restaurant. Une poussée d'adrénaline l'envahit, faisant planer une ombre sur son esprit. Il avait l'impression de se noyer. *Oh, non – d'abord Laura, et maintenant elle ! Ce n'était pas possible !*

Il avait perdu la faculté de penser clairement. Il s'efforça de respirer en s'engageant dans le couloir qui menait à l'entrée. Et là, inspectant les diverses tasses et tee-shirts à vendre, se trouvait Kylie. Il ressentit une vague de soulagement et ses genoux se mirent à trembler. Il chancela, et faillit tomber.

Il la prit par les épaules, et la secoua.

— Qu'est-ce qu'il y a ? pleurnicha-t-elle, effrayée.

Il avait envie de la gifler, de lui hurler dessus, de la prendre dans ses bras, tout cela à la fois.

— Kylie, ne t'en vas *jamais* sans me prévenir !

— Mais je regardais juste les tee-shirts.

Il ne voulait pas l'effrayer, mais les mots sortirent brutalement de sa bouche.

— *Jamais !* Tu m'entends ?

La lèvre inférieure de Kylie se mit à trembler, et des larmes perlèrent au coin de ses yeux.

— Je n'étais pas partie, j'étais juste ici, dit-elle tandis qu'une larme coulait sur sa joue.

— Tu comprends ?

Kylie laissa couler les larmes indignées de celle qu'on accusait à tort.

— Je n'étais pas partie ! s'écria-t-elle d'une voix étranglée par les sanglots.

— Je ne supporterais pas de te perdre, toi aussi ! dit-il en la serrant dans ses bras. Tu ne peux pas comprendre ça ?

Elle réagit à ses paroles à grand renfort de pleurs, ce qui attira l'attention de deux femmes qui sortaient des toilettes. L'une d'elles lui arracha Kylie des bras et le gifla. L'autre prit la petite fille dans ses bras.

— Est-ce qu'il t'a fait du mal, pauvre petite ? dit-elle en essuyant les larmes de la fillette avec un mouchoir à pois rouges.

Lee regarda les pois, qui lui évoquèrent aussitôt des gouttes de sang. L'autre femme semblait sur le point de le frapper à nouveau. Elle était grande et forte, avait les épaules d'un joueur de football américain avec, en guise de casque, une épaisse chevelure grisonnante. Lee s'écarta d'elle, se cognant douloureusement les côtes contre le téléphone public, derrière lui.

— Je suis son oncle, dit-il à la femme qui tenait Kylie.

Elle était plus petite que son amie, mais plus forte encore, avait des chevilles et des poignets épais et un double menton. Les deux femmes portaient le genre de pantalon en polyester qu'on ne voyait que sur les gens qui n'étaient pas de New York. Celui de la plus petite femme était rouge géranium, et celui de la joueuse de football américain orange.

— Vous êtes peut-être son oncle, mais ça ne vous donne pas le droit de maltraiter cette enfant, dit la plus grande, semblant chercher une excuse pour le frapper à nouveau.

— Ça va, dit Kylie.

— La victime protège toujours l'auteur des sévices, dit la plus petite, croisant ses bras flasques sur sa poitrine informe.

— Il était juste contrarié parce qu'il ne voulait pas que je disparaisse comme ma maman, dit Kylie.

Les deux femmes la regardèrent, bouche bée.

Lee envisagea de leur dire qu'il travaillait pour la police de New York, mais étant donné qu'il n'avait ni badge, ni arme, il pensa qu'il ne serait sans doute pas très convaincant. Au lieu de cela, il expliqua juste la disparition de sa sœur.

— Laissez-nous tranquilles, s'il vous plaît, ajouta-t-il.

Les protectrices de la justice en polyester firent la moue, puis cédèrent, à contrecœur, avant de battre en retraite dans la salle du restaurant, laissant Lee et Kylie dans le couloir.

— Écoute, je suis désolé de m'être emporté, lui dit-il. C'est juste…

— Je sais, répondit Kylie. Fiona dit que quand tu fais des trucs bizarres, c'est à cause de maman.

Et quelle est son excuse, à elle, quand elle fait des trucs bizarres ? pensa-t-il, mais il n'en dit rien.

— Quand crois-tu qu'elle va revenir ? demanda Kylie.

Elle avait prononcé ces mots d'une voix calme, comme si elle demandait quand sa mère serait de retour de l'épicerie. La question mit Lee dans une position impossible. S'il répondait, il serait obligé de mentir. Mais s'il en contestait les prémisses – le fait que sa sœur était encore en vie – il se mettrait en porte-à-faux vis-à-vis de sa mère. Kylie était beaucoup trop jeune pour supporter le poids d'un désaccord entre Fiona et lui. Il n'était pas sûr non plus de vouloir réduire à néant le moindre espoir que Laura soit encore en vie, et qu'elle risque de revenir un jour. Il se mordit les lèvres et choisit la voie de la lâcheté.

— Bon, écoute, Kylie, pourquoi est-ce qu'on ne retournerait pas au restaurant pour essayer de voir la fin du spectacle ?

Kylie lui prit la main.

— Je sais pourquoi tu étais bizarre. Tu ne voulais pas me perdre. C'est ça, oncle Lee ? dit-elle en passant devant un squelette qui faisait un large sourire, accroché au mur.

Il sentit sa gorge de serrer.

— C'est ça. Je ne voulais pas te perdre.

Chapitre 42

Plus tard, cette nuit-là, Lee conduisait sur les sombres petites routes de campagne du New Jersey, tandis que Kylie dormait sur la banquette arrière. Il avait promis à sa mère de la ramener le soir même pour qu'elle puisse aller à la kermesse de l'école le lendemain. C'était un long trajet à faire de nuit. Cela lui donna l'occasion de réfléchir.

La berline sombre fut sur lui avant qu'il ait le temps de comprendre ce qui se passait. Elle sembla sortie de nulle part, plein phares, si près derrière lui qu'ils se reflétaient dans son rétroviseur, l'aveuglant. Il baissa le rétroviseur, maudissant l'impolitesse des conducteurs du New Jersey.

— Bon sang, qu'est-ce qui ne va pas chez ces gens ? grommela-t-il en ajustant le rétroviseur.

Sa première pensée fut de se ranger sur le bas-côté et de laisser la voiture le dépasser, mais il abandonna cette idée dès qu'il ressentit le choc. Il comprit aussitôt, avec horreur, ce qui se passait – l'autre voiture l'avait percuté.

Il n'y avait aucun doute dans son esprit. C'était intentionnel.

Il serra le volant de plus en plus fort à mesure que la sueur perlait au creux de ses mains.

— Oh, mon Dieu, murmura-t-il à voix basse. Merde !

La voiture le percuta à nouveau – plus fort cette fois. Il entendit un craquement au moment où les pare-chocs se heurtèrent, métal contre métal.

Sur la banquette arrière, Kylie remua, puis se réveilla.

— Oncle Lee ? On est arrivés ?

Il respira profondément, et essaya, au prix d'un effort surhumain, d'éliminer toute trace de panique de sa voix.

— Non, ma chérie. Rendors-toi.

Un nouveau choc envoya la voiture sur l'autre voie, et il eut du mal à contrôler son véhicule.

La voix de Kylie, à l'arrière, était maintenant aussi paniquée que lui l'était.

— Oncle Lee, qu'est-ce qui se passe ?

Il ne savait pas du tout quoi lui répondre, comment lui expliquer que quelqu'un essayait de les tuer.

— Rendors-toi, OK ? Tout va bien se passer.

Alors même qu'il prononçait ces mots, il sentit à quel point ils sonnaient creux. Tout ne se passerait pas bien.

Les phares brillèrent dans son rétroviseur extérieur, l'aveuglant. Il plissa les yeux, baissa sa vitre et repoussa le rétroviseur. Un souffle d'air frais passa sur son visage. Il entendit le moteur monter en régime derrière lui, et se préparer à un nouveau choc. Mais au lieu de cela, les phares s'éteignirent et il vit la voiture arriver à son niveau. La petite route de campagne à deux voies serpentait à travers les bois du New Jersey, et la ligne jaune continue indiquait qu'il était interdit de doubler. Même à cette heure de la nuit, il savait que c'était un comportement suicidaire. Il était impossible que l'autre conducteur puisse voir une voiture venant en sens inverse avant qu'il ne soit trop tard.

— Merde, marmonna-t-il.

Les jambes tremblantes, il appuya d'un coup sec sur l'accélérateur. La petite Honda fut ébranlée par une secousse avant d'accélérer, passant devant la voiture qui roulait à ses côtés.

— Oncle Lee, pleurnicha Kylie. Qu'est-ce qui se passe ?

— Il y a un dingue qui nous suit, répondit-il en essayant d'avoir un ton désinvolte. Il doit être saoul.

Il était sur une route qu'il avait parcourue un nombre incalculable de fois, depuis l'âge où il avait eu son permis, à seize ans, et il en connaissait tous les méandres. Il avait souvent dit en plaisantant qu'il pouvait conduire sur cette route les yeux fermés. C'était le seul avantage qu'il avait sur son poursuivant inconnu, et il pria pour que cela fasse une différence. Si l'autre conducteur réussissait à se mettre en travers de son chemin, Lee savait qu'il pourrait certainement forcer la Honda à s'arrêter. Et si Lee essayait de passer devant lui, le chauffard pouvait le faire sortir de la route.

Il appuya à fond sur la pédale d'accélérateur. Le moteur de la Honda vrombit et la voiture passa devant son poursuivant.

Très vite, les phares réapparurent derrière lui, et il entendit le moteur de l'autre véhicule qui se rapprochait. Il pria pour que l'autre voiture ne soit pas plus puissante que sa Honda quatre cylindres de location.

La route s'étendait devant lui, tel un ruban de béton qui ondulait. Face à lui, le mont McGill apparut, à peine visible dans la nuit.

Il se cramponna au volant et se pencha en avant.

— Et maintenant, connard, marmonna-t-il, voyons ce que tu dis de ça.

Tournant le volant d'un coup sec, il quitta la route et continua en direction du ruisseau, au bas de la montagne, plein phares. La voiture vibra, fut secouée par les aspérités du sol, puis glissa sur la terre gelée. Il entendait Kylie pousser de petits cris sur la banquette arrière, mais il serra les dents et continua de rouler à la même vitesse. Voyant le ruisseau gelé – il savait d'expérience qu'il était assez peu profond pour être totalement gelé – il garda le cap dans sa direction.

Les pneus glissèrent sur le ruisseau gelé – la voiture fit une embardée, puis se redressa. Il appuya progressivement sur l'accélérateur.

La berline continua sa poursuite, zigzaguant lorsque ses pneus touchèrent la glace.

Les phares de la voiture de Lee éclairèrent les arbres, au bas de la montagne – le bosquet de peupliers qui s'était avéré si dangereux pour des générations de lugeurs. C'était l'endroit où le ruisseau était le plus profond, et de l'autre côté, les arbres se trouvaient dans un profond fossé – invisible de nuit. Il fit ronfler le moteur, puis braqua le volant sur la droite – manquant de peu le premier arbre. Les roues tournèrent à vide sur la couche de neige qui recouvrait le sol, puis il fit un demi-tour et évita le fossé.

Son poursuivant n'eut pas autant de chance.

Lee entendit le froissement de métal quand l'autre voiture ricocha contre un arbre. Il regarda dans le rétroviseur, juste à temps pour voir le véhicule tomber dans le fossé.

Même s'il était impatient de connaître l'identité de son poursuivant, son instinct de protéger sa nièce fut plus fort. Il savait que si le conducteur portait sa ceinture, il n'était peut-être que légèrement blessé. Il avait très envie de faire demi-tour pour aller examiner les plaques d'immatriculation de la voiture – mais qu'aurait-il fait si son poursuivant était armé ? Il ne pouvait prendre ce risque. Il redémarra et regagna la route. Il fut pris de nausée une fois de retour sur la chaussée, mais respira profondément l'air frais par la vitre et fila dans la nuit.

Kylie était devenue très silencieuse sur la banquette arrière, alors après avoir parcouru les premiers kilomètres, il se retourna pour voir si elle allait bien. Elle était assise, les yeux fixés sur lui sans dire un mot, les mains cramponnées au dinosaure en peluche qu'il lui avait acheté un peu plus tôt.

— Kylie ? Est-ce que ça va ? demanda-t-il.

— Qu'est-ce qui est arrivé à l'autre voiture ? demanda-t-elle. Il est rentré dans l'arbre. Est-ce qu'il va bien ?

— Je ne sais pas, ma chérie, mais je vais appeler la police dès que je pourrai pour qu'ils puissent venir à son secours.

— Pourquoi tu es sorti de la route, comme ça ?

Parce qu'il essayait de nous tuer.

— Je voulais juste qu'il arrête de nous suivre.

— Il nous suivait ?

— Je crois qu'il était saoul.

Kylie se mit à pleurer.

— Et s'il était mort ?

— Ne t'inquiète pas Kylie, tout ira bien. La police va s'occuper de lui. Tout ira bien.

Mais plus il répétait ces mots, moins il y croyait. Quelqu'un était à ses trousses, et il soupçonna que qui que ce soit, l'individu voulait que Lee laisse tomber l'affaire. À tout prix.

Chapitre 43

Lee roula pendant un moment sans regarder derrière lui, en prenant les petites routes et en faisant des détours. Quand il fut certain de ne plus être suivi, il s'arrêta sur l'accotement et appela la police. Après avoir composé le 911 pour signaler l'accident de façon anonyme, il redémarra. Il ne voulait pas donner son nom – il était inquiet pour la sécurité de sa famille. L'agression avait eu lieu à leur porte cette fois, et il ne pouvait être là pour les protéger en permanence.

Kylie s'était rendormie sur la banquette arrière – comme tous les enfants, elle s'était vite remise de ses émotions et avait oublié sa panique, acceptant les explications de Lee : tout cela n'était que le comportement incohérent d'un conducteur ivre. Il n'avait aucune intention de lui dire la vérité.

Tandis que le moteur tournait au ralenti, il fut saisi par un frisson incontrôlable, et dut à nouveau couper le moteur un moment, le temps de reprendre son calme. Il prit conscience que tout ce qu'il savait sur l'autre voiture, c'était qu'il s'agissait d'une berline sombre – les autres détails s'étaient brouillés dans le flot de l'action et de la prise de décision. Le conducteur n'était peut-être même pas seul, pour ce qu'il en savait, mais il ne le pensait pas. Son instinct lui disait que le poursuivant était un homme – un homme seul.

Quand il arriva chez Fiona, il était trois heures du matin. Il entendit le tic-tac de la pendule du grand-père dans le vestibule en entrant sur la pointe des pieds, avec Kylie dans ses bras. Au milieu de l'odeur familière de pommes et de vieux bois, Lee avait du mal à imaginer ce à quoi ils venaient d'échapper – là, dans la maison de sa mère, tout semblait si familier, confortable et sécurisant.

Il referma sans bruit la lourde porte derrière lui et porta Kylie à l'étage, dans sa chambre. Elle bougea à peine lorsqu'il la posa sur le lit, lui ôtant ses chaussures, ses chaussettes et la bordant sous une épaisse couche de couvertures. Fiona Campbell faisait attention à la consommation d'énergie, et la maison était froide la nuit. « Une chambre fraîche la nuit est plus saine qu'une pièce surchauffée » disait-elle. « Un peu d'air frais n'a jamais fait de mal à personne. »

Lee était épuisé, mais bien réveillé, alors il redescendit dans la salle à manger et alluma un feu. Il prit ensuite son téléphone portable et composa le numéro du commissariat de la police d'état, situé à Somerville, à vingt minutes de la maison de sa mère. Il avait l'intuition que les policiers d'état trouveraient une voiture vide près du ruisseau, mais il voulait qu'ils retiennent le véhicule et qu'ils procèdent à une recherche de preuves – sang, ADN, tout ce qui pouvait aider à identifier son poursuivant. Cette fois, il donna son nom à la standardiste somnolente qui répondit.

— Police d'état du New Jersey. En quoi puis-je vous aider ?

— Bonjour, je suis Lee Campbell du NYPD. Pourrais-je parler à votre commandant en chef, s'il vous plaît ?

— Il s'agit du lieutenant Robinson. Ne quittez pas, s'il vous plaît.

— Robinson.

C'était une voix grave, de quelqu'un d'instruit, sans doute afro-américain. Lee n'avait pas eu trop de contacts avec les policiers d'état du New Jersey, mais ils avaient la réputation d'être opiniâtres et efficaces.

Lee expliqua la situation aussi calmement que possible, en insistant sur le fait qu'il ne savait pas si son agresseur avait un lien avec l'affaire sur laquelle il travaillait ou non, mais qu'il soupçonnait qu'il y en avait un. Robinson écouta, puis demanda à Lee si sa nièce et lui allaient bien.

— Tout va bien, merci. On est juste un peu secoués. Je suis dans la maison de ma mère, et si cela ne vous pose pas de problème, je passerai demain pour jeter un coup d'œil à la voiture.

— Bien sûr. J'ai déjà parlé aux policiers qui l'ont retrouvée – elle était exactement là où vous l'aviez située, mais elle était vide. Il y a des empreintes de pas dans la neige, qui menaient jusqu'à la route, mais ensuite, plus rien.

— Combien de jeux d'empreintes ?

— Un. Un homme, d'après les premières constatations. Pointure moyenne – environ du quarante-trois. Je suppose qu'on devrait relever les empreintes de pas, s'il y a un lien possible avec un suspect de meurtre.

— Je vous en serais très reconnaissant.

— Et nous ferons des recherches sur la voiture, bien sûr. Ça n'a pas l'air d'être un véhicule de location.

— Merci.

— Vous êtes sûr que ça va aller, maintenant ?

— Oui, merci.

— Bien, alors à demain.

— Entendu.

Lee raccrocha et regarda le feu. Les flammes crépitaient avec ardeur, comme si elles voulaient s'élancer hors de la cheminée et s'envoler dans la nuit. Les langues pointues des flammes lui évoquèrent des fourches et, écoutant le vent souffler sous l'auvent, il imagina entendre les hurlements des damnés.

Chapitre 44

L'excursion du lendemain à Somerville fut décevante. La voiture avait été déclarée volée un peu plus tôt le jour même, et le propriétaire, un médecin très respecté de la région, était au-dessus de tout soupçon. De plus, il chaussait du quarante-six.

On n'avait pas retrouvé de sang dans la voiture, en tout cas pas au cours des recherches préliminaires, mais le laboratoire de la police d'état allait procéder à de nouvelles analyses. Lee doutait qu'ils trouvent quoi que ce soit – le conducteur portait certainement des gants.

En premier lieu, le lieutenant Robinson mit en place une surveillance 24h/24 autour de la maison de Fiona, ce qui l'écœura au plus haut point. Lee appela également le père de Kylie, malgré les protestations de sa mère, et lui demanda de venir habiter avec elles pendant quelque temps, ce qu'il accepta volontiers. Lee essaya de ne pas l'alarmer outre mesure, mais George Callahan était un homme gentil et son inquiétude était palpable. Il offrit de recevoir Fiona et Kylie chez lui, dans sa maison, mais Fiona ne voulut rien entendre. Elle décréta que tout cela était « ridicule », affirmant que Lee avait simplement croisé un conducteur ivre.

— C'est vrai ce qu'on dit sur les conducteurs du New Jersey, tu sais, dit-elle avec une moue pleine de dédain. Ils sont dangereux.

Lee se fichait de l'opinion de sa mère, et insista pour qu'ils prennent des mesures de précaution. Le policier d'état accompagnerait Kylie à l'école et irait la chercher, du moins pendant un temps.

Quand Chuck Morton entendit parler de l'agression, il appela

Lee sur son téléphone portable et insista pour le voir dès qu'il serait de retour en ville.

Le temps que Lee quitte le New Jersey, il faisait nuit, et un vent orageux soufflait depuis l'ouest. Lee arriva en ville juste au moment où l'orage s'abattait violemment sur la côte. Il atteignit l'agence de location de Greenwich Village juste à temps. Lorsqu'il s'apprêta à regagner son appartement à pied, la neige était déjà tombée.

En rentrant, il appela Chuck pour lui dire qu'il irait le voir à la première heure le lendemain matin. Il n'était pas près de remettre le nez dehors cette nuit-là. Chuck était déjà en route pour rentrer chez lui. S'il retardait son retour, il risquait d'être coincé en ville pour la nuit. Tout le monde disait que beaucoup de neige allait tomber sur la région – peut-être jusqu'à un mètre.

Lee s'assit au piano pour jouer un prélude de Bach en écoutant la plainte de la tempête de neige qui s'abattait sur la 7e rue. Le vieil immeuble craqua et vibra à mesure que le vent tournoyait autour du rebord des fenêtres, soufflant en rafales et mugissant comme une chose douée de vie, un démon cherchant des âmes à capturer.

Il arrêta de jouer et regarda par la fenêtre les arbres, de l'autre côté de la rue, pliant et oscillant si violemment qu'il pensa qu'ils pourraient se briser net. *Des démons. Des âmes perdues.* Lee n'était pas sûr de croire en l'existence des âmes, mais qui était ce tueur, sinon une âme perdue ?

Le téléphone sonna, le tirant de sa rêverie. Il décrocha.

— Allô ?

— Est-ce que… je peux te voir ?

Nelson avait la voix éraillée, tremblante.

— Qu'y a-t-il ?

— C'est Karen… J'ai besoin…

C'était comme s'il faisait passer ses mots au crible d'un tamis, essayant de contenir l'émotion dont ils étaient chargés. Lee savait que cela faisait à peine trois mois que sa femme avait succombé à une mort tragique. Et le deuil ne lui était que trop familier. Juste quand on pensait que le pire était derrière soi, il pouvait ressurgir et s'abattre sur soi comme un coup de fusil.

Il regarda la neige qui s'accumulait à l'extérieur et poussa un soupir.

— Je serai chez toi dans vingt minutes.

Lee enfila ses chaussures de marche Santana waterproof, marcha jusqu'au magasin de vins et spiritueux qui était dans la 3e avenue et prit une bouteille de whisky Glenlivet single malt, puis trouva un taxi courageux équipé de pneus neige. Il n'y avait pas beaucoup de circulation sur Park Avenue, et le taxi contourna Central Park par la 68e rue, puis s'arrêta devant l'immeuble de Nelson, dans la 73e rue.

John Paul Nelson vivait dans un appartement de grand standing de l'hôtel Ansonia, un splendide building rococo, à l'angle de la 73e rue et de Broadway. S'élevant avec fierté à la confluence de Broadway et d'Amsterdam Avenue, l'Ansonia se trouvait à l'un des principaux carrefours de la ville.

Nelson ouvrit la porte quand Lee frappa. Il semblait épuisé et perdu. Il avait les cheveux en bataille, n'était pas rasé et portait une vieille chemise bleue et un pantalon kaki. Il fit signe à Lee de s'asseoir sur le canapé parsemé de livres et de magazines.

— Désolé pour le désordre.

Il prit quelques livres au bout du canapé et les mit par terre. L'appartement de Nelson, comme son bureau, était un lieu de pagaille contrôlée, un confortable fouillis. Quand elle était en vie, Karen avait réussi à garder un certain contrôle sur le désordre ambiant, mais depuis sa mort, la situation s'était dégradée. Il y avait des livres et des périodiques partout dans la pièce – Lee se demanda comment on pouvait lire autant. Les livres portaient sur tous les sujets, de l'archéologie à la philosophie, en passant par la physique et l'histoire naturelle.

Nelson se tenait au milieu de la pièce, passant une main dans ses cheveux en bataille. Après avoir jeté un coup d'œil sur lui, Lee décida de ne pas mentionner l'incident de la nuit précédente. Nelson entendrait parler assez tôt de la folle course-poursuite.

— Qu'est-ce que je te sers ? demanda Nelson.

C'est alors seulement que Lee se souvint de la bouteille de whisky qu'il tenait à la main.

— Je ne savais plus si c'était bien cette marque que tu buvais, dit-il en la tendant à Nelson.

— Si c'est de l'alcool, c'est la marque que je bois, répondit-il, et Lee regretta d'avoir acheté un single malt hors de prix.

Mais quand son ami revint avec deux verres en cristal et en tendit un à Lee, il fut heureux de l'avoir fait. Le scotch avait un parfum de houblon résineux, un goût éventé, comme une odeur de bois et de feu de cheminée.

— C'est sympa, tu t'es pas foutu de moi, dit Nelson en s'installant dans un fauteuil bleu tout abîmé.

Son setter irlandais, Rex, sortit de la cuisine, et vint s'asseoir à ses pieds. Nelson caressa le chien.

— Merci d'être venu, dit-il en buvant une gorgée de whisky. Je crois que je n'avais pas envie d'être seul. C'est drôle, je ne m'attendais pas à ce que ça me tombe dessus comme ça… commença-t-il, les yeux rivés sur son verre, avant de reprendre : Je ne peux pas m'empêcher de penser que si j'avais su l'aimer mieux, elle ne serait pas morte.

— Elle était très malade, tu sais.

Nelson baissa les yeux sur Rex.

— Je sais. C'est ce que me dit mon esprit logique, mais ce que je ressens au fond de moi, c'est que si j'avais su l'aimer mieux, elle n'aurait pas pu me quitter.

— On ne peut pas dire qu'elle ait vraiment eu le choix.

— *Je sais !* C'est ce que je me suis répété des milliers de fois, mais ce que je redoute, c'est qu'elle n'ait pas eu suffisamment envie de vivre. Qu'elle ait juste… renoncé à se battre.

— Mon Dieu, Nelson. Il faut que tu arrêtes de te punir de sa mort. Et crois-moi, je sais de quoi je parle.

Nelson regarda son verre, puis leva les yeux vers Lee.

— Comment fais-tu ?

— Je ne pense pas que les gens que nous perdons arrêtent de nous manquer un jour. On apprend juste à vivre sans eux.

— Je n'arrive toujours pas à accepter de n'avoir eu aucun contrôle sur la situation.

— Il n'est pas rare de se sentir coupable dans ce genre de situations.

— Oui, oui, je sais, répondit Nelson avec une pointe d'impatience. C'est juste que… Quand c'est à nous que ça arrive, je suppose que c'est différent.

— Je suppose que oui.

Nelson s'effondra dans son fauteuil et caressa le pelage doré de Rex. Maître et chien étaient parfaitement assortis – les cheveux roux de Nelson étaient juste un peu plus foncés que la fourrure soyeuse de son chien. Rex s'appuya sur la jambe de son maître, et sa bonne tête prit une expression bienheureuse. Le chien était l'image inversée de Nelson, une sorte d'alter ego opposé, aussi doux et sociable que Nelson était aigri et méfiant. Lee savait que l'attitude de son ami était le masque d'une sensibilité exacerbée, mais peu de gens voyaient ce qui se cachait derrière le masque. Au fil du temps, Nelson s'était ouvert à lui, mais les gens à qui il se confiait étaient plutôt rares. Karen en faisait partie, bien sûr, mais elle n'était plus là.

Nelson interrompit le silence avec une quinte de toux – la toux rauque et sèche de quelqu'un qui avait fumé toute sa vie. Lee le regarda avec un air grave. Tout l'appartement sentait les cigarettes aux clous de girofle.

— Quand vas-tu arrêter de fumer ?

— Bon sang, Lee, une chose à la fois ! Je n'ai jamais fumé en sa présence, tu sais, ajouta-t-il. Pas même avant qu'elle…

— Je sais, répondit Lee.

— C'était assez drôle, de quitter mon propre appartement pour fumer dans la rue comme un adolescent qui fume en cachette. On en riait, dit-il souriant, puis son sourire s'évanouit et il fut pris d'un sanglot.

Il se reprit, quelques instants plus tard, et inspira profondément.

— C'est drôle, comme la plupart des peurs semblent naître de la peur de l'abandon, hein ?

Lee baissa les yeux sur son verre de whisky.

— Oui. Tu sais, c'est même vrai pour… commença Lee avant de s'interrompre, et de détourner les yeux.

— Quoi ? C'est vrai pour qui ?

— Je pensais à l'affaire.

Nelson s'adossa à son fauteuil.

— Je t'écoute.

— Je me disais juste que le moment était mal choisi…

— Nom de Dieu, tu as piqué ma curiosité maintenant ! s'écria Nelson. Et tu crois que je veux passer la nuit à me lamenter sur la mort de Karen ? S'il te plaît… distrais-moi un peu !

— OK, ce n'est rien d'extraordinaire, en réalité. Je voulais juste dire que pour lui aussi c'est lié à la peur de l'abandon.

— Pour le Découpeur ?

— Oui. Tout tourne autour du contrôle, bien sûr… mais l'origine de tout ça, c'est la peur de l'abandon.

— Mais qu'est-ce que ça nous apporte ? Ou plutôt… qu'est-ce que ça nous apporte que nous ne sachions déjà ?

— Il ne peut même pas s'autoriser à éprouver un désir normal envers les femmes. Je pense que tout est irrémédiablement lié pour lui – le sexe, la religion et la mort – à tel point que, dans son esprit, ils représentent la même chose.

— Et il y a l'aspect sadomasochiste du catholicisme – la souffrance de Jésus, attaché et ensanglanté sur la croix.

— Et Marie – toujours décrite comme jeune et belle – qui lève sur lui des yeux remplis de larmes avec adoration.

— Tu sais, je crois que tu as raison, dit Nelson. Je n'y avais jamais pensé, mais si Jésus avait trente-trois ans à sa mort, alors Marie doit en avoir au moins cinquante-cinq, non ?

— Exact. Et cela se passe sous un climat gorgé de soleil, avant l'ère du botox et des liftings, et même des soins dentaires. Elle doit donc paraître son âge.

— Mais elle est toujours représentée comme une femme jeune et belle – comme si elle était sa sœur, et non sa mère.

— Oui, approuva Lee. C'est encore plus perturbant pour un jeune homme qui a du mal à échapper à une mère possessive.

Nelson but une longue gorgée de whisky.

— Moins on parle des mères catholiques, mieux c'est.

Nelson n'avait jamais beaucoup parlé de sa propre mère à Lee au fil des années, et il semblait toujours vouloir éviter le sujet.

— Tu penses que ça aura lieu dans quel quartier, la prochaine fois ? demanda Nelson.

— Chuck m'a posé la même question. Je voudrais avoir une réponse à cette question.

Nelson regarda par la fenêtre.

— Comment est-ce qu'on fait, Lee ? Comment est-ce qu'on arrive à traverser toutes les montagnes de souffrance que la vie nous inflige, et à continuer ?

— Je ne sais pas, dit Lee. Certains d'entre nous n'y arrivent pas.

— Oui, mais la plupart d'entre nous y arrivent, c'est le plus incroyable, dit Nelson en se levant de son fauteuil pour faire les cent pas, les mains enfoncées dans ses poches. Tu sais, Karen avait parlé d'en finir, quand l'état de sa maladie a empiré – malgré sa foi. Je lui avais même dit que je l'aiderais. Et pourtant, on a fini par chérir chacun des derniers instants passés ensemble, même quand c'était très dur. Mais c'était différent, n'est-ce pas. Enfin, je veux dire que toute personne ayant une maladie en phase terminale va penser à abréger ses souffrances, même si elle ne passe pas à l'acte, non ?

— Je suis sûr que tout le monde y penserait, à moins que sa foi ne s'y oppose.

Nelson poussa un grognement de mépris.

— La foi ! Un des plus grands mensonges de l'humanité. Tu sais que j'ai encore la croix qu'elle portait ? Sa foi ne l'a jamais quittée, jusqu'au bout. Je pense que je l'enviais, même si je ne la partageais pas.

Le téléphone sonna.

— Allô ? fit Nelson, qui marqua une pause, avant de dire : Qui est-ce ?

Il y eut un autre silence, puis il raccrocha.

— Qui était-ce ? demanda Lee.

— C'était vraiment bizarre, répondit Nelson en secouant la tête. Tout ce que j'ai entendu, c'est une musique.

— Quel genre de musique ?

— C'était une vieille chanson de Roger and Hearts, en fait.

— Quelle chanson ?

— *I'll take Manhattan.*

— Oh, mon Dieu, dit Lee en s'effondrant sur son siège. Il sait que tu travailles sur l'enquête.

— Apparemment.

— Tu es sur liste rouge, hein ?

— Oui.

— Un numéro s'est affiché ?

Nelson jeta un coup d'œil sur le combiné.

— Numéro inconnu. Il appelait sans doute d'une cabine. Nous pouvons localiser l'appel, mais je doute que ça nous donne grand-chose. S'il est intelligent – et visiblement, il l'est – il n'aura pas passé cet appel près de chez lui.

Après quelques instants, Nelson ajouta :

— Bon, au moins on n'a plus besoin de se demander où il va frapper la prochaine fois.

Chapitre 45

Le vent s'empara des branches noires et sèches des arbres, les fit balancer d'avant en arrière dans une sorte de danse folle, un tango annonciateur de mauvais temps.

Elles ne savaient pas que ce qu'elles faisaient était mal, ces filles aux yeux doux aux mains blanches et à la gorge encore plus blanche – de petits agneaux en vérité, d'innocents agneaux blancs au visage confiant et ouvert. Elles lui avaient fait confiance, et pourquoi ne l'auraient-elles pas fait ? Il était là pour les sauver, après tout, pour s'assurer que leur âme monte au ciel, au lieu de rester ici-bas, ce lieu horrible dont sa mère n'arrêtait pas de parler, où les démons se repaissaient de chair et où on vivait dans la damnation éternelle.

Il avança le long de la rivière, marchant sur les pierres en faisant attention de ne pas se mouiller les pieds. Il essaya de faire taire le son de la voix de sa mère qui résonnait dans sa tête, mais en vain.

— *Samuel ! Sam-u-el ! Tu m'écoutes ?* Elles s'en prendront à ta chair, et tu seras damné pour toujours – voué au tourment éternel ! Et tu sais ce qui sera le pire ? Tu ne verras jamais plus Jésus ! Tu seras banni de sa présence. Penses-y, Samuel, tu ne verras plus jamais Jésus, plus jamais tu ne lèveras les yeux sur sa présence divine !

Il y avait pensé. D'un côté, cela aurait été dommage. Et pourtant, cela aurait peut-être été une sorte de soulagement. Les yeux de Jésus étaient si tristes, si tourmentés. Samuel se sentit mal, simplement en regardant la figure sculptée au-dessus du lit de sa mère, dont le sang aux couleurs criardes s'écoulait sur son corps. C'était comme si Jésus suppliait Samuel de l'arracher à son tourment, mais c'était impossible. Il le voulait, mais Jésus était déjà mort – on l'avait déjà tué. Et pourtant, il était là, suspendu au-dessus du lit de sa mère, et ses beaux yeux demandaient grâce – ils l'imploraient lui, Samuel, de lui apporter la délivrance, de le libérer de son agonie.

Samuel ne pouvait rien faire pour Jésus, mais il pouvait aider ces filles. Il pouvait les libérer, leur montrer le chemin du Salut éternel.

Il sourit. Ce qu'il faisait était forcément juste, parce que c'était si bon. Il les délivrait du péché et de la tentation – et du mal, aussi. *Délivrez-nous. Délivrez-nous.* Les mots résonnaient comme un tambour dans sa tête, au même rythme que les battements d'un pouls. Il respira l'air comme un chien de chasse suivant une piste. Le vent soufflait depuis la rivière, chargé de l'odeur de sel et des créatures marines fossilisées.

Pardonnez nos offenses. Le soir même, il se mettrait au travail.

Chapitre 46

Sophia avait envie d'une cigarette. Elle savait qu'elle n'aurait pas dû fumer, mais elle avait désespérément envie d'une cigarette. Elle s'assit derrière son bureau, dans la chambre du dortoir, essayant de se concentrer sur le livre qui était face à elle – *Analyse de films*, de R. L. Rutsky et Jeffrey Geiger.

Sa mère lui avait dit que c'était de la folie de penser qu'elle pourrait gagner sa vie en travaillant sur « ces films d'Hollywood », comme elle les appelait, mais son père avait été rayonnant de fierté quand elle avait été acceptée à l'université de New York, en section cinéma.

— Elle a du talent, Loretta – tu verras, avait-il dit à sa mère en la serrant contre lui. Tu devrais être contente qu'elle reste près de la maison, avait-il ajouté en regardant le jardin de leur maison du Queens. Elle pourra venir dîner avec nous.

Sophia aurait préféré aller étudier ailleurs, mais l'université de New York était une bonne école et elle était reconnaissante d'avoir été acceptée dans la section cinéma.

Maintenant, assise dans sa chambre du dortoir tandis que la plupart de ses camarades de classe dormaient autour d'elle, elle essayait de se concentrer mais les mots se brouillaient devant ses yeux. Tout ce à quoi elle pouvait penser, c'était à quel point elle avait envie d'une cigarette.

Elle finit par céder. Se levant sans bruit pour ne pas déranger sa camarade de chambre qui dormait, elle prit son paquet de Marlboro Light, enfila ses bottes et son manteau, et sortit de la chambre.

La neige silencieuse brillait dans la rue, douce, blanche et immaculée, elle n'avait pas été souillée par la suie des moteurs, ni la pollution de la ville. Mettant une cigarette à la bouche, elle se rendit compte qu'elle avait oublié ses allumettes. Elle frissonna, remonta le col de son manteau et se dirigea dans la neige vers l'épicerie qui était à l'angle de la place de LaGuardia.

La rue était déserte, et les réverbères projetaient des flaques de lumière sur la neige qui tombait faiblement. Les flocons tournoyaient et dansaient dans la lumière. Absorbée par la magie de la nuit, Sophia faillit ne pas voir l'homme qui se tenait dans l'ombre du bâtiment des dortoirs. Lorsqu'il la vit, il avança vers elle.

— Vous voulez du feu ? demanda-t-il d'une voix douce, le visage encore à moitié dans la pénombre.

— Oui, merci.

Ce furent ses tout derniers mots.

Chapitre 47

Quand le téléphone sonna à sept heures du matin, Lee se réveilla instantanément, et la sonnerie stridente le tira du lit. Il décrocha.

— Allô ?

— Lee, c'est Chuck.

— Oh, mon Dieu. Il y en a eu une autre ?

— Oui.

— Où est-ce, cette fois ?

— Dans l'ancienne cathédrale St. Patrick. Tu la connais ?

— Dans Mulberry Street ?

— C'est ça.

L'ancienne cathédrale St. Patrick était un magnifique monument historique situé à l'angle de Mott Street et de Mulberry Street, au carrefour de Chinatown et de Little Italy. Lee n'était jamais entré à l'intérieur, mais il était passé devant un nombre incalculable de fois. Elle était située à quinze minutes à pied de son appartement.

— Je sais où c'est, dit Lee. Merde.

— Je suis en chemin, dit Chuck, mais tu y seras sans doute avant moi.

— Très bien. Des instructions particulières ?

— Non. Je veux juste que tu ne laisses personne approcher avant que j'arrive.

— OK.

Lee enfila des vêtements et en moins de cinq minutes il était déjà dans un taxi. Il fut sur place en moins de dix minutes. Il montra sa carte au flic en uniforme et entra par la porte latérale.

La scène de la cathédrale St. Patrick était tristement familière – le même groupe d'enquêteurs était dispersé dans l'église, c'étaient les mêmes voix feutrées et la même pénombre. Les rayons du soleil levant essayaient peu à peu de filtrer à travers les vitraux circulaires, au fond de l'église.

Lee passa devant les techniciens de la police scientifique, qui commençaient à peine à déballer leur équipement, s'apprêtant à approcher de l'autel pour observer le visage de la dernière victime. Il s'arma de courage pour affronter la vision du corps nu et mutilé, mais jamais il n'aurait pu être préparé à ce qu'il vit.

Là, étendu sur l'autel, se trouvait le torse d'une jeune femme. Sa tête était encore attachée à son corps, mais c'était tout. Ses membres avaient été sectionnés, et n'étaient pas à portée de vue. Sur son torse démembré, étaient gravés les mots *Sur la terre comme au ciel.*

Lee assimila cette information en un terrible instant – puis, s'éloignant, il vomit. Les membres de l'équipe du CSI lui jetèrent un coup d'œil, puis continuèrent de travailler. Ce n'était manifestement pas la première fois qu'ils étaient témoins de ce genre de réaction sur une scène de crime. À peine quelques secondes plus tard, une jeune femme du CSI vint vers lui avec un seau et un chiffon.

Tandis qu'elle nettoyait, Lee s'efforça de regarder la victime. Comme ce à quoi il s'était attendu, elle avait les mêmes cheveux bruns et bouclés que les autres, mais elle avait la peau moins blanche. Elle avait les lèvres pleines, et son corps – ou ce qu'il en restait – ressemblait un peu plus à celui d'une femme que d'une jeune fille. Lee sentit sa tête tourner à nouveau et, ayant peur d'être malade, il se détourna.

— Sophia, dit une voix grave derrière lui. Sophia LoBianca.

Lee se tourna et vit l'inspecteur Florette approcher depuis le fond de l'église. Il ne portait pas sa veste et sa cravate habituelles, mais une chemise blanche, un pantalon froissé et des mocassins cirés. Lee se demanda s'il avait un valet de chambre à plein temps.

— C'est une étudiante de l'université de New York, en section cinéma.

Lee le regarda, interdit.

— Où avez-vous été pêcher tout ça ?

Florette désigna d'un geste un jeune homme en col d'ecclésiastique, assis sur un des bancs de l'église.

— Père Joseph. Il la connaît parce qu'elle chante dans la chorale de l'église.

Florette baissa les yeux sur Sophia et secoua la tête.

— Sale boulot. Qu'est-ce que vous en pensez ?

Lee serra les dents, déterminé à ne pas se remettre à vomir devant l'élégant inspecteur.

— J'en saurai plus quand on aura retrouvé le reste du corps.

Florette lui posa une main sur l'épaule.

— Venez avec moi.

Sentant l'appréhension lui nouer l'estomac, Lee suivit l'inspecteur au fond de l'église. Là, sous un vitrail représentant la Mort terrifiant un groupe de gens, il vit une jambe. Il regarda autour, à la recherche de traînées de sang, mais il n'y en avait pas. Cela voulait dire que soit le Découpeur avait fait le ménage, soit elle avait déjà arrêté de saigner au moment où il l'avait découpée, ce qui indiquerait qu'elle était déjà morte depuis longtemps – Dieu merci. Il prit une profonde inspiration et regarda Florette.

— Ça n'est pas tout, dit-il avant de conduire Lee de l'autre côté de l'église où, sur les marches du sous-sol, ils avaient trouvé une autre jambe, puis un bras, et enfin sous une statue représentant Marie enlaçant Jésus, l'autre bras.

Florette laissa à Lee quelques instants pour digérer ce qu'il venait de voir, puis il demanda :

— Est-ce que ça a une signification ? Je veux dire... l'emplacement.

— Je pense que oui. Cela a sans doute un sens religieux, mais je ne suis pas en mesure de l'interpréter pour l'instant.

Il regretta que Nelson ne soit pas là – il aurait su comment interpréter tout cela. Il n'était plus pratiquant, mais il avait absorbé tout le symbolisme et l'histoire de la religion catholique.

Lee regarda en direction du prêtre, toujours recroquevillé sur son banc.

— Peut-il rester un moment dans les environs ?

— Je vais le lui demander, répondit Florette, avant de se diriger vers le prêtre.

Chuck arriva peu après. Quand il vit ce que le Découpeur avait fait à la pauvre Sophia, son visage devint rouge de rage.

— Nom de Dieu. Quel salaud, dit-il les dents serrées, même si l'épithète ne semblait pas assez forte.

Lee et Florette lui apprirent ce qu'ils savaient. Nelson ne répondait pas au téléphone, et l'inspecteur Butts était chez la famille de sa femme, quelque part dans le New Jersey. À ce stade, ils ne pouvaient pas faire grand-chose de plus. L'équipe du CSI avait la situation en main, comme d'habitude, et après avoir interrogé le prêtre à nouveau, tout ce qu'ils purent faire, c'était de regarder la pauvre Sophia être mise dans une housse mortuaire, morceau par morceau, et emmenée au bureau du légiste. Lee remarqua une odeur dans l'air, quelque chose qu'il ne réussit pas à identifier. Une odeur douce, qui resta imprégnée dans ses narines même après qu'il eut quitté l'église. Cela lui sembla quelque peu familier, mais peut-être n'était-ce que la réminiscence de toutes les années passées à brûler de l'encens.

Au moment de partir, il repensa au meurtre précédent, et prit un des techniciens du CSI à part, un jeune homme couvert d'acné avec une frange blonde coupée avec soin.

— Faites des tests pour une éventuelle présence de sang dans le vin de messe, lui ordonna Lee.

Le technicien le regarda, déconcerté.

— Mais pourquoi y aurait-il…

— Faites-le, OK ? dit Lee.

— Bon sang, fit Chuck tandis qu'ils étaient sur les marches de l'église, regardant le camion bleu du légiste s'éloigner. Il faut qu'on attrape ce salaud. (Il jeta un coup d'œil à sa montre.) J'ai une réunion dans une demi-heure, retrouvons-nous cet après-midi dans mon bureau.

Lee rentra chez lui et prit une douche, puis il appela Nelson, mais il ne répondait toujours pas au téléphone.

Cet après-midi-là dans le bureau de Chuck, aucun d'eux ne semblait reposé, ayant tous été réveillés par l'alerte donnée à l'aube. Butts avait aussitôt pris la route pour rentrer à New York, et paraissait tout aussi épuisé que le reste d'entre eux. Nelson était toujours injoignable, ils commencèrent donc sans lui.

— A-t-on des nouvelles du New Jersey ? demanda Chuck à Lee en s'asseyant derrière son bureau.

— J'ai parlé aux policiers d'état de Somerville ce matin. Ils ont passé la voiture au peigne fin, mais les seules empreintes qu'ils ont trouvées étaient celles du médecin et de sa famille. La seule chose qu'ils ont, ce sont les empreintes de pas dans la neige.

Chuck grimaça.

— Sans suspect, elles ne nous servent à rien.

— De quoi parlez-vous ? demanda Butts.

Chuck les informa, lui et Florette, de la course poursuite dans laquelle Lee avait été entraîné.

— Nous pensons qu'il y a peut-être un lien, ajouta-t-il.

Fronçant les sourcils, Florette pencha la tête sur le côté.

— D'après le profil que vous avez établi, ça ne ressemble pas du tout à ce type.

— Je sais, convint Lee. C'est bien ça qui est inquiétant.

Le visage de Butts prit une expression inquiète.

— Pensez-vous que… Je veux dire, peut-être que vous devriez…

— Écoutez, on parlera de ça plus tard, l'interrompit Lee. Pour l'instant, occupons-nous de ce que nous savons, OK ?

— Bon, dit Chuck. Que penses-tu de ce nouveau coup de théâtre ?

Lee fronça les sourcils. Il aurait voulu que Nelson soit là pour l'aider.

— Je suppose que l'emplacement des différentes parties du corps a une signification, mais je ne suis pas assez calé sur le sujet pour l'expliquer. Je pense qu'il…

— Prend de l'assurance, dit Florette à sa place.

— Oui, c'est exact – mais il est également possible qu'il soit en train de perdre les pédales. Certains tueurs en série craquent au bout d'un moment. La pression d'être poursuivis les atteint de plein fouet, et ils commencent à se relâcher et à se montrer imprudents. Bundy a complètement craqué à la fin, massacrant toute une maisonnée d'infirmières et laissant derrière lui toutes sortes de preuves, y compris un témoin oculaire qui a survécu. Et Gacy a commencé à s'effondrer après avoir été poursuivi par la police pendant une semaine.

— Alors, c'est positif, hein ? demanda Butts.

— Pas nécessairement. Ça le rend également plus dangereux et imprévisible.

— Et maintenant, que fait-on ? lança Chuck.

— Eh bien, répondit Lee, il ne nous reste plus qu'à espérer qu'il soit en train de devenir trop sûr de lui.

— Péché d'orgueil entraîne la chute, murmura Florette.

— Quelque chose comme ça, acquiesça Lee, avant de regarder par la fenêtre le ciel sans soleil.

Tandis qu'il marchait du métro à son appartement, le portable de Lee sonna. L'écran de son téléphone indiquait « Fiona ». C'était bizarre, elle détestait les téléphones portables, et ne l'appelait jamais sur le sien.

— Allô ?

— Lee ?

Sa mère semblait bouleversée, et elle avait la voix tremblante.

— Qu'est-ce qui ne va pas ?

— C'est Groucho. Il est…

Sa voix se brisa, et il entendit un sanglot étouffé.

— Que s'est-il passé ?

— Je ne sais pas. Je n'ai pas réussi à le trouver hier soir, et aujourd'hui, je l'ai trouvé sous le saule. (Après un nouveau sanglot étouffé, elle se reprit.) Je ne sais pas si je me fais des idées, mais je pense qu'il a été empoisonné.

— Demande à Stan de l'emmener chez le véto pour une autopsie.

— Est-ce que tu me trouves ridicule ? Je sais que ce n'est qu'un chat, mais…

— Non, tu n'es pas ridicule ! Comment Kylie l'a-t-elle pris ?

— Elle est bouleversée. Elle est avec son père aujourd'hui.

— Très bien. Maintenant, écoute-moi bien. Tu appelles Stan et tu lui demandes d'emmener Groucho chez le véto pour une autopsie. Et tu me tiens au courant des résultats, OK ? Ensuite, tu vas immédiatement chez George et tu y restes.

— Mais…

— S'il te plaît ! Fais ce que je te dis, nom de Dieu !

— Très bien, répondit-elle docilement.

— Je t'appellerai dans une heure pour voir si tout s'est bien passé. Et bon sang, dis à l'escorte de police où tu vas au cas où ils te perdraient de vue, entendu ?

— Oui, mon chéri. Est-ce que tu penses… ?

— Je n'en sais rien. Mais s'il te plaît, ne prends aucun risque.

— D'accord ? Tout ira bien. Stan est ici, avec moi.

— Très bien. Dis-lui de rester près de toi.

Plus les membres de sa famille seraient entourés, plus ils seraient en sécurité.

I'll take Manhattan.

Le Découpeur, qui qu'il soit, ne faisait pas de menaces en l'air.

Chapitre 48

Les résultats de l'autopsie transmis par le véto du New Jersey confirmèrent les soupçons de Lee. Le chat avait bien été empoisonné – de l'arsenic, mélangé à du thon. « Pauvre Groucho. Il était incapable de résister au thon », lui avait dit sa mère au téléphone. Il n'y avait aucun moyen de savoir qui avait fait ça, bien sûr – mais Lee n'avait pas beaucoup de doutes sur la question. Il demanda à Fiona de rester chez George et de ne pas sortir de la maison sans être escortée d'un policier.

La réunion qui eut lieu le jour suivant dans le bureau de Chuck lui donna la sensation qu'ils tâtonnaient dans le noir. Il ne semblait y avoir aucun moyen d'arrêter le Découpeur – en fait, il paraissait avoir trouvé son rythme de croisière. Chuck envoya un avis à tous les policiers responsables de la zone de Manhattan leur indiquant de se tenir en alerte, mais aucun d'eux ne pensa que cela aurait le moindre effet. Le niveau d'alerte était déjà élevé à travers toute la ville depuis l'attaque du World Trade Center.

Bien après la tombée de la nuit, Chuck les congédia. Le maire avait organisé une conférence de presse et Chuck devait le rencontrer le soir même pour le tenir informé de l'évolution de leurs recherches – ou plus précisément, de l'absence d'évolution.

Tandis que tout le monde partait, Chuck fit un signe à Lee.

— Tu as une minute ?

— Bien sûr. Qu'y a-t-il ?

Chuck baissa les yeux.

— Je m'inquiète pour toi.

— Écoute, Chuck, je…

— Non, s'il te plaît… écoute ce que j'ai à te dire, OK ? J'étais éventuellement prêt à croire que l'attaque dont tu as été victime dans le métro n'était peut-être pas liée à cette affaire, mais après l'incident du New Jersey… J'ai bien réfléchi à tout ça, et on doit se rendre à l'évidence, Lee – il est après toi maintenant.

— Mais pourquoi moi en particulier ?

— C'est la question que je me suis posée, et je n'ai pas trouvé de réponse. Mais ça devient dangereux pour toi. Je voudrais que tu…

— Je sais ce que tu vas dire. Maintenant, laisse-moi te préciser une chose. J'ai besoin de cette affaire, OK ? Si on le laisse gagner, je ne m'en remettrai jamais. En plus, on n'est pas sûrs que celui qui est après moi soit réellement le Découpeur.

Chuck croisa les bras.

— Non, on n'en est pas sûrs. Mais d'après toi, quelles sont les chances ?

— Je ne sais pas – tout comme je ne sais pas comment il connaît les détails concernant la disparition de ma sœur, ni même s'il les connaît. Mais c'est à moi de le découvrir. Tu le comprends, n'est-ce pas ?

Chuck baissa les yeux à nouveau.

— Bon sang, Lee, réfléchis, nom de Dieu ! Le coup de feu, le SMS, le…

— Écoute, laisse-moi juste deux jours de plus, OK ? dit Lee. Je t'en supplie.

Chuck se mordit la lèvre inférieure, et regarda par la fenêtre, la ville plongée dans la nuit.

— OK, dit-il. Merde, même à l'université, tu arrivais toujours à tes fins. Je te laisse sur l'affaire, mais bon sang, Lee, fais attention, OK ?

— Je te le promets.

Ce qu'aucun d'eux ne dit, c'était que toute la vigilance du monde ne pourrait empêcher le Découpeur de passer à l'acte.

Lee rentra chez lui et joua du piano pendant deux heures d'affilée. Il passa la première heure à massacrer une partita de Bach sur laquelle il travaillait. C'était vraiment difficile, et le plus irritant, c'était qu'il imaginait Bach jouant le fichu morceau sans la moindre préparation.

— Putain de génie, marmonna-t-il, aux prises avec une modulation épineuse.

Mais quel que soit le morceau qu'il jouait, la même chanson venait s'interposer, s'immisçant dans son esprit. *I'll take Manhattan...*

Il fit du café et but jusqu'à en avoir mal aux dents, tout en relisant son dossier. Après plusieurs heures, il dut arrêter, mais comme il avait ingurgité trop de caféine pour pouvoir dormir, il alluma la radio. Il y avait un opéra de Verdi et il n'était pas d'humeur à écouter des voix de ténors tremblantes et de sopranos au bord de la crise de nerfs, il alluma donc la télévision.

Il regarda *Hantise* de Cukor pendant un moment, mais Charles Boyer dans le rôle du mari sadique et du tyran domestique l'irrita. Si seulement les méchants s'annonçaient toujours ainsi, pensa-t-il. Si seulement leurs mauvaises intentions étaient affichées de façon aussi évidente... Il avait envie de secouer Ingrid Bergman, aussi belle fût-elle, et de lui crier de se réveiller et de prendre conscience de ce qui se passait.

— Alors, tu projettes tes problèmes sur ce vieux film, Campbell ? se marmonna-t-il à lui-même en changeant de chaîne.

Tout était toujours plus facile vu de l'extérieur, non ? Tout était plus évident – on remarquait les névroses des gens, les tendances destructrices, l'aveuglement. Il était beaucoup plus difficile de repérer ses propres travers. Médecin, guéris-toi toi-même...Tu parles !

Il n'y avait rien d'autre à la télévision, alors vers deux heures du matin, il s'assit devant son ordinateur et se connecta à Internet. À l'instant où il tapa son mot de passe, un message apparut sur son écran. Lee sentit sa gorge se serrer en voyant le nom qui s'affichait. **Saint Homme**.

— **Salut. Que se passe-t-il ? On n'arrive pas à dormir ?**

Lee prit une profonde inspiration et tapa la réponse.

— J'aime me coucher tard. Et vous ?

— **Je suis ce que les gens appellent un oiseau de nuit, je suppose. Encore une chose que nous avons en commun.**

— Est-ce que je vous connais ?

— **Non, mais moi je vous connais.**

— Dites-moi, qu'avons-nous d'autre en commun ?

— **Nous avons tous deux une fascination pour la mort.**

— Je ne m'en étais pas rendu compte.

— **Pourtant, ça crève les yeux.**

— Vous avez peut-être raison.

Amadoue-le, pensa Lee. *Essaie de le faire parler.*

— **La seule différence, c'est que j'ai tenu le pouvoir de vie et de mort entre mes mains, contrairement à vous.**

— Vraiment ? Que voulez-vous dire ?

— **Vous savez ce que je veux dire.**

— OK.

— **Alors, où en êtes-vous ?**

— De quoi parlez-vous ?

— **De l'enquête, bien sûr. Quel dommage pour le chat !**

Lee se sentit envahi par la colère, lui nouant l'estomac. *Il était donc bien derrière la mort de Groucho.* Il décida de ne pas lui donner la satisfaction d'une réponse.

— Comment avez-vous trouvé mon adresse e-mail ?

— **Oh, je vous en prie ! Posez-moi une question plus difficile – comme : Comment ai-je réussi à enlever une étudiante sur un campus bondé ?**

— Pourquoi avez-vous fait cela à Sophia ?

— **Si vous étiez un catholique digne de ce nom, vous le sauriez.**

— Je sais ce que vous leur avez pris. Pourquoi leur avoir pris cela ?

Il y eut un temps d'arrêt, puis la réponse vint.

— **Vous me décevez.**

— Vous m'en voyez désolé.

— **Vous n'avez aucune idée de ce qu'on ressent lorsqu'on tient la vie d'une autre personne entre ses mains.**

— Dites-le-moi.

— **Vous pensez que cela vous donnera la pièce du puzzle qui vous manque pour pouvoir m'attraper ?**

— Pas vraiment. Je suis simplement curieux.

— **C'est la curiosité qui a tué le chat.**

— Je prends le risque.

— **Comme votre sœur ? Avait-elle pris un risque ?**

Lee se cala dans son fauteuil. Cet homme essayait de le piéger – mais il ne lui avait rien dit d'important, excepté qu'il avait fait des recherches sur la famille de Lee. Il compta jusqu'à dix, et tapa sur son clavier.

— Pourquoi faites-vous cela ?

— **Il me dit de le faire.**

— Cela devient-il plus facile, ou plus difficile ?

— **Plus facile. Beaucoup plus facile. La première fois était la plus difficile.**

— Ne ressentez-vous pas de peine pour ces femmes ?

— **Non. Je pense seulement à l'endroit où elles vont. Je les envoie à Dieu – loin de ce monde de pécheurs. C'est un grand privilège, en réalité.**

— Mais tuer est interdit par la Bible.

— **Je suis le serviteur de Dieu. C'est lui qui me dicte de les tuer.**

Lee se demanda s'il simulait. Disait-il cela pour plaider l'aliénation mentale par la suite ? *J'entends la voix de Dieu qui m'ordonne de tuer, Votre Honneur.* David Berkowitz – alias le Fils de Sam – avait essayé cette ligne de défense, en prétendant que ses pulsions meurtrières lui avaient été dictées par le rottweiler de sa voisine, mais le jury n'avait pas gobé son histoire. Plus tard, il avait confessé que l'idée de la voix du chien lui était venue après le deuxième meurtre. Berkowitz était extrêmement intelligent, tout comme ce type.

Lee décida d'entrer dans son jeu, dans l'espoir d'obtenir des informations.

— Comment êtes-vous au courant pour ma sœur ?

— **C'était dans tous les journaux.**

— Pas le détail à propos de la robe.

— **Oh, ça.**

— Comment avez-vous découvert cela ?

— **Un objet appartient à celui qui le trouve.**

Lee se demanda s'il avait quelque chose à voir avec le mort de Laura. Il en doutait – même si Laura correspondait au profil de ses victimes, cela faisait plus de cinq ans qu'elle avait disparu. Il n'aurait pas attendu cinq ans entre les deux crimes, à moins bien sûr, qu'il n'ait été en prison pour un autre délit. Mais quel genre de délit ? Ce n'était certainement pas un criminel de droit commun. Il essaya une tactique faisant appel au sentiment d'isolement de l'homme.

— Je vous comprends, vous savez.

— **Personne ne me comprend.**

— Si, je vous jure que je sais ce que vous ressentez.

— **Si vous le saviez, vous sauriez ce que je m'apprête à faire.**

— Je le sais.

— **Vous croyez vraiment que c'est ainsi que je vais vous le dire ?**

— Je n'ai pas besoin que vous me le disiez.

— **Psychologie inversée – c'est si pathétique.**

— Vous semblez en connaître un rayon en matière de psychologie.

— **Je sais tout ce que j'ai besoin de savoir.**

— Vraiment ? C'est-à-dire ?

— **Je frapperai plus près de la maison la prochaine fois.**

— Qu'est-ce que c'est censé vouloir dire ?

— **À vous de le découvrir. C'est vous qui avez le diplôme.**

— Nous sommes très semblables, vous et moi, vous ne trouvez pas ?

— **Bien essayé. À plus tard.**

La boîte de dialogue indiqua : « Saint Homme s'est déconnecté. »

Lee se mordit les lèvres et regarda fixement l'écran.

Je frapperai plus près de la maison la prochaine fois.

Chapitre 49

Le maire était debout sur la tribune, le soleil se reflétant sur la partie dégarnie de son crâne. Les différentes équipes de télévision se bousculaient pour avoir le meilleur angle, les plans les plus rapprochés. Les spectateurs tendaient le cou et se mettaient sur la pointe des pieds pour avoir un meilleur point de vue. Chuck Morton se tenait derrière le maire, à sa gauche, à côté du procureur de Manhattan et du commissaire divisionnaire. Dans la rue, la présence policière était intense. Il y avait des patrouilles à chaque carrefour, ainsi que quelques militaires de la Garde nationale qui sillonnaient la rue dans leur uniforme.

Il y avait une atmosphère étrangement festive dans l'air. Des marchands de glaces poussaient leur chariot dans Park Row, des hommes vendant des ballons gonflés à l'hélium aux couleurs vives avançaient au milieu de la foule, et il y avait des marchands de bretzels et de hot-dogs à chaque coin de rue, et leurs affaires marchaient bien.

Après un mois de février froid et sombre, la température avait remonté et il faisait presque seize degrés. Lee sentit l'odeur de l'huile de noix de coco, lui évoquant le souvenir incongru de ses dernières vacances sur une plage. Butts et lui se tenaient à la lisière de la foule, près du portail en fer forgé qui menait au parc.

Lee ne put s'empêcher de penser aux scènes de pendaisons publiques, à la foule qui entourait la guillotine... Il se dit que la plupart des gens ne pensaient sans doute pas que le Découpeur représentait un danger, et qu'ils étaient simplement attirés par l'événement en soi. Depuis le 11 septembre, les gens semblaient avoir davantage tendance à se réunir dans des lieux publics, comme si le fait qu'ils soient nombreux était un gage de sécurité.

— Qu'en dites-vous ? dit Butts en mangeant un bretzel. Ce type va nous raconter un tas de conneries ?

— Eh bien, dit Lee, je suppose qu'on ne va pas tarder à le savoir.

Le maire leva les bras, et le bourdonnement de la foule se calma. Il regarda les rangées de visages pleins d'attente, inclinés vers le haut, impatients de l'entendre réciter les mots magiques, les paroles de réconfort qui, une fois de plus, transformeraient le chaos en ordre. La foule se fit silencieuse, et Lee entendit le vent se lever sur Manhattan.

Une rafale de vent souleva une mince touffe de cheveux du maire. Il la remit en place d'un geste, puis sembla oublier le vent qui soufflait dans ses rares cheveux, entraînant derrière lui l'odeur âcre de la fumée qui s'échappait encore des ruines, quelques rues plus bas. Le maire se pencha au-dessus du micro, qu'il tapota quelques fois. On entendit un bourdonnement, suivi d'un silence. Le maire s'éclaircit la voix, et la foule s'approcha pour entendre ce qu'il avait à dire.

— Mes chers concitoyens, commença-t-il en ajustant son micro. Nous venons de traverser une des périodes les plus difficiles de l'histoire de notre ville. Les événements que nous venons de traverser il y a cinq mois ont prouvé que New York est bien la plus extraordinaire ville du monde.

Il marqua une pause, laissant place à la vague d'applaudissements qui s'élevait de la foule, puis il reprit :

— À présent, une fois encore, nous sommes mis à l'épreuve par une autre sorte de terrorisme – il s'agit cette fois des actes violents d'un individu isolé, d'un dérangé. Mais cette grande ville a survécu à la pire attaque ayant eu lieu sur le sol américain, et nous n'allons pas nous laisser intimider par les agissements malfaisants d'un seul individu psychotique !

Il y eut une nouvelle pause pour laisser place aux applaudissements. Le maire ôta une minuscule mèche de cheveux de son front et la remit sur le sommet de son crâne. Il savait où marquer les pauses destinées aux applaudissements dans son discours, et son audience ne le déçut pas – il y eut de longs et forts applaudissements, entrecoupés de quelques acclamations et sifflets.

— C'est pourquoi, continua-t-il, je crée un détachement spécial pour superviser l'arrestation de l'homme plus connu sous le nom de Découpeur.

De nouveaux applaudissements. Lee regarda Chuck, qui se tenait derrière le maire, et son visage habituellement impassible était sombre. Il se dandina d'un pied sur l'autre, toussa et détourna les yeux. *Il n'apprécie pas cette mascarade*, pensa Lee. Il était clair que son ami n'aimait pas le maire. Il se demanda si l'élu le savait. Si c'était le cas, il était trop professionnel pour le montrer.

Après avoir présenté tout le monde, il fit un pas en arrière et tapa Chuck sur l'épaule. Lee vit Morton se raidir en réaction à ce geste. Il réussit à esquisser un sourire glacial, mais Lee ne fut pas dupe. Le maire sembla cependant ne pas le remarquer, et Lee en conclut qu'il n'était pas arrivé là où il était en prêtant attention au moindre affront. Comme la plupart des politiciens qui avaient réussi, il savait contrôler ses émotions en public. Il réussit à paraître à la fois sérieux et optimiste.

— Je suis persuadé que le commissaire Morton, qui est à la tête de cette unité spéciale d'élite, réussira à capturer cet odieux criminel.

— Unité spéciale d'élite ! marmonna Butts à voix basse. Quand je vais dire ça à ma femme…

— Qu'est-ce que cela veut dire pour ce qui nous concerne ? demanda plus tard Lee à Chuck tandis qu'ils rentraient tous les trois, passant devant les commerçants chinois qui empilaient des cageots en bois et des sacs-poubelle dans Mott Street.

— Pas grand-chose. Davantage de paperasse, sans parler du fait que j'ai maintenant le maire sur le dos, mais c'est surtout un geste politique. Il ne veut pas que le FBI s'en mêle, alors il fait son petit numéro pour marquer son territoire.

— Est-ce qu'ils font venir du sang neuf sur l'enquête ? demanda Butts.

— Pas si je peux les en empêcher, répondit Chuck. Vous savez comment c'est quand ils débarquent – tout à coup, cela devient leur enquête. La dernière chose que je veux, c'est de me retrouver au milieu d'une guerre de territoires.

— Une guerre qu'on serait sûrs de perdre, fit remarquer Lee.

— Tu n'as pas tort. Ils dirigeraient les opérations, en arrivant avec tout leur argent et leurs berlines de luxe, et on serait réduits au rang de simples spectateurs.

— C'est toujours les mêmes histoires, tout est toujours politique, marmonna Butts.

— Je pense que je vais laisser cet aspect au maire, dit Chuck.

— J'espère juste qu'il se comportera bien vis-à-vis de nous, dit Lee.

— Et moi, ce que je voudrais savoir, c'est où est passé Nelson, nom de Dieu ? fulmina Chuck. Est-ce qu'il fait ça souvent ? demanda-t-il à Lee. Je veux dire, de disparaître, comme ça.

— Depuis la mort de sa femme, il est devenu assez imprévisible, répondit Lee.

— Eh bien, le moment est mal choisi pour aller prendre une cuite, si c'est ce qu'il fait.

Lee regarda par-dessus son épaule, le mince rai de soleil entre deux immeubles. Il avait peur que quelque chose soit arrivé à Nelson, mais il ne voulait pas dire cela à Chuck, qui avait assez de soucis pour l'instant. Cependant, il savait qu'il devait informer Morton de ce qui s'était passé la veille.

— Le tueur m'a contacté la nuit dernière – ou du moins je pense que c'était lui, dit-il.

Chuck s'arrêta de marcher.

— Quoi ? Comment est-ce arrivé ?

Lee parla à Chuck et Butts des messages de la nuit précédente, y compris de la menace de « frapper plus près de la maison ».

— Je me demande ce qu'il a voulu dire par là ? dit Butts d'un air songeur.

— C'est ce que j'ai essayé de comprendre. Peut-être voulait-il dire plus près de moi ?

— Mais il vient juste de s'attaquer à Manhattan, observa Butts.

— Ou peut-être parlait-il de chez *lui*, suggéra Chuck.

— Mais ça n'aurait pas beaucoup de sens si on se fie au schéma auquel correspondent la plupart des tueurs en série. Sa première victime serait celle qui est la plus proche de là où il vit. En plus, le message m'était adressé.

— Nom d'un chien, lâcha Butts en secouant la tête.

— Est-ce qu'on peut arriver à le localiser à partir des messages, d'après toi ? demanda Lee à Chuck.

— Je vais voir ça avec les types de la Division de la criminalité informatique, mais je pense qu'il peut brouiller les pistes, s'il est malin.

— En plus, on n'est pas sûrs que ce soit lui, dit Butts. On a peut-être affaire à un copycat.

— C'est vrai, admit Lee, mais au fond de lui, il n'y croyait pas une seconde.

— Je vais t'envoyer les types de la Criminalité informatique pour qu'ils jettent un œil à ton ordinateur et voir s'ils peuvent remonter jusqu'à lui, dit Chuck.

— As-tu reçu les résultats des tests effectués sur le vin de messe ? demanda Lee.

— Ouais, dit Chuck. J'ai eu le rapport ce matin. Rien, nada.

— Pas de trace de sang ?

— Et pas beaucoup de vin non plus. C'était du zinfandel bien dilué, d'après le labo.

Lee n'arrivait pas à décider si le Découpeur essayait de les envoyer sur de mauvaises pistes, ou s'il devenait juste plus désorganisé, comme le démembrement de la pauvre Sophia pouvait le laisser suggérer.

— Et votre contact, celui qui vous a mis en relation avec ce SDF, vous avez eu des nouvelles récemment ? demanda Butts.

— Non, il semble avoir disparu de la circulation.

En vérité, Lee était inquiet à propos d'Eddie. Il était inhabituel qu'il ne donne pas de ses nouvelles pendant si longtemps. Mais lorsque Lee rentra à son appartement, il y avait un message d'Eddie sur son répondeur.

— Salut, boss. J'ai une bonne nouvelle ! Je tiens peut-être une vraie piste. Je te rappelle. À plus tard.

Lee aurait préféré qu'Eddie l'appelle sur son téléphone portable, mais Eddie détestait les portables. Il n'aimait pas les répondeurs non plus, et ne laissait des messages qu'à contrecœur.

Soulagé qu'Eddie aille bien, Lee s'assit au piano et s'échauffa avec quelques standards de jazz avant d'attaquer une nouvelle sonate d'Haydn. De la main gauche, il fit une série d'octaves et d'arpèges, et eut bientôt mal à la main à cause des étirements prolongés. Après environ une demi-heure, il fit une pause et se servit une bière. C'était une Rolling Rock, achetée en souvenir d'une de ses tantes préférées qui en avait toujours quelques-unes au frigo pour lui.

Debout devant le bar de la cuisine, il regarda par la fenêtre, de l'autre côté de la cour, les fenêtres éclairées de l'immeuble voisin. Un couple d'âge moyen était assis à table, dans leur cuisine, en train de dîner. L'homme baissa la tête et dit quelque chose à la femme, qui rejeta la tête en arrière et se mit à rire.

La prochaine fois, je frapperai plus près de la maison.

Qu'est-ce que ça voulait dire, bon sang ? *Plus près de la maison…* La maison de qui ?

Il but une gorgée et sentit le liquide froid couler le long de sa gorge.

Plus près de la maison…

Soudain, il comprit. Plus près de la maison voulait bien dire la maison de Lee, mais pas à Manhattan – c'était sa famille qui était en danger ! Il pesta contre lui-même de ne pas avoir compris plus tôt.

Il prit le téléphone et composa le numéro de sa mère. Elle répondit à la troisième sonnerie.

— Allô ? dit-elle d'une voix irritée et somnolente.

Elle s'endormait souvent en regardant les informations télévisées locales, même si elle ne l'aurait jamais admis.

— Salut maman, c'est moi.

— Oh, bonsoir mon chéri. N'est-il pas un peu tard pour appeler ?

Lee jeta un coup d'œil à la pendule en céramique au-dessus de la cuisinière, un cadeau de Fiona ramené d'un de ses nombreux voyages au Mexique. Elle était en forme de soleil dans des couleurs primaires, avec un masque de style maya au centre. Il était dix heures douze.

— Il n'est pas si tard, maman. Il est à peine plus de dix heures.

— Bien, dit-elle. Est-ce que ça ne peut pas attendre jusqu'à demain ? Je suis debout depuis six heures.

Ça lui ressemblait tellement – comme il l'avait surprise en plein sommeil, il fallait qu'elle sauve la face en lui disant qu'elle s'était levée aux aurores.

— Non, ça ne peut pas attendre. Est-ce que Kylie est chez son père ?

— Bien sûr. Il est passé la chercher à la fin de son service, à huit heures.

— Et pourquoi n'es-tu pas là-bas avec eux ? Je pensais t'avoir dit…

— Ne t'inquiète pas, dit-elle. Stan est avec moi.

— Est-ce qu'ils sont bien rentrés ?

— Que veux-tu dire ?

George Callahan vivait à environ quinze minutes de chez Fiona, à Lambertville, une ville proche située sur les rives du fleuve Delaware.

— Je veux dire, est-ce qu'ils sont bien rentrés ?

— Je n'en sais rien. Je suppose que oui. Pourquoi poses-tu cette question ? Que se passe-t-il ?

Lee se demanda jusqu'à quel point il devait lui dire la vérité.

— Je voulais juste m'assurer que Kylie va bien.

— Pourquoi est-ce que ça n'irait pas ?

Il entendit le doute poindre dans sa voix.

— Maman, est-ce que tu veux me rendre un service ?

— Quoi ?

— Est-ce que tu peux t'assurer que ton alarme est branchée ?

Après la disparition de Laura, Lee avait acheté à sa mère un système d'alarme assez élaboré, mais elle s'en servait rarement.

— Pourquoi ?

— Est-ce que tu peux faire ça pour moi, s'il te plaît ?

— Stan l'a déjà mise en marche. J'aimerais bien que tu me dises ce qui se passe.

— Écoute, fais-le, OK ? S'il te plaît. Je t'expliquerai plus tard.

Il l'entendit émettre un petit soupir de désapprobation.

— OK. Tu sais que ces policiers nous surveillent toujours en permanence, n'est-ce pas ?

— Je te rappellerai demain, et on parlera de tout ça, OK ?

Il était impatient d'appeler chez George pour voir si tout allait bien sur place.

Il entendit un autre soupir à l'autre bout du fil.

— Très bien. Mais j'aimerais bien que tu ne sois pas tout le temps aussi mystérieux.

— Écoute, je suis désolé. Je te rappelle demain. Bonne nuit. À demain.

Il raccrocha et appela aussitôt George Callahan. George répondit à la première sonnerie.

— Allô ?

Il semblait gai – il en était sans doute à sa troisième bière. George n'était pas un gros buveur, mais il aimait s'en jeter quelques-uns après une semaine chargée à l'hôpital, où il faisait souvent deux permanences d'affilée.

— Salut George, c'est Lee.

— Salut, mec. Comment ça va ?

— Ça va. Heu… Je me demandais comment vous alliez ?

— Tu veux parler de Bunny et moi ?

George appelait sa fille Bunny, et ce depuis qu'elle était bébé. Lee ne savait plus comment ça avait commencé – cela avait quelque chose à voir avec un pyjama que Laura avait offert à Kylie pour son premier anniversaire, le même genre de pyjamas que Laura portait au même âge.

— On va très bien. Je te la passerais bien, mais elle est couchée. Elle a école demain, tu sais.

— Oui, bien sûr. Mais elle va bien ?

— Oui. Hé, écoute, ne t'en fais pas. Les flics ont toujours un œil sur nous.

— Bien. Est-ce que le système d'alarme est branché ?

— Oui, bien sûr. Tu as du nouveau sur ton affaire ?

— Non, pas encore, mais on y travaille.

— Tu l'auras. J'en suis sûr. Hé, pourquoi ne viendrais-tu pas manger à la maison un de ces jours ? dit George.

Il aimait recevoir, et il adorait faire cuire des steaks au barbecue.

— Ça serait super.

— Très bien. C'est décidé, alors.

— Entendu.

Lee n'avait aucune intention de lui dire toute la vérité, pas plus qu'à sa mère.

— OK, mon pote. À bientôt, alors.

Lee entendit le son de la voix d'un commentateur sportif en fond sonore, et il en déduisit que George voulait raccrocher pour pouvoir regarder les actualités sportives.

— OK, à bientôt, dit Lee.

— Je dirai à Bunny que tu as appelé.

— Super, merci. Salut.

Lee raccrocha et resta planté devant la collection de photos décolorées de sa sœur qui étaient sur le réfrigérateur. Sur l'une d'elles, le soleil faisait ressortir les reflets cuivrés de ses cheveux bruns – encore un témoignage de l'héritage celte des Campbell. Elle affichait un large sourire, et tenait un chiot dans ses bras, un cadeau de George Callahan. Après la disparition de Laura, George avait donné le chien. Même s'il n'en avait jamais rien dit, Lee pensa qu'il ne supportait pas le rappel quotidien de son absence. Il savait que depuis la disparition de Laura, George surveillait sa fille de près – en tant que médecin urgentiste, il savait de quoi les gens étaient capables.

Lee retourna dans le salon, où était le piano, qui l'attendait. Mais il était presque onze heures – un peu trop tard pour jouer sans déranger les voisins. Il passa doucement les doigts sur la portée, regardant les pages de la partita de Bach qui étaient ouvertes face à lui. Demain, il consacrerait un peu de temps à Bach.

De retour dans la cuisine, il regarda par la fenêtre le couple d'en face en train de dîner. Ils avaient fini à présent et faisaient la vaisselle ensemble. La femme était debout devant l'évier, lavant les plats, et l'homme vint derrière elle et passa les bras autour de sa taille, serrant son corps contre le sien. C'était un geste simple, mais il exprimait à la fois la protection et la possession. Que se passait-il, pensa Lee, quand la protection s'effaçait, et qu'il ne restait que la possession ? Il ferma le store en bambou et sortit de la pièce.

Quelque part dans la nuit, il y avait un homme qui n'avait qu'une chose en tête – faire le mal. La phrase défila dans sa tête, encore et encore, se répétant en boucle, à l'infini.

Plus près de la maison... Plus près de la maison...

Chapitre 50

La fille était mince et avait un corps élancé, avec de fins cheveux châtains. Elle marchait avec la grâce de la jeunesse et la satisfaction d'être en vie. Elle n'était pas jolie, avait de petits yeux pâles, un long nez proéminent et une bouche mince, mais ses traits étaient élégants et étrangement aristocratiques. Son visage rayonnait de gentillesse et d'honnêteté. C'était le genre de fille qu'on aurait aimé avoir pour meilleure amie, le genre de fille dont les hommes ne tombaient peut-être pas instantanément amoureux, mais qui pouvaient les attirer. Samuel savait, au fond de lui, qu'une telle fille ne voudrait jamais de lui… et il la désira, il désira l'insouciance de son corps qui se mouvait si librement – si vivant et naturel. Il essaya d'imaginer ressentir cela, mais s'il avait jamais eu cette sensation, il ne s'en souvenait pas.

Il la regarda s'asseoir sur le banc du parc où elle resta un moment, avant de se lever et de s'étirer, cambrant le dos en rejetant la tête en arrière, révélant sa gorge. C'était la vue de leur gorge qui l'excitait le plus – blanche, souple et offerte. Les courbes de la chair nue étaient plus attirantes pour lui que les seins, les tétons érigés ou les cuisses tendres. La vue de la gorge d'une femme attirait irrésistiblement son regard, faisait battre son cœur plus vite dans sa cage thoracique, comme s'il voulait s'en échapper.

Lorsqu'elle eut quitté le banc, il approcha et s'assit là où elle s'était assise et avait réchauffé le bois peint en vert avec ses fesses si douces. Samuel sentit les légers effluves de son shampooing – une odeur de muguet. Il connaissait les essences florales, sa mère les lui avait enseignées. Il pensa à sa mère, creusant dans la terre, lui tournant le dos, les fesses en l'air, lui faisant un signe de la main, et l'accablant d'injures.

Il sentit la rage monter en lui, une minuscule pépite de rage endurcie, blême et condensée, contractée comme un morceau d'anthracite réduit par la flamme à sa forme la plus dure. Elle était là, brillante, noire et lisse, blottie au plus profond de lui. Il fut un temps où il avait été blessé, quand ses côtés anguleux et non polis déchiraient son âme, la rongeant quel que soit le côté où il se tournait – mais il l'avait apprivoisée, jusqu'à ce qu'elle finisse par devenir son amie, sa compagne de chaque instant. Il l'avait transformée à force d'en contempler la surface brillante, s'apercevant avec admiration de la façon dont elle semblait absorber la lumière environnante, et l'attirer dans ses profondeurs les plus sombres.

Peu à peu, il avait fini par accepter sa rage, non pas comme une ennemie, mais comme une amie. Elle avait des choses à lui enseigner, et il était résolu à les écouter. Il apprit à en aimer les contours, sa surface dure et cruelle, et sa beauté obscure. Le monde extérieur serait toujours un lieu déroutant et décevant, mais il pouvait puiser en lui-même, et savoir que sa rage serait toujours là, à l'attendre, une pierre précieuse non polie, tapie dans les recoins les plus sombres de son âme.

Sous le banc du parc, une mouche se débattait dans une toile d'araignée. Il sourit en regardant l'araignée approcher de sa proie qui s'agitait, bien enveloppée dans le cocon mortel de la toile. En mangeant la mouche, l'araignée faisait simplement son boulot. Tout comme lui, lors de ses missions nocturnes, faisait son boulot. Une araignée, il le savait, pouvait ressentir la plus infime vibration sur sa toile – le signal qu'un nouveau repas venait de se poser. Puis, avec précaution, elle s'approchait pour injecter son venin dans son infortunée victime. Lui aussi sentit une vibration sur sa toile, et il allait faire son possible pour piéger sa victime.

Chapitre 51

Le lendemain, Lee, Nelson, Chuck et les inspecteurs Butts et Florette étaient assis dans le bureau de Chuck, où traînaient un peu partout des tasses de café vides. Tous les cinq représentaient désormais les membres attitrés de l'unité spéciale d'élite du maire. Butts et Florette avaient également à leur disposition deux brigadiers et des agents de police.

Nelson avait fini par répondre aux appels de Chuck – et, sans aucune excuse ni explication, il s'était pointé à la réunion, l'air fatigué et amaigri, mais sobre.

— Qu'est-ce que c'est que cette histoire d'« unité spéciale d'élite » ? fit Butts en mordant un donut couvert de sucre. Et en quoi est-ce que ça nécessite une conférence de presse ?

— C'est politique, répondit Chuck. Le maire veut faire savoir aux gens qu'il contrôle la situation.

— Bon, et qu'en est-il des messages envoyés à Lee sur son ordinateur ? demanda Nelson. A-t-on une chance de savoir d'où ils proviennent ?

— Non, dit Chuck. Ça n'a rien donné. D'après les petits génies de la Criminalité informatique, l'adresse IP d'où les messages ont été envoyés était bidon et on n'a pas pu remonter jusqu'à une trace de paiement valable – ça a transité par plusieurs banques.

— On peut dire qu'il sait ce qu'il fait, dit Florette en fronçant les sourcils.

Il était habillé avec élégance, comme à son habitude, avec une cravate grise sur une chemise rayée bleue et blanche avec des boutons de manchette.

— Et n'a-t-on aucune trace de l'endroit où il s'est connecté physiquement ?

— *Saint Homme* s'est connecté à partir d'un nombre incalculable d'endroits à la fois, y compris une bibliothèque municipale, répondit Chuck.

— Il a donc eu recours à tous les pare-feu qui existent pour se protéger, en conclut Florette.

— Oui, acquiesça Chuck. Et jusqu'à présent, ça a parfaitement fonctionné.

— Donc, en résumé, notre type est un fantôme, lança Butts. Un visage sans nom.

— OK, et concernant la conversation entre ce type et Lee, dit Chuck. Est-ce que l'un d'entre vous l'a étudiée d'un peu plus près ?

— Oui, moi, dit Nelson.

— Est-ce que cela nous apprend quelque chose de nouveau ?

— Je ne pense pas que cela apporte quoi que ce soit au niveau du profil, en dehors du fait qu'il est instruit et qu'il sait s'exprimer – mais ça, nous le savions déjà. Il n'y a pas grand-chose qui lui fasse peur, mais ça n'est pas une nouvelle non plus.

— C'est exact, confirma Florette. Même s'il sait se servir d'un ordinateur, il sait forcément qu'il prend un risque en prenant contact avec Lee de cette manière.

— Les types de la Criminalité informatique ont eu du mal à s'avouer vaincus. Ils n'ont même pas voulu me dire précisément comment il s'y était pris, dit Chuck. Ils n'aiment soi-disant pas révéler ce genre d'information.

— Ils ne veulent peut-être pas que les gens sachent qu'il y a un moyen de contourner leurs techniques de localisation, suggéra Florette.

Chuck désigna la série de photos prises sur les scènes de crime étalées sur un grand panneau d'affichage qui avait été installé dans son bureau.

— Bien, et en ce qui concerne la position du corps de Sophia ?

dit Chuck. Des idées là-dessus ?

Il y eut un silence tandis qu'ils observaient les photos, puis Nelson prit la parole :

— Je sais ce qu'il fait. C'est tellement évident – je n'arrive pas à croire que je ne l'ai pas vu immédiatement.

— Voulez-vous partager votre raisonnement avec nous ? demanda Chuck. (Il semblait irrité. Lee pensa qu'il n'avait pas tout à fait pardonné à Nelson sa longue absence non justifiée.)

— C'est la *Via Dolorosa* – les stations de la Croix, répondit Nelson.

— Les quoi ? dit Butts.

— Il y a quatorze stations de la Croix, chacune représente un instant des dernières heures de la vie de Jésus. Cela consiste à méditer sur les moments majeurs de la souffrance et de la mort du Christ. C'est particulièrement important chez les catholiques, et cela porte également le nom de *Via Dolorosa*, ou chemin du Calvaire.

— Comment avez-vous trouvé ça ? demanda Butts en plissant le front.

Le visage de Butts ne ressemblait jamais autant à celui d'un vieux bulldog que lorsqu'il avait l'air pensif.

Nelson désigna du doigt la photo de la jambe prise au grand-angle, sur laquelle on voyait clairement l'image de la mort sur les vitraux.

— La première station de la Croix représente le Christ condamné à mort, dit-il, avant de désigner la deuxième photo, sur laquelle le bras de Sophia avait été placé sous la croix, au fond de l'église. La deuxième station de la Croix correspond au Christ recevant la croix. Et ceci, dit-il en désignant l'autre jambe qui se trouvait sur les marches qui menaient au sous-sol, c'est la troisième station de la Croix, qui est la première chute du Christ.

— Et celle-ci ? demanda Florette en montrant la dernière série de photos, sur lesquelles l'autre bras de Sophia avait été placé aux pieds de la Pietà.

— C'est la quatrième station, répondit Nelson. Jésus rencontrant sa mère sur le chemin de la mort.

— Bon sang, dit Chuck en essuyant la sueur sur son front, alors qu'il faisait plutôt frais dans la pièce. Qu'est-ce que tout cela nous dit sur le tueur ?

— Eh bien, dit Nelson, la bonne nouvelle, c'est que ses rituels sont de plus en plus bizarres et obsessionnels. Son comportement quotidien risque d'attirer l'attention. La mauvaise nouvelle, c'est que les meurtres sont de plus en plus frénétiques, et cela le rend plus dangereux.

— Je pense toujours que nous avons peut-être affaire à deux agresseurs ici, observa Lee. Ce changement au niveau de la signature…

— Oh, s'il te plaît Lee ! S'il y a une chose que tu as apprise avec moi, c'est bien qu'une signature peut évoluer ! l'interrompit Nelson d'une voix irritée.

— Je sais, répondit Lee. Je pense juste…

— Penses-tu que tout cela a quelque chose à voir avec la disparition de Laura ? demanda Nelson, changeant de sujet.

— Mon instinct me dit que non. En raison des cinq années d'écart, et aussi parce que la coïncidence serait trop étrange.

— Mais comment a-t-il pu savoir pour la robe rouge ? demanda Florette.

— Peut-être qu'il connaît le type qui a fait le coup, suggéra Butts.

— OK, restons concentrés, dit Chuck en se tournant vers Florette. Avez-vous trouvé quelque chose auprès des églises ?

— J'ai fait des recherches auprès des différents programmes de bénévolat dans toutes les églises, mais les bénévoles ne sont pas contrôlés. Certains font remplir une feuille de présence, mais les informations ne sont pas vraiment vérifiées.

— Des feuilles de présence ? répéta Butts. Est-ce que les noms et adresses y figurent ?

— C'est facultatif, répondit Florette. Mais j'ai pensé qu'il pouvait être utile d'y jeter un coup d'œil, dit-il en sortant une pile de papiers de sa serviette. Bon, voici les feuilles de présence de ces dernières semaines – ou du moins celles que j'ai pu me procurer. Fordham ne les garde pas plus de quelques jours, mais All Souls les conserve, et St. Patrick ajoute les noms à son fichier. On a eu de la chance avec St. Patrick, ils n'avaient pas encore mis leur fichier à jour, ce qui veut dire qu'ils n'avaient pas encore jeté les feuilles de présence.

Il étala les feuilles sur le bureau. Une demi-douzaine de pages froissées, tachées et écrites à la main.

Lee regarda la première liste de noms, qui correspondait à All Souls Church. Rien ne lui sauta aux yeux. Il y avait à peu près autant d'hommes que de femmes, et la plupart n'avaient mentionné ni leur adresse, ni leur numéro de téléphone. Il prit la deuxième feuille. Au bas, quelqu'un avait signé « Samuel Beckett ».

Il la tendit à Nelson.

— Qu'est-ce que tu penses de ça ?

Nelson regarda la liste, puis fronça les sourcils.

— Très drôle.

— Est-ce que je peux voir la liste de St. Patrick, s'il vous plaît ? demanda-t-il à Butts, qui l'étudiait.

— OK, répondit-il en la lui tendant.

Lee regarda la liste. Les noms étaient différents de ceux de l'église All Souls, à l'exception de l'un d'entre eux – Samuel Beckett. Même écriture délicate, presque féminine. Pas une écriture virile, peut-être celle d'un fils à sa maman ?

Il tendit la feuille à Chuck.

— Samuel Beckett, comme l'auteur dramatique ? dit Chuck. Est-ce que ce type essaie d'être drôle ?

— C'est la question que je me pose, répondit Lee.

— En tout cas, c'est bizarre, acquiesça Florette. Je me demandais ce que vous en penseriez.

— Si c'est notre type, dit Nelson, cela collerait avec l'idée que tout ça est une sorte de jeu pour lui. Il prend sans doute son pied à signer du nom d'un dramaturge connu pour son existentialisme morose.

— *En attendant Godot*, murmura Florette. C'est un peu ce qu'il fait.

— Ouais, approuva Chuck. Alors peut-être est-il riche, ou du moins aisé ?

— Ou il travaille à son compte, suggéra Nelson.

— Ouais, confirma Lee.

Butts étudia la liste qu'il avait dans les mains.

— Pensez-vous que le nom puisse nous apporter un indice sur son identité ?

— Que voulez-vous dire ? demanda Chuck.

— Eh bien, il est peut-être partiellement vrai – ça pourrait être une anagramme ou quelque chose de ce genre.

— Oui, cela pourrait coller avec sa personnalité, confirma Nelson.

— Je le passerai au crible d'un programme sur les anagrammes, sur Internet, dit Florette. Ce n'est pas très probant sur les noms propres, mais ça nous donnera peut-être quelque chose.

— Bonne idée, dit Chuck.

Le téléphone sonna et Chuck décrocha.

— Aucun commentaire, dit-il après quelques instants. J'ai une suggestion à vous faire cependant. Pourquoi n'arrêteriez-vous pas de nous faire perdre notre temps, pour que nous puissions faire notre boulot ?

Il raccrocha, le visage rouge de colère, et sortit du bureau, l'air furieux. Ils l'entendirent à travers la porte fermée engueuler l'officier de permanence qui lui avait passé l'appel.

— Mais je ne savais pas que c'était un journaliste, entendirent-ils le flic bafouiller. Il m'a dit qu'il était…

— Je me fous de ce qu'il vous a dit ! hurla Chuck. La prochaine fois, servez-vous de votre tête !

Lee regarda dehors, admirant les rayons du soleil couchant sur le rebord de la fenêtre. Même si les jours étaient plus longs, la patience de chacun diminuait à mesure qu'ils prenaient conscience que le temps leur filait entre les doigts.

Chapitre 52

Quand Lee rentra à son appartement plus tard cet après-midi-là, avant de faire quoi que ce soit d'autre, il s'assit au piano. La vue des notes sur la partition le réconforta. La musique était un langage qu'il parlait depuis l'enfance, un langage composé de sons, de rythmes et de couleurs. Il atteignait directement un lieu en lui qui était hors d'atteinte pour les mots.

Il commença une sonate de Beethoven, appréciant le pur plaisir physique de ses doigts sur le clavier. Il joua d'abord l'adagio, s'attardant sur les phrases élégantes et le crescendo de la ligne mélodique. Puis il se lança dans le passage allegro, concentrant sa rage et sa frustration dans ses doigts qui frappaient les touches du clavier. Il ne pouvait s'empêcher de penser à ce que Nelson avait dit. Il y avait quatorze stations de la Croix, et le Découpeur n'en était qu'à la quatrième.

Pendant sa période sombre, il y avait eu des moments où seule la musique l'atteignait, où c'était la seule chose qui traversait le mur de la dépression, pour le ramener à la vie.

Il eut à peine conscience du bruit de la sonnerie du téléphone, mais il en fit abstraction jusqu'à ce qu'il ait terminé sa sonate. Puis il se leva, alla jusqu'au répondeur, et écouta le message.

À l'instant où il entendit la voix de Diesel, il sut que quelque chose clochait terriblement. Il écouta le message, l'esprit noyé dans la peur de l'horreur imminente. Il eut vaguement conscience d'entendre les mots « Eddie », « métro » et « tué sur le coup ».

Non, pas Eddie...

Il appela le numéro qui s'affichait sur son téléphone. Diesel décrocha à la première sonnerie.

Cinquante minutes plus tard, il était assis à une table du Shandon Star, dans la 8e avenue, en train de siroter une pinte de Saranac, en attendant l'arrivée de Diesel et Rhino. La bière au goût âpre et ambré lui fit penser à Eddie. Peut-être que les démons qui le hantaient depuis la guerre – les corps morts sous les bombes au napalm qui peuplaient ses cauchemars – étaient venus lui rendre visite une dernière fois, l'attirant par la ruse sur les rames du métro. Même la tchatche chez Eddie n'était qu'une façon de camoufler sa douleur. Dans ses récits des horreurs de la guerre, il avait toujours semblé laisser quelque chose de côté. Lee avait eu l'impression qu'il y avait certaines choses qui s'étaient passées au Vietnam auxquelles, même maintenant, il ne pouvait se confronter.

Mais le suicide ? Lee n'y croyait pas. Il y avait autre chose.

Quand Diesel et Rhino arrivèrent, il vit que Diesel avait les yeux rouges et que sa peau semblait encore plus blanche que d'habitude à la faible lumière qui filtrait à travers les fenêtres crasseuses. Ils se glissèrent sur la banquette qui était face à lui, sans un mot. Tous deux portaient un jean noir et un tee-shirt très blanc sous une veste en cuir noir.

— Désolé, dit Diesel. J'avais quelques personnes à appeler – pour leur dire.

— Que s'est-il passé ? demanda Lee.

Leur conversation téléphonique avait été brève, se résumant aux questions « Où ? » et « Quand ? » et laissant de côté la difficile question du « Pourquoi ? ».

Diesel secoua la tête.

— Je ne sais pas encore. Ça s'est passé il y a à peine deux heures. Ils n'ont même pas encore donné son nom à la presse.

— Comment l'avez-vous appris ?

Diesel s'adossa à la banquette.

— J'ai des contacts ici et là.

Comme d'habitude, Rhino ne parlait pas. Il enleva ses lunettes, les nettoya avec soin, puis les mit dans la poche de sa veste. Il avait les mains étonnamment délicates pour un homme à la carrure aussi imposante. Lee remarqua que lui aussi, avait les yeux injectés de sang.

— Vous voulez quelque chose à boire ? leur demanda Lee.

— C'est notre tournée, dit Diesel tandis que Rhino se levait pour se diriger vers le bar.

— Merci, dit Lee.

Il avait besoin d'un second verre.

— En plus, Eddie détestait le métro, dit Diesel. Il détestait attendre trop près du quai.

Lee se pencha vers lui.

— Vous pensez qu'il a sauté ?

— Bien sûr que non. Je sais qu'Eddie avait des hauts et des bas – ce n'était un secret pour personne – mais en ce moment il était dans une phase de grand enthousiasme. Ça aurait pu être un accident, je suppose. Il venait juste de gagner une grosse somme d'argent, et il était très excité. Peut-être qu'il n'a pas fait attention à cause de tout l'argent qu'il venait de gagner ?

— Mais vous disiez qu'il détestait attendre trop près de la voie, pourquoi se serait-il tenu tout au bord ?

— C'est ce que je n'arrive pas à comprendre.

Rhino revint avec trois pintes de bière bien fraîche. Lee but la moitié de la sienne d'un trait, et sentit les bulles lui monter à la tête.

Pour la première fois depuis que Lee l'avait rencontré, Rhino prit la parole.

— Je pense que quelqu'un a eu sa peau.

Sa voix était étrangement aiguë, comme les plus hautes notes d'un instrument à vent – un hautbois ou une clarinette.

— Vous voulez dire que quelqu'un l'aurait poussé ?

À l'instant où Lee prononça ces mots, il sut que c'était ce qu'il avait pensé depuis le début, au fond de lui.

Rhino plissa ses yeux pâles.

— Un type comme Eddie ne serait jamais tombé sur la voie – pas plus qu'il n'aurait sauté. C'est pas son style.

Lee se tourna vers Diesel.

— Vous pensez comme lui ?

Diesel hocha lentement la tête.

— Je n'imagine pas les choses autrement.

Il but une longue gorgée de bière, puis s'essuya délicatement la bouche avec une serviette en papier.

— Eddie avait-il des ennemis qui auraient pu… Enfin, je veux dire, c'était un joueur, non ?

— Ouais, mais il ne devait pas d'argent à son bookmaker, il venait juste de gagner gros aux courses.

Lee fronça les sourcils.

— Il m'avait dit qu'il avait arrêté de jouer.

Ses compagnons échangèrent un regard.

— Eddie ne disait pas toujours exactement la vérité, dit Rhino en baissant les yeux sur sa pinte de bière.

— Ce type que vous recherchez, dit Diesel, est-ce qu'il est capable de faire un truc de ce genre ?

— Oh, il est capable de tout.

— Mais je pensais qu'il s'en prenait aux femmes.

— Oui, mais un meurtre comme celui-ci serait différent. Ce serait une façon de se protéger, de s'assurer qu'il ne se fera pas prendre. Mais comment saurait-il qui était Eddie ?

— J'en sais rien, dit Diesel. Mais peut-être qu'il l'a suivi dans le métro et qu'il a attendu le bon moment.

— Mais pourquoi ? Que savait Eddie ? C'est quand même un gros risque.

— Ouais, c'est sûr. Je ne sais pas ce qu'Eddie savait parce que je ne lui avais pas parlé depuis deux jours, mais peut-être que ce type le surveillait.

— OK, dit Lee aux deux hommes assis face à lui. Je vais avoir besoin que vous me donniez des informations.

— Tout ce que vous voulez, répondit Rhino.

— Bien sûr, dit Rhino. Si ce type a eu la peau d'Eddie, on veut vous aider autant qu'on pourra.

Lee frémit tandis qu'une autre pensée lui traversait l'esprit. Pour la première fois, il lui vint à l'esprit que celui qui voulait lui faire lâcher cette affaire pouvait très bien être quelqu'un qu'il connaissait.

Chapitre 53

Le réceptionniste de l'hôtel miteux était un gros type plein de bourrelets paraissant avoir été taillé dans un chêne avec une hache rouillée. Ses joues n'étaient pas au même niveau, ce qui donnait l'impression qu'il avait le visage de traviole, avec un nez aplati et cassé. Lee comprit alors qu'il regardait le visage d'un boxeur. Ses vêtements et sa coupe de cheveux semblaient venus d'une autre époque. Ils firent penser à Lee aux films de gangsters des années 1930 et 1940.

— Excusez-moi, je me demandais si vous pourriez m'aider, dit Lee en s'approchant du comptoir.

L'homme leva les yeux des pages sportives qu'il était en train de lire.

— Ouais, mec. Qu'est-ce qu'vous voulez ?

Même sa voix était tout droit sortie d'un film de série B.

Diesel et Rhino avaient donné à Lee l'adresse du refuge de nuit où vivait Eddie, dans le West Side, mais ils ne connaissaient pas le nom du gérant. Néanmoins, ce type avait tout du veilleur de nuit, et deux billets de vingt dollars plus tard, Lee était assis sur le lit dans la chambre d'Eddie, en train de fouiller dans ses affaires. L'info avait déjà circulé sur ce qui était arrivé à Eddie, et l'employé avait insisté pour être présent lorsque Lee fouillerait les affaires de son ami. Il resta sur le pas de la porte, tripotant nerveusement une cigarette, comme s'il était impatient de sortir pour la fumer.

C'était une chambre lugubre, l'odeur fétide du désespoir était imprégnée dans le papier peint déchiré, et Lee eut honte de ne pas avoir su que son ami vivait dans des conditions aussi précaires. Chaque fois qu'il avait proposé de l'aider, il s'était fait rembarrer. Eddie donnait toujours l'impression que tout allait bien. Un lit une place et une armoire en pin brut étaient les seuls meubles de la pièce, une descente de lit verte la seule touche de confort.

Il regarda dans l'armoire – une demi-douzaine de chemises, deux pantalons, des chaussettes, des sous-vêtements et deux vestes en tweed. Le reste de ce que possédait Eddie était anodin – stylos, papier, quelques boîtes de soupe, un paquet de biscuits salés, plusieurs paquets de cartes fatiguées et crasseuses – mais quelque chose attira le regard de Lee. C'était un journal de courses hippiques daté du jour de la mort d'Eddie. Dans la première course, le nom d'un cheval était entouré en rouge : *Clé des champs*. Lee regarda le veilleur de nuit et désigna le journal.

— Est-ce que je peux garder ça ?

L'homme glissa la cigarette non allumée derrière son oreille.

— Vous pouvez garder tout ce que vous voulez, mon vieux. Le pauvre Eddie n'en aura plus besoin, je suppose. À moins qu'il n'ait de la famille quelque part, mais ça m'étonnerait.

— Est-ce qu'il avait l'air déprimé ces derniers jours ?

L'homme pencha la tête sur le côté.

— Nan, c'est ça qui est bizarre. Il avait l'air vraiment heureux, vous savez. Il m'a dit qu'il avait parié sur un cheval qui d'après lui avait toutes ses chances.

Lee désigna d'un geste le nom du cheval entouré en rouge sur le journal.

— Ce cheval ?

L'homme plissa les yeux pour lire le nom et secoua la tête.

— J'en sais rien. Il m'a juste dit qu'il avait le pressentiment que le cheval allait gagner. Je ne l'ai jamais revu après ça. Pauvre gars. C'était un mec bien, vous savez.

Lee lui donna un autre billet de vingt, parce qu'il semblait vraiment triste pour Eddie. En sortant, il avait la vue brouillée par les larmes. Il prit une profonde inspiration et sortit dans la nuit.

L'étape suivante fut le bookmaker d'Eddie – une autre info qu'il avait obtenue auprès de Diesel et Rhino. Il ne savait pas trop ce qu'il s'attendait à trouver, mais il devait bien à Eddie d'essayer de découvrir tout ce qu'il pourrait.

L'appartement se trouvait au rez-de-chaussée d'un immeuble en briques de cinq étages, comme ceux qu'on avait construits dans les années 1940 et 1950, qui s'étendaient de la 8e avenue jusqu'au fleuve. Autrefois baptisé Hell's Kitchen, le quartier était maintenant connu sous le nom de Clinton. Les marchands de sushis et les restaurants italiens avaient remplacé les bouibouis espagnols qui faisaient des repas à emporter. Les appartements longs et étroits qu'on appelait « shotgun » (car si on tirait une balle d'un côté de ces pièces en enfilade, elle traversait l'appartement d'une traite pour ressortir de l'autre côté) où s'entassaient autrefois les familles d'immigrants étaient désormais habités par des acteurs et écrivains fauchés. Mais maintenant, on pouvait acheter une maison dans le New Jersey pour le prix d'une chambre d'étudiant dans la 47e rue.

L'immeuble présentait tous les signes d'un propriétaire négligent. Le couloir d'entrée était mal éclairé et plein de courants d'air. Les murs d'un jaune pâle insipide n'avaient pas vu de pinceau depuis des années, et le sol était abîmé et taché. Lee frappa à la porte de l'appartement 1C et attendit. Après quelques instants, quelqu'un le regarda par le judas.

— Ouais ? fit l'homme d'une voix rauque remplie de méfiance.

— Bonjour, je suis l'ami d'Eddie Pepitone.

— Ouais ?

Il y eut un écho, comme s'il avait été à l'intérieur d'une cave.

— Il a pris un pari avec vous l'autre jour. *Clé des champs* – à Trifecta dans la 3e course.

— Ouais ? Et alors ?

— Que s'est-il passé ? Dans la course, je veux dire.

— Son cheval a gagné.

— J'ai besoin de savoir s'il vous a parlé à ce sujet.

— Pourquoi est-ce que vous ne lui posez pas la question ?

— Je ne peux pas.

— Pourquoi ça ? demanda-t-il d'une voix méfiante.

— Il est mort.

Il y eut un long silence. Lee entendit le bruit de quelque chose en train de frire dans l'appartement. L'odeur d'huile rance flottait jusque dans le couloir.

— Qui êtes-vous ? (La voix était plus tendue, accusatrice.)

— Je veux juste vous parler une minute.

Il y eut un bruit de chaise frottant sur le sol, puis celui de plusieurs verrous qu'on ouvrait. La porte s'entrebâilla de quelques centimètres, retenue par une chaîne en métal. Lee sentit une odeur de graisse de bacon et de pommes de terre frites. Un œil injecté de sang se posa sur lui.

— Vous êtes flic ?

— Non, mentit Lee. Je suis juste un ami qui veut découvrir qui a tué Eddie.

— Merde, lâcha l'homme. Alors vous ne me racontiez pas de conneries ? Quelqu'un a refroidi Eddie ?

— C'est ce que je crois. J'ai juste besoin de savoir une chose. Vous a-t-il parlé de ce cheval gagnant ?

— Ouais, y'a deux jours. Il a dit qu'il allait passer chercher l'argent. Il s'est jamais pointé, alors j'ai pensé qu'il avait eu un empêchement. Comment il est mort ?

— Il est passé sous le métro.

— Ah, ouais, j'ai entendu parler d'un accident aux infos l'autre soir. La ligne A a été fermée pendant des heures, d'après ce qu'ils ont dit. J'ai pensé que c'était un suicide, ou un truc dans le genre. J'savais pas que c'était Eddie. (Il y eut un bref silence.) Hé, mais vous, comment vous l'avez su ? demanda-t-il d'un air méfiant. Vous êtes sûr que vous êtes pas flic ? Vous m'en avez tout l'air.

— Écoutez, je n'ai aucune intention de me mêler de vos affaires –

dites-moi seulement quand vous avez parlé à Eddie pour la dernière fois, OK ?

— Voyons voir… Lundi. La course a eu lieu le dimanche, et il m'a appelé à la première heure lundi matin pour me dire qu'il allait passer. Il est jamais venu. Je me disais qu'il passerait tôt ou tard. C'était une belle somme, cinq mille dollars. Le cheval avait peu de chances de gagner. (Il reprit son air méfiant.) Hé, vous êtes pas venu pour la thune, au moins ?

— Non, gardez-le. Je suis sûr qu'il vous sera utile.

L'homme siffla doucement entre ses dents de devant.

— Merde. Je ne me réjouis pas de la mort d'Eddie, vous savez.

— Moi non plus.

— C'était un bon client, et un mec réglo, enfin, pour un joueur en tout cas. Hé, attendez une minute, aux infos ils ont dit que c'était un accident. Et vous dites que c'en était pas un ?

— C'est ce que j'essaie de découvrir. Comment Eddie a-t-il choisi le cheval sur lequel il a parié ?

— C'est marrant que vous demandiez ça. Eddie était superstitieux, vous savez. Il avait toujours des raisons bizarres de parier sur un cheval.

— Ah oui ? Comme quoi ?

— Oh, j'en sais rien. Une fois, il y a deux ans, ma fille a eu un bébé, et Eddie a parié sur un cheval qui avait le même nom que le bébé. Ce genre de trucs… Je crois qu'il avait dans la tête que l'univers lui envoyait des messages, mais des fois les chevaux gagnaient. Il s'en sortait plutôt pas mal, en fait.

Lee prit le journal sur lequel *Clé des champs* était entouré en rouge.

— Avez-vous la moindre idée de la raison pour laquelle il a choisi ce cheval ?

L'homme regarda le nom.

— Non. Je voudrais pouvoir vous aider. Tout ce que je sais, c'est qu'il avait l'air sûr de lui.

— OK, dit Lee. Merci. Merci pour votre aide. Sincèrement.

— Mais je ne vous ai pas vraiment aidé.

— Oh, si, vous m'avez aidé, répondit Lee en se précipitant vers la sortie.

Chapitre 54

— Eddie Pepitone ne s'est pas tué, déclara Lee en entrant dans le bureau de Chuck Morton.

Il était à peine plus de huit heures du matin, le lundi, et Chuck en était encore à sa première tasse de café.

— Holà ! Attends une minute. Qui est Eddie Pepitone ? demanda Chuck en posant sa tasse de café.

— Le type du métro, hier. L'« accident » sur la ligne A, qui a bloqué la ligne pendant des heures. T'en as entendu parler ?

— Bien sûr. Tout le monde en a entendu parler. Mais apparemment, personne ne semble l'avoir poussé.

— Eh bien, moi je pense qu'on l'a poussé.

Chuck écarquilla les yeux sous l'effet de la surprise.

— Qu'est-ce que tu veux dire ? Comment le sais-tu ?

Lee balança le journal hippique sur son bureau.

— Il venait juste de gagner cinq mille dollars, et il se rendait chez son bookmaker pour aller les chercher.

— Je ne te suis pas.

— Eddie était un de mes amis. On était à St. Vincent ensemble – c'était mon compagnon de chambre.

— Oh, mon Dieu, Lee, je suis vraiment désolé. Mais que veux-tu dire ?

— Je pense que le Découpeur a eu sa peau.

— Mais pourquoi ferait-il…

— Parce qu'Eddie m'aidait sur l'enquête.

— Il t'aidait ? Et pourquoi est-ce que je n'étais pas au courant ?

Qui était ce type ? demanda Morton, devenant rouge de colère, ce qui faisait ressortir les veines de son cou.

— Eddie était… un gars qui avait des amis qui sortaient de l'ordinaire. Son aide était strictement non officielle.

— Officielle ou non, ne penses-tu pas que tu aurais dû me tenir informé ?

Lee se passa la main dans le cou. L'atmosphère de la pièce semblait soudain étouffante et surchauffée.

— Eddie n'était pas toujours du bon côté de la loi.

— Et alors ? Tu crois que tous les flics travaillent avec des informateurs irréprochables ? Enfin, Lee, tu sais comment on fonctionne, bon sang !

— Il n'aimait pas les flics.

— Et toi, alors ?

— On s'est rencontrés dans des circonstances particulières. Écoute, tu veux savoir ce que je pense de sa mort, oui ou non ?

— OK !

Chuck s'assit dans son fauteuil, enroulant le fil du téléphone autour de ses doigts en tapant sur le bureau avec son autre main d'un geste irrité.

Lee lui parla de l'implication d'Eddie dans l'affaire.

— C'est donc lui qui t'a conduit au SDF ?

— Oui.

Chuck se leva de son fauteuil, et prit appui sur son bureau.

— Et tu penses qu'on l'a poussé ? Il n'aurait pas pu trébucher et tomber ? Ça arrive, tu sais.

— Non, l'interrompit Lee. Eddie avait la phobie des métros. Il n'aurait jamais attendu si près de la voie.

— Et le suicide est hors de question à cause de tout l'argent qu'il venait de gagner, je suppose ?

— Oui. Et non seulement ça, mais je pense que le nom du cheval sur lequel il a parié est lié à un indice.

— Un indice à propos de quoi ?

— De ce qu'il était sur le point de me dire.

— Alors, que veux-tu qu'on fasse ?

— Eh bien, la première chose que tu puisses faire, c'est d'ajouter un autre nom à la liste de ses victimes quand on attrapera ce fils de pute.

— Ouais, c'est ça.

— Écoute, Chuck, je peux me tromper, mais je ne crois pas. Et si on arrive à trouver ce qu'Eddie savait, on aura peut-être plus de chances de mettre la main sur ce type.

Chuck se frotta le menton, bien qu'il fût rasé de près.

— Peut-être qu'il ne savait rien. Peut-être que ce type essayait juste de t'envoyer un message en tuant ton ami.

— J'y ai pensé, mais je ne crois pas.

— Ce type est un vrai taré, dit Chuck en posant une main sur l'épaule de Lee. T'as dormi cette nuit ?

— Pas beaucoup.

— Écoute, je veux mettre la main sur ce salaud autant que toi, dit Chuck. Et maintenant, pourquoi ne rentrerais-tu pas chez toi pour te reposer un peu ? T'as une mine affreuse. Reviens cet après-midi et on organisera une réunion avec tout le monde. Je t'appellerai si j'apprends quoi que ce soit – promis.

Comme toujours, Chuck avait raison. Lee était trop fatigué pour être en état de faire quoi que ce soit. Il était resté éveillé la moitié de la nuit à essayer de démêler le mystère de ce que savait peut-être Eddie. Il rentra chez lui, prit un Xanax et s'endormit d'un sommeil de plomb.

Il fut réveillé par le hurlement d'une alarme de voiture dans la rue. Le bruit lui transperça le crâne et mit son corps entier en état d'alerte. Son estomac se noua, et il ressentit les signes familiers d'une attaque qui s'annonçait. Sa tête commença à tourner, son esprit se brouillait peu à peu et il avait du mal à respirer. Cela faisait des jours qu'il se réveillait avec une boule au ventre, qui ne se dissipait que progressivement au fil de la journée. Il avait des élancements dans la tête et son cou était douloureux, étrangement raide, comme s'il s'était fait un claquage musculaire.

Calme-toi, se dit-il. Il essaya de se concentrer pour ralentir le rythme de sa respiration, et en ouvrant les yeux, il vit le calendrier sur le mur, au-dessus de son lit. 15 mars. *Méfie-toi des ides de mars.* Cela faisait exactement cinq ans que sa sœur avait disparu, quittant en silence du monde des vivants comme un nageur succombant à la noyade aurait sombré dans les vagues de l'océan. Sans laisser aucune trace.

Elle avait dû laisser au moins une trace, une piste – mais ils n'avaient pas réussi à la trouver, pensa-t-il. Mais ils y parviendraient, il le fallait – il avait besoin d'y croire. Et malgré tout, à chaque anniversaire, l'espoir diminuait un peu plus.

La sonnette de la porte d'entrée retentit. Lee rejeta les couvertures et bondit hors du lit. Son cou était si raide qu'il avait du mal à bouger la tête. Il fut pris de nausée tandis qu'il se dirigeait vers la porte. Puis il sentit le noir s'abattre doucement sur lui en passant de la chambre au salon. Il réussit à crier :

— Qui est-ce ?

Et il entendit la réponse comme dans un rêve éveillé.

— C'est Butts.

Mais le noir l'enveloppa, comme les ailes d'un grand oiseau noir, le faisant tomber à genoux. Il lutta faiblement pour ne pas perdre conscience, puis finit par céder à l'appel du néant.

Chapitre 55

Il se réveilla au son des voix sourdes qu'il entendait dans le lointain. Il flottait dans l'air une odeur d'alcool à 90° et de désinfectant parfumé au citron. Il entendit le ronronnement sourd d'une machine, et des bruits de pas dans le couloir, à l'extérieur – le léger bruit de semelles en caoutchouc sur les sols lustrés, le son plus sec de talons en cuir, mêlés au bruit métallique de chariots qu'on faisait rouler, et aux rires occasionnels. Plus loin, au bout du couloir, un téléphone sonnait avec insistance.

Même sans avoir ouvert les yeux, Lee savait qu'il était à l'hôpital. Il recula l'instant où il allait reprendre pleinement conscience, sachant que quand il le ferait, il allait devoir communiquer avec les gens dont il entendait les voix résonner autour de lui.

En attendant, les bruits de pas allaient et venaient. Le mélange confus de voix et de bruits de machines planait dans les couloirs. Étendu dans un état de semi-conscience, les yeux fermés, il eut l'étrange sensation que quelqu'un était assis sur sa poitrine. Un gros animal – peut-être un ours. Oui, c'était ça – un ours était assis sur sa poitrine. Il voulait demander à l'ours de s'en aller, et bougea les lèvres pour former les mots, mais aucun son ne sortit.

Des bribes de conversation lui parvenaient du couloir :

— ... excellent... dentaire... c'est une fille sympa... vous voulez quelque chose à la cafétéria ?

Certaines bribes de conversation semblaient dépourvues de sens.

— ... nombre de juifs à Madison, dans le Wisconsin.

Il se demanda pourquoi quelqu'un parlerait du nombre de juifs dans le Wisconsin.

Il se concentra à nouveau sur l'ours. Il était assis là, s'étalant sur lui, les pattes posées sur ses épaules. Cela ne l'aurait pas dérangé qu'il soit là s'il n'avait pas été si lourd. Il voulait parler à l'ours, mais il était incapable de remuer les lèvres, ni d'ouvrir les yeux. Il sentait l'odeur de sa fourrure – une odeur d'humidité et de moisi comme celle des bûches en train de pourrir et des champignons d'été et il sentait son haleine chaude sur sa joue. Il eut la sensation que l'ours était de son côté, et qu'il était là pour le protéger d'une certaine façon.

Son expérience des ours était très limitée. Il n'en avait vu que deux fois à l'état sauvage. Une fois à travers une voûte de feuillage trop épais pour pouvoir apercevoir autre chose qu'une volumineuse forme brune. L'autre fois, l'ours l'avait regardé depuis l'autre rive d'un ruisseau avec des yeux si méfiants et attentifs qu'il avait été difficile de résister à l'envie d'anthropomorphiser l'animal. Il se rappela avoir eu l'impression que la créature l'étudiait avec une intelligence presque humaine – qu'il voyait en lui – mais il avait aussitôt écarté cette idée farfelue.

Il essaya de lever les bras pour repousser l'ours, mais il fut incapable de bouger. Il fit un effort pour tenter d'ouvrir les yeux, mais c'était bien trop difficile – quelque chose le tirait irrémédiablement du côté de l'inconscience. Il finit malgré tout par ouvrir les yeux, à peine, mais tout ce qu'il vit fut un épais brouillard blanc. Le brouillard se mit à bouger, et il comprit que c'était l'ours. Il fut surpris de constater que l'ours était blanc… un ours polaire peut-être ? Mais comment aurait-il pu se retrouver aussi au sud ? Il essayait encore de démêler ce mystère quand l'ours se mit à parler.

— Comment vous sentez-vous ?

La voix était grave et sonore, le genre de voix qu'on s'attendait à entendre dans la bouche d'un ours. Elle avait un accent britannique. Y avait-il des ours en Angleterre ? Il essaya de se concentrer, de rassembler ses pensées. Il voulut répondre, mais seul un son rauque sortit de sa bouche.

Il essaya à nouveau. Cette fois, sa voix réagit.

— Ça va… merci.

Il lutta avec force pour ne pas être submergé par le sommeil et ouvrit les yeux. L'ours lui apparut clairement, et à sa grande surprise, il portait une blouse blanche. Sur le revers de la blouse, une étiquette tordue en plastique bleu et blanc indiquait « Dr Patel ».

— Je suis content que vous soyez de retour parmi nous, dit le docteur Patel.

Encore un peu désorienté, Lee regarda autour de lui, à la recherche de l'ours. Où était-il allé ?

Le docteur Patel reprit la parole.

— Monsieur Campbell ?

— Oui ?

— Savez-vous où vous êtes ?

Lee ne répondit pas immédiatement. Il était encore occupé à faire le tri de ces nouvelles informations. Le docteur Patel semblait être l'ours, en fin de compte. Ou plutôt, il n'y avait pas d'ours, c'était juste son esprit qui lui avait joué des tours – mais pourquoi ? L'effet des sédatifs, peut-être ?

— Qu'est-ce que vous m'avez fait prendre ? demanda-t-il, encore groggy.

— Je me ferai un plaisir de parler de tout cela avec vous plus tard, répondit le docteur Patel. Savez-vous où vous vous trouvez ?

Lee regarda la pièce autour de lui, et elle lui sembla étrangement familière. Les murs jaunis laissaient apparaître des taches anciennes à travers les couches de peinture successives, comme de vieilles éraflures sur des chaussures cirées à la hâte. Sur les murs, des tableaux accrochés de travers représentant des paysages – les reproductions insipides d'œuvres de sombres inconnus.

Il comprit qu'il était revenu à St. Vincent. Ce qu'il ne savait pas, c'est s'il était dans le service psychiatrie ou non. Il plissa les yeux et tourna la tête vers le médecin.

— St. Vincent.

Le visage du docteur Patel s'illumina.

— Bien, dit-il, comme un professeur félicitant un étudiant prometteur. Très bien.

Lee se sentit content de lui, et sombra dans l'inconscience.

Quand il se réveilla à nouveau, la lumière extérieure avait pris la teinte grise du crépuscule, et les stores avaient été partiellement baissés. Un sac en plastique suspendu faisait s'écouler goutte à goutte un liquide clair dans son bras droit. À son grand soulagement, son bras gauche était libre. Il s'éclaircit la gorge, faisant sursauter la jeune infirmière qui était au pied de son lit, en train d'étudier sa courbe de température. Elle lâcha la feuille, et posa un regard sur lui. Ses yeux couleur miel étaient à peine plus clairs que ses cheveux très raides, relevés en queue de cheval. Elle était très jeune, avait le menton pointu et un visage doux en forme de cœur. Elle avait été surprise par le son de sa voix, mais essaya de le cacher en prenant une attitude professionnelle.

— Monsieur Campbell, vous êtes réveillé, dit-elle en le regardant comme si cela tenait du miracle. Comment vous sentez-vous ?

— Eh bien... Un peu comme si j'avais été renversé par un gros véhicule, puis jeté du haut d'un escalier, avant d'avoir fait office de punching-ball. (Son cou était si raide qu'il ne pouvait remuer la tête, son corps lui semblait peser des tonnes et il était épuisé.) Est-ce que je suis en service psychiatrie ?

Elle sembla perplexe.

— Non, bien sûr que non.

Il se sentit envahi par une vague de soulagement.

— Bien... Alors, qu'est-ce que je fais ici ?

La jeune infirmière baissa les yeux.

— Il vaudrait mieux que le docteur vous l'explique.

— OK, est-ce que je peux le voir ?

Toute la conversation sembla se dérouler sous l'eau – comme dans un rêve, à travers une pluie fine. L'infirmière le regarda avec une sorte de mélancolie, puis sortit dans le couloir. Son expression déconcerta Lee – était-il vraiment très malade, ou avait-il pris un autre sentiment, qu'il n'avait su déchiffrer, pour de la pitié ? Il s'enfonça dans les draps qui avaient une légère odeur de javel et ferma les yeux. Il rêva qu'il nageait dans la piscine de son université, où l'air était imprégné d'une odeur de chlore.

Quand il rouvrit les yeux, le docteur Patel était debout, près de son lit. Il portait la même étiquette tordue, et paraissait fatigué. Il avait l'air abattu d'un chien basset, avec de grands yeux tristes et la mâchoire tombante. Il avait la peau très foncée et des lèvres épaisses qui avaient une teinte bleuâtre.

— Savez-vous pourquoi vous êtes ici, monsieur Campbell ? demanda-t-il.

Il avait un accent britannique prononcé, très châtié, et seule la façon dont il roulait légèrement les « r » avec élégance et dont il arrondissait les voyelles trahissait ses origines indiennes.

— Je suis malade ?

— De quoi vous souvenez-vous ?

Lee essaya de réfléchir, mais tout ce dont il se souvenait, c'était d'être chez lui. Il avait appris la mauvaise nouvelle, puis il se rappelait avoir entendu Butts derrière sa porte, puis être tombé à genoux sur le tapis du salon.

— Eddie, dit-il.

Le docteur Patel sembla perplexe.

— Eddie ? Qui est-ce ?

— Je pense que je peux vous aider, docteur, dit une voix familière dans le dos de Patel.

Nelson avança dans son champ de vision. Il avait mauvaise mine. Ses yeux bleus étaient cernés et il avait un teint blafard. Il semblait épuisé.

— Tu nous as fichu la frousse, dit-il en se penchant au-dessus du lit.

L'odeur d'alcool suintait par tous ses pores.

— Alors, qui est Eddie ? demanda le docteur Patel d'une voix irascible.

— C'était un ami proche qui est mort, répondit Nelson.

Le docteur Patel prit le poignet de Lee pour prendre son pouls. Il paraissait surmené et impatient, mais cachait ses sentiments personnels derrière une façade professionnelle.

— Êtes-vous mon médecin ? demanda Lee.

— Je suis le docteur Patel, votre neurologue.

— Neurologue ?

— Vous avez une infection au niveau du cerveau, poursuivit le docteur Patel. Pendant un moment, vous étiez dans un état critique, mais nous pensons maintenant contrôler la situation.

La première chose que Lee ressentit fut un soulagement. *Ce n'était pas la dépression* – une infection, il pouvait y faire face. Il leva les yeux vers Nelson, et eut envie de lui dire de ne pas s'inquiéter – c'était bien mieux que la maladie mentale, mais il ne savait pas comment le lui dire.

Il surprit à nouveau l'infirmière en train de le regarder, tandis qu'elle s'occupait de sa perfusion. Était-ce du désir dans son regard, ou simplement de la compassion ?

— Nous vous avons administré une série d'antibiotiques à large spectre, continua le médecin, et jusqu'à présent, vous avez bien réagi. Comment vous sentez-vous ?

Comme si ma tête était passée sous un rouleau compresseur, avait-il envie de répondre, mais il se contenta de hausser les épaules.

— Ça va.

Nelson perdit patience.

— OK, comment te sens-tu réellement ?

— Pas trop mal, mentit Lee.

La vérité, c'était que même s'il ressentait de violents élancements à la tête, même s'il se sentait faible et désorienté, c'était toujours mieux que les journées interminables et abrutissantes qu'il avait traversées pendant sa dépression, lorsqu'il avait l'impression que son âme était en feu et que la simple conscience était un fardeau trop lourd à porter.

— Où en est l'enquête ? Qu'est-ce que j'ai manqué ?

— Très bien, ça suffit pour l'instant, dit le docteur Patel. Vous ne devez pas vous fatiguer.

— Depuis combien de temps suis-je ici ? demanda Lee.

Nelson et Patel échangèrent un regard.

— Combien de temps ?

Nelson finit par prendre la parole.

— Trois jours.

— Trois jours ? Qu'est-ce qui s'est passé pendant trois jours, nom de Dieu ?

— Vous avez perdu connaissance dans votre appartement il y a trois jours à cause d'une méningite cérébro-spinale, dit Patel d'une voix sèche et brusque.

— Cérébro quoi ?

— C'est une fièvre cérébrale, généralement d'origine bactérienne. Vous êtes resté dans le coma pendant trois jours, et vous venez juste d'en sortir.

Lee regarda Nelson.

— C'est vrai, mon pote, dit doucement Nelson.

Lee tourna les yeux vers Patel.

— Bactérienne… alors ce n'est pas contagieux ?

— Non.

— Quand puis-je sortir d'ici ?

— Ne soyez pas trop pressé, avertit Patel. Vous avez été très malade, vous savez. Vous réagissez bien aux antibiotiques, mais…

— Mais je travaille sur une affaire très importante.

— Lee, l'interrompit Nelson en posant une main sur son épaule. Chuck se fait du souci pour toi. Nous sommes tous inquiets.

Cela semblait être le prélude à une mauvaise nouvelle.

— Quoi ? Qu'y a-t-il ? demanda Lee, sentant la panique lui monter à la gorge. Que s'est-il passé ? Il y a eu une autre victime ?

— Non, il n'est rien arrivé, le rassura Nelson. C'est juste que…

Il s'interrompit et détourna les yeux.

— Il ne me débarque pas de l'affaire ?

Lee entendit sa voix devenir tendue, plus stridente.

— S'il vous plaît, dit le docteur Patel. Ne vous agitez pas…

Nelson se frotta les sourcils, et détourna les yeux.

— Chuck a pensé que tu avais besoin de repos.

— Mais je viens juste de prendre trois jours de repos, nom de Dieu !

— Je sais, je sais, répondit Nelson.

Le docteur essaya une fois de plus d'intervenir.

— Maintenant, je dois vraiment insister…

— Mais Lee, tu as failli mourir ! Est-ce que tu le sais ?

— Bon, eh bien je suis là maintenant, non ?

— Messieurs, s'il vous plaît !

La voix du docteur Patel était au bord de la panique à présent.

— Laisse-moi parler à Chuck, plaida Lee.

— Tu peux essayer, dit Nelson, mais je ne sais pas…

— Vous devez vraiment partir, maintenant ! cria presque le docteur Patel, prenant Nelson par les épaules. Si vous ne partez pas, je vais devoir appeler la sécurité !

— C'est bon, je m'en vais, grommela Nelson. Chuck passera à la fin de la journée. Tu pourras lui parler, dit-il par-dessus son épaule tandis que le docteur le poussait hors de la pièce.

Patel revint au chevet de Lee après le départ de Nelson.

— Vous devez absolument éviter de vous énerver, dit-il en prenant le pouls de Lee. Ce n'est vraiment pas recommandé.

— Désolé.

Lee sentait la douleur battre dans ses tempes, et son corps entier était douloureux d'épuisement. Le docteur Patel fronça les sourcils.

— Je vais être franc avec vous, monsieur Campbell. Si vous ne laissez pas à votre corps le temps de se rétablir, vous n'aurez aucun espoir de guérison. Si vous essayez de hâter le processus, vous pourriez vous retrouver à nouveau à l'hôpital – ou pire. Est-ce que vous comprenez ce que je vous dis ?

Lee détourna les yeux.

— Oui, dit-il, je comprends.

Mais tandis qu'il prononçait ces mots, il se demandait comment il allait pouvoir les persuader de le laisser sortir le plus vite possible.

Chapitre 56

Le soir même, Lee avait cessé de ressentir des élancements dans la tête. Il se réveilla au coucher du soleil, avec une faim de loup. Il tourna la tête et vit Chuck assis près de lui, feuilletant un magazine. Le docteur Patel se tenait au pied de son lit, étudiant son dossier.

— Je meurs de faim, dit Lee.

— OK, répondit Chuck. Qu'est-ce que tu veux ?

— Un cheeseburger.

Morton sourit.

— C'est bon signe.

— Vous n'êtes pas encore tiré d'affaire, dit Patel d'un air morose.

Il avait l'air de penser qu'il était de son devoir de refroidir leurs espoirs, même s'il trouvait cela déplaisant.

— Est-ce qu'il a le droit de manger ? demanda Chuck.

— S'il a faim, oui, répondit le médecin d'un air lugubre, comme si l'appétit de Lee était un signe funeste.

— OK, dit Chuck en se levant, jetant le magazine sur la chaise. Je reviens tout de suite.

— Hé, est-ce que quelqu'un a appelé ma mère pour lui dire que j'allais bien ? demanda Lee.

— Elle était là un peu plus tôt, pendant que tu dormais. Elle reviendra demain. Oh, et le docteur Azarian est passée aussi, ajouta-t-il. Elle a dit qu'elle reviendrait plus tard.

Il sortit aussitôt, suivi de Patel, le docteur au visage morose.

Il sentit un petit frétillement d'impatience en entendant le nom de Kathy. Il avait envie de parler d'elle à Chuck, mais le sujet des femmes était un peu tendu entre eux, depuis ce qui s'était passé avec Susan. Après l'université, sous le coup de la déception amoureuse après sa séparation avec Lee, Susan Beaumont avait tourné autour de Chuck à la fois pour de bonnes et de mauvaises raisons. Lee le savait, parce qu'elle le lui avait dit après avoir trop bu lors d'une fête de fin d'année, quelques années plus tôt. Elle avait épousé Chuck pour rester proche de Lee, lui avait-elle dit. Au lieu de se sentir flatté, comme elle s'y était peut-être attendue, il avait réagi par la culpabilité et la consternation. Il l'avait suppliée de ne jamais répéter cela à personne – et surtout pas à Chuck – mais il n'avait aucune idée de la façon dont les choses se passaient entre eux. Il avait prié pour qu'elle suive son conseil. Ce n'était pas une femme cruelle, elle était juste très immature.

Susan Beaumont était exactement le genre de femme par qui Chuck était attiré – une femme qui semblait avoir besoin qu'on la protège. Lee pensait qu'elle aimait vampiriser les hommes, mais Chuck avait besoin de sentir qu'on avait besoin de lui et, comme tous les hommes qui voyaient Susan, il était terrassé par sa beauté. Le genre de beauté naturelle et vibrante qui était injuste aux yeux des autres femmes, et laissait les hommes sans défense. Susan Beaumont Morton était le type de femme qui arborait sa beauté de façon si désinvolte et si consciente à la fois qu'il était difficile pour quiconque – homme comme femme – de penser à autre chose en lui parlant. Mais Lee avait senti la Circé qui sommeillait en elle dès le début, et il avait simplement espéré qu'elle ferait preuve de bienveillance envers Chuck, qui l'adorait toujours autant après toutes ces années de mariage. Lee espérait qu'elle ait fini par l'aimer comme il le méritait.

Elle avait besoin de choses que Lee – ni personne, suspectait-il – ne pouvait lui donner, mais la mission de Chuck Morton dans la vie était restée inchangée depuis que Lee le connaissait : sauver, protéger et servir. Lee savait que l'attitude protectrice de Chuck s'étendait à lui aussi, et cela le touchait. Il pouvait chambrer son ami à ce sujet, mais jamais il ne se serait moqué de la relation qu'il entretenait avec les femmes. Chuck croyait encore que Susan avait quitté Lee pour lui. Lee le laissait croire à cette fiction parce que c'était plus facile pour tout le monde – du moins il l'espérait.

Mais Kathy Azarian était différente. Il était sorti avec des femmes qui étaient plus belles, d'autres femmes que Susan, mais aucune ne l'avait touché comme Kathy l'avait fait. Était-ce à cause de la façon dont elle plissait le front quand elle réfléchissait, ou de la manière dont elle faisait une drôle de moue, ou de la mèche de cheveux qui lui tombait sur les yeux ? C'était cela, et plus encore – le son de sa voix basse et un peu rauque, son léger cheveu sur la langue, la façon dont elle enroulait les doigts autour de son bras quand ils marchaient – cent petites choses, et rien de particulier.

Comme si quelqu'un avait lu dans ses pensées et lui avait envoyé Kathy Azarian.

— Entrez ! cria Lee en s'efforçant de se redresser pour s'asseoir dans son lit.

L'effort lui donna le vertige.

Kathy entra dans la chambre et s'assit sur la chaise laissée vacante par Chuck. Elle posa la main sur le bras de Lee. Ses doigts étaient doux et frais.

— Comment te sens-tu ?

— Pas trop mal. Affamé.

— C'est bon signe.

Il vit qu'elle essayait de cacher son inquiétude, pour ne pas l'effrayer.

— Tout ira bien, lui dit-il.

— Je n'en ai jamais douté, lui répondit-elle de façon un peu trop rapide. Oh, je t'ai apporté une valise digne de ce nom, dit-elle en lui montrant un sac en cuir. Pour ton départ de l'hôpital. C'est un truc de fille, ajouta-t-elle en riant. On adore les chaussures et les sacs – c'est très freudien, non ?

— Oui, approuva-t-il.

Sa seule présence lui remontait le moral.

— Oh, et je t'ai même apporté quelque chose d'encore plus inutile, ajouta-t-elle, en fouillant au fond de son sac.

Il la regarda, et vit la mèche rebelle qui lui tombait sur les yeux. Le mystère du désir faisait partie d'un plus grand mystère encore, dont Lee s'était approché de près pendant sa dépression. Au milieu de la damnation, il avait entrevu la possibilité d'un salut. Et c'était peut-être pour cela que d'une certaine façon, il pouvait comprendre l'âme torturée de ce jeune tueur, pris lui aussi au piège dans le cycle de la damnation. Il n'existait aucune carte qui indiquait comment sortir du sombre maquis dans lequel Lee s'était retrouvé. Mais il avait appris que le salut et la damnation étaient très proches, et que la frontière qui les séparait était aussi mince que la ligne d'horizon qui séparait la Terre et le ciel.

— Voilà ! s'écria Kathy d'un air triomphant en sortant une feuille de papier journal écorné. Ce sont les mots croisés du *Times* de ce mardi, et ça concerne exclusivement la médecine légale. J'ai pensé qu'on pouvait les faire ensemble.

— OK, dit-il. Mais je ne suis pas très doué pour les mots croisés. Je n'en fais pas assez souvent. Ma mère est une vraie championne. Elle fait les grilles les plus compliquées.

— Ce n'est que la grille du mardi, alors ça ne devrait pas être trop compliqué.

— Tant mieux.

Elle la lui tendit, et il l'étudia. Le titre mentionnait « Criminologie ». Il regarda la première définition : « Profiler gourou du FBI ».

— Ressler, dit-il. Robert Ressler. Ça pourrait aussi être Douglas – John Douglas.

— Tu te mords la lèvre inférieure quand tu te concentres, dit-elle. Tu le savais ?

Il leva les yeux.

— Je n'y avais jamais vraiment songé. Tiens, dit-il en lui tendant le journal.

Elle le prit, mais le laissa retomber sur ses genoux.

— Oh, bon sang, dit-elle. Merde.

— Qu'y a-t-il ? Qu'est-ce qui ne va pas ?

— *Merde.*

— Quoi ? Qu'y a-t-il ?

Elle jeta le journal sur le lit en signe de capitulation.

— Je suis amoureuse de toi.

Un éclat de rire jaillit du fond de sa gorge, prenant Lee au dépourvu. Elle pencha la tête sur le côté en haussant les sourcils.

— Et tu trouves ça drôle ?

— C'est la façon dont tu l'as dit.

Elle sourit – d'un côté seulement. C'était son air contrit, l'expression la plus proche de l'excuse chez elle.

— Peut-être que tu as juste pitié de moi, suggéra-t-il.

— Il n'y avait aucune intention derrière mes paroles, dit-elle. C'est juste que… ça n'était pas dans les prévisions immédiates, dit-elle visiblement un peu irritée, même si le ton de sa voix était doux.

Il rit à nouveau. Il se sentit bien, comme si quelque chose se débloquait en lui.

— Désolé de bouleverser tes prévisions.

— Tu ne ris pas très souvent, tu sais, dit-elle.

— Je sais. Je riais – avant.

— Oh, je vois.

Elle eut une expression un peu figée, comme si elle ne savait pas très bien comment réagir.

— Je suppose que ça veut dire que je vais mieux, dit-il.

— Vraiment ? demanda-t-elle. Je veux dire, tu te sens mieux ?

— Oui, bien mieux, dit-il en regardant autour de lui. C'est étrange d'être à nouveau ici. Je n'y étais pas revenu depuis…

— Oui. Est-ce que… ça va mieux ?

— Ça ? Oui. Enfin, il y a des hauts et des bas, mais dans l'ensemble, je vais mieux.

Elle sourit.

— Oh, tant mieux. Je n'ai jamais eu… ça. (Ni l'un ni l'autre ne parvenait à prononcer le mot « dépression ».) Mais j'ai des amis à qui c'est arrivé. Je n'avais pas conscience de la gravité de la chose jusqu'à ce que l'un d'eux se suicide.

Lee sentit sa gorge se serrer.

— Oh… Comment est-ce que…, commença-t-il, avant de prendre conscience qu'il ne voulait pas entendre la réponse.

— Au monoxyde de carbone. Il s'est assis dans sa voiture, dans le garage, avec le moteur allumé. Sa mère l'a trouvé.

— Quel âge avais-tu ?

— C'était quelques années après l'université.

— C'était un ami proche ?

— Assez proche pour me demander des années après ce que j'aurais pu faire pour éviter cela. Je ne sais même pas qu'il était déprimé – nous avions perdu le contact, en quelque sorte. Je l'ai appris par des amis communs.

— Je suis désolé.

Elle regarda par la fenêtre, puis secoua la tête.

— Je ne sais pas pourquoi je te raconte ça, dit-elle. Je suis désolée, après ce que tu viens de traverser.

— Eh bien, je suis un psychologue diplômé, dit-il. Si les gens ne peuvent pas me parler, alors à qui vont-ils parler ?

Elle sourit à sa tentative de rendre le ton de la conversation plus léger.

— Ce que cela m'a appris, c'est… que les gens sont irremplaçables. Quand on perd quelqu'un, c'est fini. On ne le remplace pas.

— C'est vrai. Je n'y avais jamais songé exactement sous cet angle.

Chuck revint avec des hamburgers qu'il avait achetés à la cafétéria la plus proche. Lee pensa entrevoir un soupçon d'irritation sur le visage de son ami en voyant Kathy.

— Bonjour, dit Chuck. Ravi de vous revoir.

Par chance, Chuck avait acheté trois hamburgers, ils en avaient donc un chacun. Lee aimait la façon de manger de Kathy, avec un solide appétit, et sans la moindre gêne. Mais dès qu'ils eurent terminé, le docteur Patel apparut, secouant son stéthoscope sous leur nez.

— Il est temps de vous reposer, dit-il d'un air sévère, en faisant signe à Chuck et à Kathy de sortir.

— Est-ce qu'il lui arrive de dormir ? murmura Kathy à l'oreille de Lee en l'embrassant.

— C'est un interne, lui murmura-t-il à son tour. Ils ne dorment jamais.

Le docteur Patel prit à nouveau la tension et le pouls de Lee en hochant la tête d'un air sombre, en marmonnant dans sa barbe tout en notant quelque chose sur le graphique qui était au bout de son lit, puis il sortit. Lee s'allongea à nouveau sur les oreillers, avec un étrange sentiment de satisfaction. Il sentit qu'il avait les paupières lourdes de sommeil, et sombra dans ses bras sombres et accueillants.

Chapitre 57

L'église était vaste et déserte, et le marbre noir qui ornait les lieux était aussi froid qu'une tombe. Un vent frais saisit Lee tandis qu'il avançait dans le couloir qui menait à l'autel. Les bancs de l'église étaient vides, mais il entendait des murmures, des langues glissant sur des consonnes comme autant de vipères. Il ne parvenait pas à comprendre ce que disaient les voix, mais eut l'impression qu'elles parlaient de lui dans la pénombre de la chapelle, éclairée uniquement par quelques bougies votives posées le long des murs. Il plissa les yeux pour les voir, mais ne vit que des rangées de bancs vides qui s'étendaient devant lui, telles des sentinelles de bois silencieuses.

Il continua à marcher. Le couloir s'étendait devant lui, et l'autel semblait s'éloigner à mesure qu'il approchait. Les murmures étaient derrière lui maintenant, et il se concentra pour essayer de discerner les mots, mais les voix se mêlaient, formant un sifflement semblable au bruit des gouttes de pluie sur un toit de tôle. Une unique lumière blanche brilla au-dessus de l'autel tandis qu'il descendait les marches. Les murmures s'amplifièrent, rendant l'atmosphère plus dense, comme le brouhaha des cigales.

Là, sur l'autel, Laura l'attendait. Elle était allongée sur le dos, les mains jointes sur sa robe de communion d'un blanc immaculé. Elle avait les yeux fermés, le visage paisible dans la mort – il n'y avait aucun doute dans son esprit, elle était aussi morte que les fleurs séchées qui bordaient les marches de l'autel. Lee observa son visage, attendant que ses joues retrouvent leur couleur rosée une dernière fois, et perdent la pâleur grise de la mort. Ses cheveux encadraient son visage pâle comme un sombre halo, retombant en boucles sur ses épaules. Laura avait toujours été fière de ses cheveux – épais, noirs et brillants.

Il ressentit de la tristesse, et non de l'effroi. À sa surprise, il se sentit aussi soulagé. Il avait toujours su qu'elle était morte, mais maintenant il en avait la preuve, et elle était en paix. Au lieu de pourrir quelque part dans un fossé, exposée aux éléments et rongée par des créatures sauvages, elle était parfaitement préservée, aussi immaculée qu'une jeune mariée, sa beauté intacte à tout jamais. Il était content – content pour elle et pour sa mère, qui pouvait maintenant accepter la réalité de sa mort.

Il se pencha pour embrasser sa joue morte, mais ce faisant, son visage se transforma sous ses yeux – en celui de Kathy Azarian. Aussitôt, la peur lui étreignit le cœur, le laissant à bout de souffle. Il tomba à genoux, l'esprit paralysé par la terreur. Il lutta pour essayer de voir, d'entendre, de sentir ce qui se passait autour de lui, mais un nuage d'inconscience l'enveloppa, affaiblissant tous ses sens. Il essaya de crier, mais ses cordes vocales étaient redevenues poussière, aussi sèches que les fleurs mortes qui entouraient l'autel.

Il se réveilla au milieu du calme de la nuit. Il lui fallut quelques instants pour comprendre où il était. Les téléphones du poste des infirmières avaient cessé de sonner, et il entendit le léger ronronnement de l'unité de soins intensifs, au bout du couloir. Il ressentit un soulagement intense que son rêve ne soit… qu'un rêve.

La pièce était dans l'obscurité – la seule source d'éclairage était la lumière qui filtrait à travers la porte en verre fumé. Les stores vénitiens étaient fermés, occultant la lumière des réverbères, dans la rue. Tandis que ses yeux s'habituaient à la pénombre, Lee ressentit une présence dans la pièce. Il regarda dans le recoin le plus éloigné, où se trouvait une chaise, contre le mur. Au premier regard, Lee pensa que quelqu'un avait peut-être jeté un manteau sur la chaise, mais il comprit alors que la forme sombre sur la chaise était une personne. Il discernait à peine un homme assis dans la pénombre, aussi immobile que s'il avait été en pierre.

Il savait de qui il s'agissait.

Lee sentit sa main trembler et il faillit appuyer sur le bouton d'appel pour faire venir l'infirmière, mais quelque chose l'en empêcha. La curiosité, peut-être – ou l'instinct de se soumettre à ce que le destin lui avait réservé. La silhouette se tenait immobile. Lee tendit la main et tira sur le cordon du store, laissant entrer la lumière de la rue. Au même instant, la lune se refléta sur le front haut et pâle. La pièce était encore trop sombre pour qu'il puisse discerner les traits de son visage avec netteté, mais il vit que l'homme était mince et pâle.

Lee déglutit, et sentit qu'il avait la gorge sèche.

— Comment êtes-vous entré ici ? demanda-t-il d'une voix rauque.

Son visiteur laissa échapper un petit rire nerveux.

— Je suis plutôt doué pour entrer où j'ai envie d'entrer – mais vous devriez le savoir maintenant.

La voix était jeune, haut perchée et un peu rauque, et il avait une respiration sifflante. Lee ne put s'empêcher de se sentir triomphant. *J'avais donc raison, il est asthmatique.* Il eut également l'impression d'avoir déjà entendu cette voix, mais où ? Lors de leur brève rencontre à Hastings, ils n'avaient échangé aucune parole.

— Que voulez-vous ?

— Que veulent les gens ? L'argent, le pouvoir, l'immortalité – mais rien de tout cela ne m'intéresse.

— Qu'est-ce qui vous intéresse ?

— L'amour. Comme l'amour que je ressens pour Dieu – l'amour inconditionnel et la dévotion.

— Y a-t-il une différence entre l'amour et la dévotion ?

— Je suppose que cela dépend de qui on est. Mais il n'y a pas d'amour inconditionnel – pas dans cette vie en tout cas.

— Alors, pourquoi êtes-vous là ?

Son visiteur se pencha en avant sur sa chaise.

— Pour que vous sachiez que c'est Lui qui me dit de faire ce que je fais.

— Vous voulez parler de Dieu ?

— Oui, c'est son œuvre que j'accomplis.

— N'avez-vous pas peur de vous faire prendre ?

— Le juste ne peut se permettre de ressentir la peur.

— Mais ne la ressentez-vous pas malgré tout, en sachant que tous ces gens sont à votre poursuite ?

Le poursuivant devient à son tour celui qui est poursuivi.

— J'ai Dieu pour me protéger.

— C'est ce que vous croyez ? Qu'il vous empêchera de vous faire prendre ?

— Tant que son œuvre n'est pas accomplie, oui.

— Et avez-vous pensé aux jeunes filles ? N'éprouvez-vous aucun remords ?

Sa respiration devint plus sifflante, l'air semblait se raréfier dans ses poumons.

— Je dois les sauver.

— De quoi ?

— De la damnation éternelle. Je demande toujours leur pardon, mais cela doit être fait.

Il laissa le silence s'installer, puis reprit :

— Je ne veux pas vous tuer, vous savez. Je me sens proche de vous.

— Pourquoi continuez-vous ?

— Je ne pourrais m'arrêter, même si je le voulais. Vous devriez le savoir.

Sa voix était mi-ironique, mi-sincère.

— Pourquoi ne vous rendez-vous pas ? Vous pourriez alors vous reposer – et trouver enfin la paix.

Son visiteur inspira, et ses poumons congestionnés firent un bruit rauque.

— Je ne pense pas. Pourquoi les flics semblent-ils toujours penser que les criminels vont tomber dans un piège aussi grossier ? Est-ce que qui que ce soit dans l'histoire est déjà tombé dans le panneau ?

Un autre silence.

Puis, Lee demanda :

— Pourquoi avez-vous tué Eddie ?

— J'ai peur de ne rien savoir là-dessus. Et je dois y aller maintenant – j'ai un rendez-vous avec la mort, dit-il en se levant de sa chaise.

Il était déjà sorti avant que Lee ne trouve le bouton d'appel. Quand il entendit la porte se refermer derrière lui, Lee imagina qu'il était déjà en chemin pour la 7e avenue, passant peut-être par les escaliers pour éviter d'être vu dans l'ascenseur.

Il frémit, regarda par la fenêtre, et vit la lune se glisser derrière un nuage. Il n'oublierait pas cette voix. Elle était chargée de la rage enfouie d'une vie ayant basculé dans l'amertume. Il ne pouvait se défaire de l'impression de l'avoir déjà entendue, mais il ne parvenait pas à la situer.

Cela le surprit, mais Lee reconnut une part de lui en cet homme. Comme la plupart des gens civilisés, Lee était forcé de ravaler sa rage – mais cet homme y avait cédé, punissant des jeunes femmes innocentes au nom d'un Dieu indifférent.

Chapitre 58

Chuck Morton arriva le lendemain après-midi, accompagné de l'inspecteur Butts, qui était encore plus chiffonné qu'à l'accoutumée. Ce dernier jeta un regard alentour d'un air gêné en se grattant la nuque, et après avoir brièvement salué tout le monde, il se tapit dans un coin de la pièce, les yeux posés sur les machines à l'arrêt, au bout du lit vide qui était face à celui de Lee.

— On est juste venu pour voir comment tu allais, dit Chuck, mais Lee devina que ce n'était pas le véritable but de leur visite.

— Je suis prêt à partir d'ici, répondit Lee.

— Est-ce que tu penses vraiment que ce soit une bonne idée ?

— Ils ne peuvent pas me garder ici contre ma volonté.

— Ne crois-tu pas que tu devrais écouter ton médecin ?

— Pfff… Qu'est-ce qu'ils savent, au fond, les médecins ? grommela Butts en s'asseyant sur une chaise en plastique et en se rafraîchissant le visage avec une lingette stérilisée.

Lee commença à sortir du lit.

— Écoute, il est inutile de te punir parce qu'on n'a pas encore attrapé ce type, dit Chuck.

— Je ne me punis pas, répondit Lee, même s'il savait que Chuck n'avait pas tout à fait tort.

— Bon, très bien, répondit Chuck. Mais ne penses-tu pas que tu devrais écouter ton médecin, malgré tout ?

Lee regarda son ami. Il semblait mal à l'aise.

— Heu… Je meurs d'envie de boire un café, déclara Butts. Vous en voulez un ?

— Non, merci, répondit Chuck.

— Oui, je veux bien, dit Lee. Merci.

— Je ne serai pas long, dit Butts qui semblait très impatient de sortir de la pièce.

— J'ai l'impression qu'il n'aime pas beaucoup les hôpitaux, remarqua Lee.

— En effet, répondit Chuck, qui semblait avoir l'esprit ailleurs.

Il y eut un silence gêné, puis il posa la main sur l'épaule de Lee.

— Écoute, Lee…

Quelque chose dans le ton de sa voix glaça Lee.

— Qu'y a-t-il ? Y a-t-il eu une autre victime ?

Chuck évita de le regarder.

— Non, ce n'est pas ça.

— Quoi alors ? Qu'est-ce qui ne va pas ?

Chuck baissa les yeux.

— Le maire n'a pas arrêté de harceler le procureur, tu sais, et il nous a passé un savon.

— Et alors ? Où veux-tu en venir ?

— Eh bien, ils me mettent la pression pour faire intervenir les Fédéraux.

— Tu veux dire qu'ils veulent faire appel à un profiler du FBI ?

— Ouais. (Chuck avait l'air affligé.) écoute, je suis désolé, Lee, je ne voulais pas que ça se passe comme ça, mais entre le fait que tu tombes malade… et l'enquête des Affaires internes…

— Nom de Dieu, Chuck, tu sais ce qui se passe une fois que les Fédéraux mettent leur nez dans nos affaires, n'est-ce pas ?

— Bien sûr que je le sais ! Ils arrivent avec leurs hommes, leur argent, et ils nous mettent de côté. Ils vont s'attribuer le mérite de tout ce qu'on a fait, et l'affaire deviendra la leur.

— Écoute Chuck, je vais bien maintenant. Je suis prêt à sortir…

— Non tu ne l'es pas. Le docteur Patel dit que tu devrais rester alité pendant au moins une semaine de plus.

— Le docteur Patel est un pessimiste professionnel. N'as-tu pas essayé de raisonner le procureur, de lui dire qu'on avançait ?

— Bien sûr que si, mais tu connais le maire…

— Oui, mais malgré tout…

— Le fait est qu'on ne dispose plus des mêmes effectifs depuis…

— Oui, je sais cela, Chuck. On est en effectif réduit depuis le 11 septembre. Mais merde, on y arrive quand même. Je sors d'ici maintenant.

Lee se démena pour sortir de son lit, mais Chuck garda sa main sur son épaule.

— S'il te plaît, Lee, ne réagis pas comme ça.

— Comme quoi, Chuck ? Comme *quoi* ? Tu me dis que le maire veut nous enlever l'affaire – qu'est-ce que je suis censé faire ? Rester au lit et prendre mes médicaments comme un gentil garçon ? Qu'ils aillent au diable !

Lee repoussa la main de Chuck et se hissa péniblement hors du lit, faisant un effort surhumain pour ne pas montrer qu'il était pris de vertiges. Il sortit les vêtements qui se trouvaient dans la commode, près de son lit, et les fourra dans le sac en cuir que Kathy lui avait apporté.

Chuck tapa du poing sur la table qui était près de lui.

— *Je le savais !* Je savais que tout ça te touchait de trop près !

Lee se retourna brusquement pour faire face à Chuck.

— Tu veux savoir à quel point cela me touche de près ? Tu veux ? Il est venu me voir la nuit dernière !

— Que veux-tu dire ?

— Il était *ici* – assis sur cette chaise !

— De quoi parles-tu ? As-tu rêvé sous l'emprise de la fièvre, ou quelque chose de ce genre ?

— Non, je l'ai vu aussi clairement que je te vois. Il a réussi à entrer ici.

— Quoi ? Comment ?

— Je ne sais pas comment ! Il est simplement entré par la porte, je suppose.

Lee ressentit des douleurs lancinantes à la tête, et dut s'asseoir sur le lit.

— Écoute, dit Chuck. Ne penses-tu pas que l'enquête devrait se concentrer avant tout sur les victimes – et sur l'arrestation de celui qui fait ça ?

— Mais bien sûr que si ! C'est pour ça que je suis tellement en colère – tu crois que je suis fier de ma réaction ? Je sais que c'est égoïste, mais c'est *notre* affaire. Si les Fédéraux interviennent avec toutes leurs ressources et leur argent, ils nous éloigneront de l'enquête. Et cela donnera l'impression qu'on a échoué, quelle qu'en soit l'issue – tu le sais aussi bien que moi ! ça va se transformer en guerre des services, et même si ce n'est pas le cas, rien ne les arrêtera. Si on progresse dans l'affaire, on leur attribuera tout le mérite, qu'ils le veuillent ou non.

— Tu es diplômé de Quantico, bon sang, Lee.

— Et si j'étais un homme meilleur, je dirais bien sûr, faites-les venir sur l'enquête – plus on est, mieux c'est. Il y a de vraies pointures chez les Fédéraux – tu ne crois pas que je le sais, tout ça ? Mais j'aurais un sentiment d'échec.

— Je sais, mais le fond du problème ici, c'est que tu n'es vraiment pas en état.

— Oh, ne recommence pas avec ça, nom de Dieu !

— Est-ce que tu ne voudrais pas juste lever le pied une minute et réfléchir à ce que tu es en train de faire ?

— Non, je ne veux pas, parce qu'apparemment, on va déjà trop doucement ! dit Lee en enfilant sa chemise si violemment qu'il en déchira la manche. Merde ! s'exclama-t-il en balançant une chaussure à travers la pièce.

Au même instant, il leva la tête et vit sa mère et Kylie dans l'embrasure de la porte de sa chambre. Kylie faisait des yeux ronds de stupéfaction, et sa mère avait l'air d'avoir avalé son parapluie.

— Eh bien, dit froidement Fiona Campbell, on dirait que quelqu'un est en train de piquer une colère.

— Oncle Lee, tu as dit des vilains mots, dit Kylie.

— Oui, c'est vrai, Kylie. Ce sont de très vilains mots.

Butts revint avec deux gobelets de café et un énorme sandwich au fromage.

— J'ai pensé que vous aviez peut-être faim, alors je... dit-il, avant de s'interrompre, sentant la tension dans l'air.

— Que se passe-t-il ? Il s'est passé quelque chose pendant que j'étais parti ?

— Eh bien, dit la mère de Lee, c'est très gênant, n'est-ce pas ?

Chapitre 59

Une demi-douzaine d'excuses plus tard, on persuada Fiona d'emmener Kylie faire les magasins, tandis que Lee et Chuck se rendaient au commissariat, accompagnés de l'inspecteur Butts.

Sur place, Nelson et Florette les attendaient, et Nelson ne semblait pas content.

— *Les Fédéraux* ? hurla-t-il. Les putains de Fédéraux ? Pourquoi est-ce que vous les laissez intervenir, nom de Dieu !

— Ce n'est pas moi qui veux les mettre sur le coup, fit remarquer Chuck.

— Nom de Dieu ! fulmina Nelson. On pourrait penser qu'ils ont assez de boulot sur les bras avec leur récent fiasco !

Il avait les yeux injectés de sang, et les joues couvertes de petites veines rouges. Il était évident pour tous ceux qui étaient dans la pièce qu'il n'était pas sobre.

— Écoute, dit Lee, pourquoi n'irais-tu pas te reposer ? Tu n'as pas l'air très en forme.

— Je n'ai pas l'air très en forme ? Vraiment ? Tu devrais jeter un coup d'œil dans le miroir, mec – t'as une tête de déterré.

— OK, fit Chuck en lui mettant la main sur l'épaule, calmez-vous.

— Je suis parfaitement calme, répondit Nelson.

— Je ne pense pas que qui que ce soit ici ait envie que les Fédéraux interviennent, fit observer Florette.

Il portait un costume vert impeccable, avec la cravate assortie ; ses chaussures étaient fraîchement cirées. À côté de lui, Butts paraissait un peu miteux.

— Alors, pourquoi personne ne fait rien pour changer les choses ? marmonna Nelson.

Butts s'interposa.

— Je crois que la première chose qu'on devrait faire, c'est de vous renvoyer chez vous. Vous n'êtes pas…

Il n'eut pas l'occasion de terminer sa phrase. Nelson grommela, et balança son poing en direction de Butts. Mais il était trop saoul pour atteindre sa cible, et atterrit sur le dos, de l'autre côté de la pièce.

— Oh, vous voulez vous battre ? lança Butts. Allez-y, montrez-moi ce que vous avez dans le ventre. Je suis prêt.

— Arrêtez ! hurla Chuck. Ça suffit, maintenant, ajouta-t-il en s'agenouillant près de Nelson. On fait une pause, et on reprend d'ici quelques minutes. Qu'est-ce qui ne va pas chez vous ? demanda-t-il en aidant Nelson à se relever.

— Je vais vous dire ce qui ne va pas, répondit Nelson. Ce putain de dingue nous tient par les couilles ! Voilà ce qui ne va pas !

— Vous ne nous aidez pas. Pourquoi ne pas rentrer chez vous pour dormir et cuver un peu ?

Nelson regarda Lee, qui dit :

— Je pense que tu sais que Chuck a raison.

Il leur fallut faire preuve de beaucoup de persuasion pour décider Nelson à partir. Après son départ, une atmosphère lugubre s'installa dans le bureau. Ils étaient tous à bout, et le comportement de Nelson leur rappelait à quel point ils étaient tous à cran.

— Bon, écoutez, dit Chuck. Il nous reste encore deux jours, alors n'abandonnons pas.

— Ouah, deux jours entiers ! railla Butts.

— Bon, essayons de nous concentrer un instant, dit Chuck.

— Je veux pas me faire l'avocat du diable, dit Florette en ajustant sa cravate en soie déjà parfaitement centrée, mais ne pensez-vous pas que des regards neufs pourraient nous être utiles à ce stade ?

— Je suis étonné qu'ils aient des hommes disponibles, avec tout le boulot qu'ils ont avec l'anti-terrorisme, fit Butts.

— Écoutez, dit Lee, j'ai été formé avec certains de ces types à Quantico, et ils sont exceptionnels, mais cela prendra un moment avant qu'ils soient opérationnels, et on risque de perdre un temps précieux.

Il regarda Chuck, attendant son approbation.

— Il est tout à fait naturel d'éprouver un sentiment de possessivité à propos d'une affaire sur laquelle on a travaillé très dur.

— Ce que vous venez de dire est tout à fait juste, dit Butts. Le plus important, c'est de mettre la main sur ce type le plus vite possible, pour l'empêcher de recommencer.

— Bien sûr, consentit Florette, mais je ne suis pas convaincu que l'intervention des Fédéraux soit la pire chose qui puisse arriver. Certes, ils ne connaissent pas la ville, ils ne nous connaissent pas et ils n'ont pas travaillé sur cette affaire depuis le début, comme nous – mais ils ont quelque chose que nous n'avons pas.

— Et qu'est-ce que c'est ? demanda Butts.

— Du recul. Un regard neuf.

— Même si je suis tout à fait d'accord avec vous, dit Chuck, de mon point de vue, cela revient à choisir entre la peste et le choléra. Vous voyez ce que je veux dire ?

— Bien sûr, dit Florette, nous sommes tous dans une situation dans laquelle nous sommes perdants quoi qu'il advienne.

— Ouais, admit Lee.

Il alla s'asseoir, eut un vertige et faillit tomber.

— Hé, peut-être que quelqu'un d'autre devrait rentrer chez lui maintenant.

— Je vais bien, répondit Lee de façon laconique.

Butts le regarda d'un air inquiet.

— Est-il possible que votre infection ait été causée… de façon intentionnelle ?

Lee le regarda, interdit.

— Que voulez-vous dire ?

— Aurait-il pu… Je veux dire, est-ce que quelqu'un peut causer ce genre d'infection à une autre personne ?

— Je pense que c'est peu probable, coupa Florette. J'ai commencé des études de médecine, et je n'ai jamais entendu parler d'un cas de méningite bactérienne qui aurait été causée par une contamination délibérée. Ce n'est pas…

— Bien, alors poursuivons, dit Chuck. Avez-vous réussi à localiser Samuel Beckett ? demanda-t-il à l'inspecteur Florette.

— Pas vraiment. On a enquêté sur quelques personnes portant ce nom, mais elles ne correspondaient absolument pas au profil – un vieux marin à la retraite qui vit à Staten Island, un Français d'âge moyen, un riche homme d'affaires de l'Upper East Side, et un dramaturge en devenir dont c'est le nom de plume qui vit dans l'East Village et qui est très certainement gay.

— Du nouveau sur la façon dont il s'est introduit dans l'hôpital ? demanda Chuck à Butts.

— Une des infirmières de nuit a retrouvé une veste d'aide-soignant jetée dans le placard à balais, mais elle ne porte aucune empreinte exploitable. Il portait sans doute des gants – Dieu sait qu'ils n'en manquent pas dans les hôpitaux.

— Oui, et il est trop intelligent pour s'en être débarrassé à l'intérieur de l'hôpital, nota Lee. Il sait certainement qu'on peut relever des empreintes à l'intérieur des gants en latex.

Chuck regarda sa montre.

— Bon, il est tard. Je pense qu'il vaudrait mieux qu'on aille tous dormir quelques heures et qu'on se retrouve ici demain à la première heure.

— D'accord, dit Butts. C'est ma femme qui va avoir un choc en me voyant – elle dit qu'elle ne m'a pas vu depuis si longtemps qu'elle a oublié à quoi je ressemblais. Cela dit, dans mon cas, ça n'est peut-être pas une mauvaise chose, ajouta-t-il avec un sourire contrit.

Ils partirent tous attraper leur métro ou leur train tandis que la ville retrouvait son calme du dimanche soir. Quelques nuages venaient ponctuer la nuit claire, et il y avait une odeur de terre fraîche dans l'air.

Lee et Florette prirent ensemble le train express en direction de Times Square.

— Vous savez, dit Lee lors d'un arrêt, il doit y avoir une clé dans toute cette affaire.

Sur les murs du métro, il y avait une publicité pour les courses de l'hippodrome de Belmont, montrant un cheval au galop et un jockey penché sur son cou musculeux. Tandis que Lee regardait la photographie, une idée se forma dans son esprit.

— Oh mon Dieu – mais c'est ça ! Une *clé*.

— Pardon ?

— Eddie, dit-il. Le journal des courses – c'était la clé !

— Quelle clé ? demanda Florette, toujours aussi perplexe.

Il expliqua son idée à Florette tandis que les stations continuaient de défiler.

Une demi-heure plus tard, il était sur East 7th Street, en direction de son appartement. Dès qu'il fut rentré, il appela Chuck dans le New Jersey. Après deux sonneries, une femme répondit.

— Allô ?

C'était Susan. Elle avait une voix grave et suave. Lee l'avait vue une seule fois depuis sa confession alcoolisée de la fête de fin d'année, à l'occasion de l'enterrement d'un policier, et il avait fait de son mieux pour l'éviter. Il fut tenté de raccrocher, mais rejeta cette idée. Son numéro s'était sans doute affiché, et connaissant Susan, cela n'aurait fait qu'empirer les choses.

Il prit une profonde inspiration.

— Salut, Susan.

Il avait essayé de paraître naturel, mais sa voix sonna complètement faux.

— Salut, Lee, dit-elle d'une voix sensuelle. Ça fait un bail.

C'était à la fois une accusation, une insinuation et une invitation. Lee se demanda si elle était fidèle à Chuck.

Il reprit son souffle.

— Est-ce que Chuck est là ?

— Oui, il est au sous-sol en train de faire de la gym. Un instant, je vais le chercher.

Elle reposa le combiné, et il entendit le bruit de ses talons résonner sur le sol de la cuisine. Depuis qu'il était marié à Susan, Lee suivait un entraînement sportif assidu. Son corps déjà athlétique s'était transformé en une musculature bronzée digne des plus grands acteurs de cinéma. S'il ne faisait pas régulièrement de l'exercice, il savait qu'il prendrait du ventre, car contrairement à Lee, Chuck avait un solide appétit.

Susan avait elle aussi gardé sa beauté – elle y travaillait dur. Des heures de gym, botox, implants, micro-chirurgie ceci, rétinol cela – son corps était à lui seul un véritable projet. À peine une semaine avant de donner naissance à leur fils, aux dires de Chuck, elle faisait des abdos. Elle aurait fait appel à n'importe quoi pour conserver sa beauté. Que ce soit un flacon ou un scalpel, cela n'avait aucune importance.

Susan revint au téléphone.

— Il arrive, roucoula-t-elle. Et cesse de te comporter comme un étranger – viens nous voir de temps en temps. Et ça n'a pas toujours besoin d'être pour le boulot, dit-elle.

Oh, que si !

Chuck arriva au téléphone.

— Allô ? dit-il, un peu essoufflé.

Lee l'imagina debout dans la cuisine immaculée, faisant attention à ne pas faire tomber une goutte de sueur sur le sol d'une propreté irréprochable.

— Écoute, Chuck, j'ai une idée.

— Ah, oui ?

— Je sais que ça semble dingue, mais le journal hippique d'Eddie détient peut-être la réponse à toutes nos questions…

— Quel journal hippique ?

— Eddie Pepitone m'a appelé avant de mourir pour me dire qu'il avait une idée sur l'identité du tueur.

— Et… ?

— Il venait juste de gagner de l'argent aux courses en pariant sur un cheval qui s'appelait *Clé des champs*.

— Et alors ?

— Eddie était un mec superstitieux. Je pense qu'il a parié sur ce cheval à cause de quelque chose qu'il savait – ou pensait savoir – et qu'il voulait me dire.

— Qu'est-ce que c'était, à ton avis ?

— Eh bien, tu sais que notre type a réussi à entrer et sortir des églises avec une grande facilité ?

— Ouais, mais dans certaines églises on nous a dit que les portes restaient souvent ouvertes.

— Je sais. Mais souviens-toi qu'il a réussi à entrer dans l'hôpital et à en ressortir sans problème.

— Exact.

— Et qu'il a réussi à entrer dans la pièce fermée à clé où se trouvait le vin de messe sans aucune trace d'effraction ?

— Oui ?

— Eh bien, cela peut sembler un peu tiré par les cheveux, mais il pourrait avoir des compétences qui lui permettraient de faire tout ça ?

— Telles que ?

— Eh bien, et si c'était un serrurier ?

— Hum… Tu veux dire que *Clé des champs* pourrait être l'indice qu'il s'agit d'un serrurier ? Ça vaut le coup de vérifier.

— On pensait qu'il était probablement à son compte, non ?

— C'est exact.

— Il est donc possible qu'il ait sa propre entreprise.

— Très bien, dit Chuck. On peut mettre Florette sur le coup.

— Je suis rentré en métro avec lui.

— Ah, oui ? Alors, qu'en pense-t-il ?

— L'idée lui a plu. J'ai suggéré qu'on commence les recherches à cinq kilomètres à la ronde à partir de cette église dans le Queens. C'est l'endroit le plus probable, en partant du principe qu'il ne travaille pas trop loin de là où il vit.

— Très bien. On peut commencer à passer des coups de fil à partir de huit heures demain matin.

— Je serai dans ton bureau à huit heures tapantes.

— Entendu. (Il y eut un silence, puis Lee parla à voix basse, comme s'il ne voulait pas que la personne dans la pièce avec lui l'entende.) Lee ?

— Oui ?

— Est-ce que ça va ?

— Oui, je vais aller me coucher.

— Très bien. Fais-le, d'accord ?

— Bien sûr. Je vais peut-être appeler Nelson d'abord, mais...

— Oh, laisse-le cuver. Il s'est conduit comme un con aujourd'hui.

— Je sais. Mais il en bave, tu sais.

— Ouais. Est-ce qu'on ne souffre pas tous ?

— Si, bien sûr.

— Va te coucher, Lee.

— D'accord, bonne nuit.

— Bonne nuit.

Il raccrocha, et Lee imagina Susan enlaçant Chuck, et l'attirant au lit. Il pensa aussitôt, *le malheur des uns fait le bonheur des autres.*

Il mit un CD de musique vocale du compositeur estonien Arvo Pärt, et regarda par la fenêtre le jour tomber tandis que les voix du chœur flottaient autour de lui. Les jours commençaient à rallonger, et certains matins, il sentait un soupçon de printemps dans l'air. Il savait qu'il était supposé se réjouir de l'éclosion des bourgeons et du retour à la vie des arbres, et pourtant tout ce qu'il ressentait, c'est de la mélancolie.

Il avait envie d'une retraite dans le noir, de sombrer dans le ventre de l'hiver, au lieu d'être forcé de se débattre en pleine lumière. Plus les jours étaient longs, plus il ressentait la pression qui pesait sur lui. Il devait absolument résoudre cette affaire, et l'impossibilité grandissante de sa tâche l'ébranlait au plus profond de lui.

Il ne pouvait pas savoir qu'il avait quelque chose de commun avec l'homme qu'il poursuivait.

Sa mère se réjouissait du retour du soleil, bien sûr – en fait, elle avait considéré la période de dépression de Lee comme un reproche envers sa propre existence. Quand elle prenait des nouvelles de sa santé mentale – ce qu'elle faisait rarement – elle abordait le sujet avec d'infinies précautions, comme s'il risquait de la mordre.

Le téléphone sonna. Il décrocha.

— Allô ?

— Salut, c'est moi. (C'était Kathy.) J'appelais juste pour te dire au revoir.

— Pourquoi ?

— Je vais à Philadelphie demain. La réunion mensuelle de la société Vidocq, mon père m'a invitée, tu te souviens ?

— Ah, oui. Désolé… J'avais oublié.

— Ça n'est pas grave. Je vais rester chez mon père. Je t'appellerai en rentrant.

— Très bien, super.

— Comment te sens-tu ?

— Je vais bien.

— Bon, n'oublie pas de te reposer, dit-elle, ne semblant pas très convaincue.

— Je vais aller m'allonger maintenant.

— OK, je t'appellerai dans la semaine.

— Entendu.

— Tu me manques.

— Toi aussi.

Après avoir raccroché, il regarda par la fenêtre, et son regard se posa sur l'église orthodoxe ukrainienne, de l'autre côté de la rue. Un rayon de lune tomba sur l'immense fenêtre circulaire, au-dessus de la porte de l'édifice, éclairant les couleurs des vitraux tel un kaléidoscope.

Cela lui rappela le soleil se reflétant sur les fenêtres du World Trade Center, des fenêtres qui ne refléteraient plus jamais la lumière, et il pensa aussi aux trois mille âmes enfouies sous les décombres. Il était encore stupéfié par l'aspect purement arbitraire de cette attaque. Et tout cela au nom de… *Dieu ? du destin ? de la nature ?* Comment mettre un nom sur ce concept si on rejetait la notion catholique de destin ? *Un acte de foi* – cela ressemblait plutôt à un plongeon dans l'abîme. Et malgré tout, l'abandon pouvait avoir un goût suave – si suave que de jeunes hommes intelligents et instruits avaient fait don de leur vie, du moins c'est ce qu'ils imaginaient, au nom d'Allah.

Il se demanda ce qui avait pu se passer dans la tête des pirates de l'air au moment où ils avaient exécuté leur implacable plan. Car il était convaincu que ce n'était pas si différent de ce qui se passait dans la tête du Découpeur, cet homme qui menait sa propre guerre sainte.

Chapitre 60

Il jeta un coup d'œil circulaire dans le restaurant de la gare Grand Central. Sans doute uniquement des gens bien, avec des familles, des maisons à crédit et des chiens adoptés dans des refuges – des terriers miteux avec des gueules sympas bien qu'un peu de travers, affublés de bandanas rouges, qui aimaient courir après des frisbees dans les parcs le dimanche après-midi. C'était le genre de personnes qui représentaient la cible des annonceurs de télévision – des familles de classe moyenne qui cherchaient à acquérir un lave-vaisselle plus performant, un ordinateur portable dernier cri ou une nouvelle police d'assurance. Ils avaient des parents âgés vivant en appartement médicalisé pour lesquels ils s'inquiétaient, des économies à faire pour envoyer leurs enfants à l'université, des comptes d'épargne retraite à approvisionner.

Mais *lui*, existait en dehors de leur société. Il vivait dans un monde de ténèbres semi-éclairé, composé de sombres pulsions, et d'actes encore plus sombres. Il entrait et sortait de leur vie réjouissante tel un fantôme, un visiteur importun dont la mission était de bouleverser leur vie ordinaire pour satisfaire ses effroyables fantasmes.

S'il ne pouvait être l'un d'entre eux, il devait donc le leur rappeler, leur faire savoir qu'ils n'étaient pas en sécurité – ni dans leurs 4x4, ni dans leurs maisons équipées de systèmes d'alarme perfectionnés, ni dans leurs luxueux immeubles de bureaux avec des fontaines japonaises et des meubles de designer à peine sortis du showroom. Il frapperait où qu'ils soient. Il s'infiltrerait dans leur vie si sécurisante, tels un virus ou une bactérie. Ils n'avaient pas accès à son monde, mais lui avait accès au leur.

Il jeta un coup d'œil à sa montre – il était temps de partir. Son train pour Philadelphie allait bientôt quitter le quai.

Chapitre 61

Lee se promit d'appeler Nelson juste après avoir fait un petit somme sur le canapé. Cela faisait des heures qu'il ressentait des élancements dans la tête, son cou se raidissait et il se sentait nauséeux. Il prit un des comprimés que lui avait donnés le docteur Patel, et essaya de ne pas penser à l'expression qu'il avait vue sur le visage du médecin quand il lui avait annoncé son intention de quitter l'hôpital. Il s'allongea sur le canapé, et tandis qu'il se laissait gagner par le sommeil, il vit un minuscule rayon de lune se refléter sur le carillon éolien argenté que Kylie lui avait offert pour son dernier Noël.

Il fut réveillé par le bruit de quelque chose qui sonnait. Dans son rêve, c'était le bruit du carillon éolien, mais lorsqu'il reprit conscience, il se rendit compte que c'était son téléphone.

— Allô ? articula-t-il avec difficulté, tellement il était épuisé.

— Lee ?

C'était sa thérapeute.

— Oh, bonjour docteur Williams.

— Est-ce que ça va ?

— Oui, oui, ça va.

— Excusez-moi de vous appeler un dimanche soir, mais je commençais à m'inquiéter. Vous n'aviez encore jamais manqué un rendez-vous, sans me prévenir.

Dimanche ! Il avait rendez-vous avec sa psy tous les dimanches après-midi, et il avait complètement oublié.

— Je suis désolé, j'étais à l'hôpital.

— Que se passe-t-il ?

Il entendit de l'inquiétude dans sa voix, sous son professionna-lisme patricien.

— Je vais bien maintenant.

— Est-ce que c'était… ?

— J'ai eu une infection au niveau du cerveau. Une méningite bactérienne.

— Ça peut être très grave. Vous êtes sûr que ça va ?

— Oui, j'étais endormi, c'est tout. Je suis désolé de ne pas vous avoir appelée.

— Ça n'a pas d'importance. J'étais juste inquiète à votre sujet.

— Écoutez, j'aimerais reprendre rendez-vous, mais je pense qu'on ne va pas tarder à mettre la main sur ce type.

— Vous voulez parler du Découpeur ? C'est une excellente nouvelle.

— Oui.

Il avait essayé de paraître optimiste et positif, mais il savait qu'il avait échoué.

— Vous éprouvez des sentiments contradictoires à l'idée de l'arrêter.

Il regarda par la fenêtre le ciel qui s'était assombri. Les vitraux de l'église ukrainienne ne reflétaient plus que la lumière pâle d'un réverbère à présent.

— Peut-être vous identifiez-vous à lui. Vous m'avez dit que vous pensiez qu'il avait un père absent et une mère autoritaire.

— Oui, mais…

— Alors, d'une certaine façon, vous ressentez peut-être que sa colère est semblable à la vôtre.

Une terrible pensée s'insinua dans son esprit. Même s'il était, sur tous les plans, mieux loti que ce jeune homme, Lee prit conscience qu'il ressentait une émotion qui ne lui plaisait pas.

— Ça va vous sembler horrible, mais je pense que je l'envie, juste un peu.

— Pourquoi l'enviez-vous ?

— Parce que je dois ravaler ma colère, et que lui réussit à l'exprimer.

— Vous voudriez pouvoir être comme lui ?

Il reprit son souffle.

— Oui, parfois je voudrais pouvoir être un meurtrier.

Il y eut un silence, puis Lee entendit le bip indiquant qu'il avait un appel en attente.

— Docteur Williams, veuillez m'excuser, j'ai un autre appel, et je dois vraiment répondre.

— Bien sûr, pourquoi ne pas m'appeler quand vous serez prêt ?

— Entendu. Merci de votre compréhension.

Il prit l'autre appel. C'était Nelson, et il semblait tout à fait sobre.

— Je suis vraiment désolé. Tu crois que tu pourras me pardonner de m'être conduit comme un parfait imbécile ?

— Bien sûr, répondit Lee.

Il mit Nelson au parfum à propos de sa théorie sur l'entreprise de serrurerie.

— Ça se tient, approuva-t-il, parce qu'il a sans doute une camionnette avec le logo de l'entreprise – le moyen idéal pour transporter les corps.

— Et un lieu pour tuer loin des regards indiscrets.

— Ouais, c'est exact, approuva Nelson. Alors, que t'a-t-il dit à l'hôpital ?

— Des conneries… Il a dit qu'il était le serviteur de Dieu, ce genre de trucs…

— Autre chose ?

— Non, pas vraiment. Il m'a surtout parlé de sa mission sacrée.

— C'est donc un véritable croyant.

— Apparemment.

Le son de la voix du tueur était encore frais dans son esprit, et Lee continua d'avoir l'impression de l'avoir entendue avant – mais où ? Une image jaillit dans son esprit, celle de Nelson donnant un cours dans une salle bondée, et c'est alors que la mémoire lui revint.

La voix était celle du frêle jeune homme qui se trouvait au fond de l'amphi – celui dont il n'avait jamais vu le visage.

— As-tu une liste de tous les étudiants qui suivent tes cours ? demanda-t-il.

— Pourquoi me poses-tu cette question ?

— Tu te rappelles le frêle jeune homme à la voix rauque ?

— Heu… Attends voir, oui, je crois…

— Qui est-ce ?

— Je ne me souviens pas de son nom comme ça, mais il m'a dit qu'il prenait un ou deux cours de rattrapage parce qu'il avait manqué le cours magistral de Zellinger.

— Je pense que c'est lui.

— Tu veux dire, *lui* ?

— Oui, je pense que c'est le Découpeur.

— Oh, mon Dieu. Si tu as raison, il s'est peut-être fait passer pour un agent d'entretien des locaux, ou a même crocheté la serrure d'une des entrées secondaires.

— Oui, répondit Lee. La porte d'entrée principale de John Jay est sécurisée, mais personne ne surveille les autres entrées.

— Il nous observe donc depuis le début.

— Ce qui explique qu'il savait qui j'étais, dit Lee – et toi aussi.

— Bon sang ! Et dire qu'on l'avait sous le nez depuis tout ce temps ! Merde !

— Concentrons-nous sur son arrestation, OK ? On se voit demain matin à la première heure.

— Entendu.

Après avoir raccroché, Lee regarda l'horloge Seth Thomas qui était sur la cheminée – encore un cadeau de sa mère. Il était plus d'une heure du matin.

Il regarda par la fenêtre une dernière fois avant d'aller se coucher. Il sentait la présence du Découpeur dans la nuit, attendant. L'attendant, *lui*.

— J'arrive, murmura Lee. Prêt ou non, j'arrive.

Chapitre 62

À huit heures et demie le lendemain matin, tous les membres du détachement spécial étaient assis autour de la table de la salle de conférence, recouverte d'annuaires téléphoniques. Florette et son brigadier étaient assis derrière deux terminaux d'ordinateurs, faisant leurs recherches sur Internet, tandis que le reste d'entre eux feuilletait les annuaires.

— Il n'y a pas beaucoup de serruriers qui ont un site Internet, à mon avis, dit Chuck en jetant un coup d'œil par-dessus leurs épaules.

Florette se retourna pour le regarder.

— Peut-être, mais on ne sait jamais.

— Qu'est-ce qu'on cherche exactement ? demanda Butts en éternuant tandis qu'il composait un numéro. (Il avait pris froid et avait les poches remplies de mouchoirs.)

— Les noms et adresses des propriétaires, répondit Lee.

— Comment est-ce qu'on saura qu'on a trouvé le bon ?

— On ne le saura pas, grommela Nelson dans un coin de la pièce où il était assis, une cigarette non allumée à la bouche, et un annuaire sur les genoux.

— On va commencer par un rayon de cinq kilomètres à partir de la première église, et ensuite on élargira les recherches, dit Lee. En partant du principe qu'il vit près de son magasin…

— Ce qui n'est qu'une supposition, dit Butts en reniflant.

— C'est exactement ce que j'allais dire. Cela reste une supposition.

— Hé, vous vous rappelez, le jour où la première fille est morte…
un serrurier s'est pointé dans l'église, non ? Il prétendait qu'il y
avait une serrure qui avait besoin d'être réparée, mais personne ne
semblait être au courant.

— Vous pensez que c'était lui, venu contempler son œuvre ?

— Je pense que c'est probable, répondit Lee. Il semble avoir été
très proche de l'enquête depuis le début, d'une façon ou d'une autre.

— Dommage qu'on ne l'ait pas placé en garde à vue pour
l'interroger à ce moment-là.

— Mais comment aurait-on pu savoir ?

— Ouais, dit Butts, je suppose que vous avez raison. Mais quand
même, ça me rend dingue, qu'il ait été là, sous notre nez…

— Oubliez ça, inspecteur, dit Chuck Morton. Concentrons-nous
sur notre tâche.

Ils continuèrent pendant une vingtaine de minutes, recueillant
consciencieusement les noms et adresses des propriétaires, quand
Lee appela au hasard une entreprise du nom de Locktight Security
Systems. Il y avait un grand encart publicitaire d'une demi-page
dans les Pages Jaunes.

Nous assurons votre sécurité – c'est notre métier !

Serrures et systèmes de sécurité à la pointe de la technologie.

Lee composa le numéro. Un gamin répondit d'une voix peu
enthousiaste.

— Locktight Security.

— Pourrais-je parler au responsable, s'il vous plaît ?

— Heu… Il n'est pas là pour l'instant.

— Quand sera-t-il de retour ?

— Heu… J'sais pas.

— Pourriez-vous me donner son nom ?

— Oui, bien sûr. C'est Sam. Sam Hugues – mais il aime bien
qu'on l'appelle Samuel.

— Et où habite-t-il ?

— Dans le Queens. Pas loin d'ici. C'est de la part de qui ?

— Un vieil ami. J'essaierai de le rappeler plus tard. Merci.

Il raccrocha et s'enfonça dans son fauteuil.

— Qu'y a-t-il ? demanda Chuck, remarquant son changement d'attitude. Tu as quelque chose ?

— Je ne suis pas sûr. Tu te souviens de ce nom – Samuel Beckett – qui apparaissait sur les listes de bénévoles des églises ?

— Tu viens de le croiser à nouveau ?

— Pas exactement. Mais, ce type se prénomme Samuel. J'ai juste une intuition. Laisse-moi essayer quelque chose.

Il rappela, et quand le gamin répondit, il prit l'accent d'un Anglais de la haute bourgeoisie.

— Bonjour, mon brave. J'essaie de joindre madame Hughes, la chère mère de Samuel – je suis un de ses anciens camarades de classe. Il vit avec elle, je présume ?

Il y eut un silence à l'autre bout de la ligne. Lee eut peur que le gamin ne marche pas. Mais il se mit à ricaner.

— Ouais, bien sûr qu'il vit avec sa mère. Il a presque trente ans, et il vit encore chez sa mère.

— Je vois. Habitent-ils toujours dans la même rue – qu'est-ce que c'était déjà ?

— Lourdes Street.

— Ah, oui, bien sûr ! Au numéro…

— Au numéro 121.

— C'est bien ça. Je vous remercie beaucoup. Tchao !

Il raccrocha, et vit que tout le monde avait les yeux fixés sur lui.

— Tchao ? fit Nelson. *Tchao ?*

Lee lui fit une grimace.

— J'improvisais, dit-il avant de se tourner vers Butts. Ça vous dit d'aller dans le Queens pour vérifier ça ?

Butts éternua dans son mouchoir.

— Un peu, que ça me dit !

Cinquante minutes plus tard, Lee et l'inspecteur Butts sortaient du métro sous un ciel couvert. Lourdes Street était à quelques rues, juste en face de l'église catholique de St. Bonaventure.

Le quartier du Queens avait des relents d'échec. Les maisons ressemblaient à de petites boîtes déprimantes aux peintures écaillées, aux briques qui s'effritaient, donnant sur des terrains exigus et rocailleux. Les rares ornements qu'on voyait sur les pelouses – généralement des nains de jardin ou des figures religieuses – ne faisaient que renforcer l'impression de désespoir qui émanait des lieux.

La même résignation imprégnait le visage et les épaules tombantes des résidents, qui avançaient d'un pas traînant sur les trottoirs mal entretenus, tête baissée, les yeux fixés sur les dalles de béton fissurées, sans doute pour éviter de tomber et de se casser le cou.

— C'est là, dit Butts en désignant une petite maison blanche coincée entre les maisons voisines, tout aussi insignifiantes. Comme beaucoup d'autres propriétés, elle était entourée d'une clôture grillagée. La bâtisse qui était au 121 était un peu mieux entretenue que d'autres. L'allée avait été balayée, et il y avait un petit bassin de béton, orné d'une Vierge Marie en plâtre blanc, près de la statue d'un faon qui buvait à la fontaine.

Le portail d'entrée grinça quand ils l'ouvrirent, et leurs pas résonnèrent sur l'allée en béton qui menait à la maison. Lorsqu'ils atteignirent la porte d'entrée, Lee leva la main, s'apprêtant à frapper, mais vit que la porte avait été forcée. Il la poussa, et elle s'ouvrit d'un coup sec tant les gonds semblaient bien huilés, puis s'arrêta net, comme si quelque chose la bloquait. Il n'y avait pas de lumière à l'intérieur de l'habitation, et aucun signe de vie entre les murs en stuc blanchis à la chaux.

— Madame Hughes ? cria-t-il dans l'embrasure de la porte.

Pas de réponse.

Il cria plus fort.

— Madame Hughes ? Vous êtes là ?

Il frappa à la porte d'un coup sec. Il brûlait d'impatience de faire irruption dans la maison, mais ils n'avaient pas de mandat de perquisition, et la dernière chose dont ils avaient besoin c'était c'était que toute l'affaire leur échappe pour vice de procédure.

— J'ai l'impression qu'il n'y a personne, dit Butts en se dandinant d'une jambe sur l'autre, semblant lui aussi impatient et inquiet.

— La porte est ouverte, dit Lee. Pensez-vous qu'on devrait…

Mais c'est à cet instant qu'ils virent ce qui bloquait la porte. À mesure que leurs yeux s'habituaient à la pénombre, ils discernèrent la forme d'une chaussure de femme – qui était toujours au pied de sa propriétaire. Elle était étendue dans le petit vestibule, dans l'obscurité, Lee put discerner ses pieds, ses jambes et… du sang ?

Il se tourna vers Butts.

— On entre. Couvrez-moi.

— Je ne pense pas qu'on devrait… commença Butts, mais il n'eut pas le temps de finir sa phrase.

Lee n'attendit pas que Butts ait sorti son arme. Il donna un coup d'épaule dans la porte, qui céda.

Ce qu'il vit le laissa sans voix.

La femme morte qui était face à lui était nue, exactement comme les autres victimes du Découpeur. Mais même la pire des scènes de crime précédentes n'avait rien de comparable à la violence de l'agression qu'il avait sous les yeux. Le corps n'était pas disposé avec soin, les bras écartés à même distance du corps. Au lieu de cela, elle était allongée, les membres écartés dans tous les sens, les mains jetées au-dessus de la tête, et sa gorge portait une cicatrice en zigzag, à l'endroit où elle avait été tranchée. Un sombre filet de sang serpentait de sa gorge jusqu'au sol en linoléum blanc.

— Nom de Dieu ! dit Butts à voix basse en regardant autour de lui, dans la pièce.

Il y avait des éclaboussures de sang partout – sur le sol, les murs, les meubles, et même le plafond.

La victime était menue – comme son fils, pensa Lee – et, contrairement aux autres filles assassinées, c'était une femme d'âge mûr, mais mince et en bonne forme physique, dont on disait sans doute autrefois qu'elle était « bien conservée ».

Sur sa poitrine, gravés au couteau, s'étalaient les mots, *Délivrez-nous du Mal*.

Il était en train de contempler un exemple parfait d'acharnement destructeur. En plus de lui avoir tranché la gorge et tailladé la poitrine, le tueur lui avait arraché ses vêtements, qui étaient dispersés en lambeaux autour d'elle. Ses membres partaient dans toutes les directions. Il était possible qu'elle soit tombée dans cette position, mais Lee pensa qu'il était plus probable que le tueur ait voulu la laisser ainsi de façon volontaire et significative. Il avait mis en scène toutes les autres crimes, et il avait sans doute fait de même pour celui-ci – à moins qu'il n'ait totalement perdu le contrôle cette fois, ce qui était également possible.

Il s'agenouilla et lui prit le pouls, mais il savait que c'était inutile. Ses yeux sans vie fixaient le plafond d'un air réprobateur. L'expression de son visage était celle du choc et de l'incrédulité, comme si elle ne pouvait comprendre ce qui pouvait causer une telle violence de la part de sa chair et son sang.

Lee se redressa pour faire face à Butts, qui avait les yeux rivés à madame Hughes.

— Il a fini par tuer la personne qu'il voulait tuer depuis le début, dit Lee.

— On a donc fini par avoir ce type, observa Butts.

— Sauf qu'on ne l'a pas encore attrapé, lui rappela Lee.

Il toucha ses mains mortes. La rigidité cadavérique avait déjà commencé son œuvre, indiquant que la mort remontait déjà à plusieurs heures.

— D'après vous, est-il significatif qu'il ait sauté une partie de la prière ? demanda Butts en regardant le corps. Je veux dire, doit-on s'attendre à découvrir d'autres victimes ?

— Si on juge d'après ce qu'on a sous les yeux, il est en train de craquer et de perdre le contrôle, il devient plus désorganisé. Je pense qu'il est en cavale.

Bundy avait pris la fuite quand il avait atteint ce stade, et s'était envolé pour la Floride, où ses meurtres étaient devenus totalement désaxés – il avait tué huit infirmières lors de sa dernière nuit de meurtre orgiaque.

— J'appelle le central, dit Butts en sortant son téléphone portable.

— D'accord, dit Lee. Je vais jeter un coup d'œil dans la maison.

Il y avait une chance très mince pour que Samuel soit toujours là – très très mince, pensa Lee au vu des circonstances. Le meurtre de sa mère représentait le point culminant de sa violence, le châtiment final – et le plus authentique. Les crimes précédents n'étaient que des meurtres symboliques. Cela allait le rendre plus vulnérable, mais aussi beaucoup plus dangereux.

Lee passa du vestibule à une salle à manger petite mais bien rangée, ornée d'icônes religieuses. Du coin de l'œil, il vit une forme blanche disparaître, dans un coin de la pièce – sans doute un chat. Il jeta un regard circulaire dans la pièce. Des statues de Joseph et de la Vierge Marie trônaient de chaque côté de la cheminée, et un des murs arborait un tableau kitch de Jésus, les yeux tournés vers le ciel avec un regard tragique. Mais l'icône la plus frappante était la lourde croix dorée qui se trouvait au-dessus de la cheminée. Un Christ souffrant était sculpté sur la croix, sur laquelle il semblait cloué avec de véritables clous, tandis qu'il saignait de tous les pores de sa peau. La sculpture était si réaliste que Lee en eut la chair de poule. Les meubles faisaient penser à un parloir de l'époque victorienne – des meubles sombres couverts de tissu à franges et de napperons en dentelle.

— Bon, dit Butts en entrant dans la pièce d'un pas lourd. Ils arrivent. Hé, regardez ça ! s'exclama-t-il.

— Lee suivit son regard. Là, posé sur une petite table ronde, à côté d'un téléphone à l'ancienne, il y avait un inhalateur en plastique, comme ceux qu'utilisaient les asthmatiques. À côté, il y avait une feuille de papier. Lee la prit et lut le mot gribouillé à la hâte.

Amtrak – Philadelphie 15h35 gare de Penn Station

Il jeta un coup d'œil à sa montre. Le train avait quitté la gare depuis une heure.

— Philadelphie ? dit Lee. Pourquoi irait-il à Philadelphie ?

— Là, regardez dit Butts.

Il tendit un autre papier froissé à Lee, sur lequel il était question de l'hôtel Adams Mark, juste en dehors de la ville de Philadelphie.

Lee regarda le papier. Soudain, il sentit ses oreilles bourdonner et ressentit une vive douleur lancinante à la tête. Il comprit pourquoi Samuel Hughes allait à Philadelphie.

La prochaine fois, je frapperai plus près de la maison.

Il était à la poursuite de Kathy. La panique lui serra la gorge. Il saisit Butts par le bras, l'attirant à l'extérieur.

Il n'était pas sûr de ce qu'il avait dit ou fait, mais d'une façon ou d'une autre, il avait réussi à faire sortir Butts. Ils descendirent la rue à toute allure, l'inspecteur court sur pattes se traînant quelques pas derrière lui tandis qu'il se précipitait en direction du métro. Il n'y avait aucun taxi à l'horizon, et il s'était dit que le train express serait plus rapide de toute façon.

— Que se passe-t-il ? demanda Butts, haletant tandis qu'il essayait de rattraper Lee. Vous essayez de me faire attraper une attaque, ou quoi ?

— Je dois aller à Philadelphie, lui cria Lee par-dessus son épaule.

— Comment comptez-vous le trouver dans une aussi grande ville ? cria Butts en dévalant l'escalier qui menait au quai, passant le tourniquet juste à temps pour sauter dans le train express qui allait à Manhattan.

— Bon, dit Lee tandis qu'ils se laissèrent tomber sur les sièges en plastique, haletants, écoutez-moi bien. Je vais directement à la gare Penn Station. Je veux que vous contactiez Chuck Morton pour lui dire que je suis parti à la poursuite de Samuel Hughes, et que c'est notre homme.

— Oh, nom de Dieu ! lança Butts qui avait du mal à reprendre son souffle. Vous êtes devenu dingue ? Comment comptez-vous trouver ce type dans une putain de ville comme Philadelphie ?

Lee lui dit ce qu'il craignait – que Hughes s'en prenne à présent à Kathy, et c'était pour cette raison qu'il se rendait à Philadelphie.

— Oh, merde, dit Butts. Laissez-moi venir avec vous !

— Non, j'ai besoin que vous parliez à Chuck d'abord, et que vous lui expliquiez la situation. Ensuite, il pourra peut-être contacter les flics de Philadelphie et m'envoyer des renforts. Ça n'est pas évident, cela dit. On n'a rien de vraiment concret sur ce type, et ils ne voudront peut-être pas se mouiller. Et peut-être qu'il ne voudra pas non plus prendre le risque de demander leur aide. Ils pourraient penser que je suis dingue.

— Bon, d'accord, dit Butts. Où serez-vous ?

Lee lui donna l'adresse de la maison du père de Kathy, et celle de la société Vidocq.

— Si vous le pouvez, appelez ces deux endroits et laissez un message pour elle et son père en leur disant de ne pas bouger jusqu'à mon arrivée. Mais il n'y a aucune garantie qu'il se pointe à l'une ou l'autre de ces adresses non plus, dit Lee, en regardant son téléphone.

La batterie était faible. Il l'éteignit – il ne pourrait pas le charger avant d'avoir atteint Philadelphie.

— Alors, que va-t-il faire, d'après vous ?

— Je n'en ai aucune idée.

Et c'était ce qui l'effrayait le plus.

Chapitre 63

L'Adams Mark était le genre d'hôtel construit pour accueillir des conventions et des groupes de gens nombreux. Facilement accessible depuis l'autoroute I-95, il s'élevait sur vingt-cinq étages, tel un imposant monolithe à la périphérie de Philadelphie. À la gare, Lee prit un taxi pour se rendre à l'hôtel. Il entra dans le hall, et dit à la jeune réceptionniste qu'il venait voir Samuel Hughes. Il fut surpris d'apprendre qu'il était inscrit dans le registre sous son propre nom.

Le hall était rempli de fans de fantastique et de science-fiction – des gens plutôt gros, habillés bizarrement au teint blafard et au visage intelligent. Certains portaient des tuniques médiévales et des collants. D'autres étaient en jean et en tee-shirt aux emblèmes de dragons. Un autre, aux allures de geek, les cheveux gras, portait une veste couverte de badges, sur lesquels il était écrit des choses du genre *Ma mère est une Klingon*[7], et *Mon autre voiture est un Falcon Millenium*[8].

La réceptionniste refusa de donner à Lee le numéro de la chambre tant qu'il n'avait pas présenté sa carte indiquant qu'il était un consultant du NYPD. Elle ressemblait en tous points à une carte de flic, sauf que le fond était rouge et non bleu. Heureusement pour lui, elle était trop jeune pour savoir que cela ne lui donnait aucune autorité légale – et, quoi qu'il en soit, la Pennsylvanie ne relevait

---

7 Les Klingons sont, dans l'univers de fiction de *Star Trek*, une espèce extraterrestre originaire de la planète Krono. (NdT)

8 Vaisseau spatial du contrebandier Han Solo dans *Star Wars*. (NdT)

pas de la juridiction du NYPD. Elle appela un porteur muni d'un passe pour accompagner Lee jusqu'à la chambre.

Quand après avoir frappé plusieurs fois à la porte, ils n'eurent toujours aucune réponse, le porteur ouvrit la porte pour laisser entrer Lee. Lee le remercia et le congédia après lui avoir donné un dollar de pourboire. Il ne savait pas ce qu'il allait trouver à l'intérieur, mais il voulait être seul quand il le découvrirait. Il poussa la porte, entra et la referma derrière lui.

La première chose qui le frappa en entrant, ce fut l'odeur de la mort – et de la peur. L'air était chargé de relents de sueurs froides. Il faisait sombre à l'intérieur, et sa première impression fut qu'il était seul dans la chambre.

Mais c'est alors qu'il vit une silhouette se détacher à la lueur des réverbères qui éclairaient la rue, celle d'un corps pendu à une poutre en bois.

Il se balançait d'avant en arrière, au gré du courant d'air créé par l'entrée de Lee dans la pièce. Il alluma la lumière, et regarda le visage. C'était bien le même jeune homme très mince qu'il avait vu à l'enterrement de Westchester. Sous ses pieds, se trouvait un tabouret renversé sur le côté. Selon les apparences, il s'était pendu à une poutre.

Théoriquement, Lee savait qu'il aurait dû appeler le service sécurité de l'hôtel et les alerter, mais son instinct lui souffla que quelque chose clochait – même s'il ne savait pas encore ce que c'était. Il se déplaça dans la pièce, en prenant soin de ne toucher à rien – pour ne pas polluer la scène de crime, mais aussi pour éviter de laisser des preuves qui l'obligeraient par la suite à expliquer ce qu'il faisait là.

Scène de crime – la phrase s'imposa à son esprit, même si de prime abord, tout laissait penser à un suicide.

Lee s'approcha du corps de Samuel. Contrairement aux filles qu'il avait laissées dans les églises, qui paraissaient si vivantes, même dans la mort, Samuel semblait mort. Son visage était dépourvu de couleur – il avait la teinte blafarde qui s'installait quand la peau était vidée de son sang, laissant une pâleur grisâtre. Il avait les yeux grands ouverts, et Lee ressentit une accusation dans le regard que lui jetaient ces yeux morts, comme si Samuel le blâmait de quelque chose – mais de quoi ?

La lettre de suicide était courte et laconique :

J'ai fait beaucoup de mauvaises actions, et je suis désolé pour tous ceux que j'ai blessés. C'est mieux ainsi – je ne peux plus faire de mal à personne. Je t'aime, maman. Samuel

La première chose que Lee trouva étrange, c'était qu'elle était tapée à la machine. Qui tapait une lettre de suicide ? L'avait-il écrite avant son départ ? Si c'était le cas, pourquoi aller à Philadelphie pour se tuer ? Et pourquoi la taper à la machine ? Pourquoi ne pas simplement l'écrire à la main sur le papier à lettres de l'hôtel ? Et pourquoi avait-il dit à sa mère qu'il l'aimait après l'avoir tuée sauvagement quelques heures plus tôt ?

Les questions se bousculaient dans l'esprit de Lee, tandis qu'il évoluait dans la chambre, notant tout ce qu'il voyait. Une valise remplie de vêtements était ouverte sur le lit. Il jeta un coup d'œil à son contenu – sous-vêtements, chaussettes, chemises, assez pour trois jours. Un autre mystère. Pourquoi prendre des vêtements pour trois jours si on a l'intention de se tuer le soir de son arrivée ? À moins qu'il n'ait à l'origine prévu de se tuer le dimanche soir ?

Une odeur douçâtre flottait dans l'air. Elle lui sembla familière, mais il ne réussit pas à la situer.

Il se dirigea vers le corps pour l'examiner de plus près. Samuel était entièrement habillé, il portait un pantalon noir, une chemise blanche, des chaussures classiques et des chaussettes avec des losanges. Pourquoi se pendre en portant des chaussures ? Il essaya de repenser à des photos de gens qui se seraient pendus avec des chaussures qu'il aurait pu voir quand il étudiait à John Jay, mais aucune ne lui vint à l'esprit.

Il examina le tabouret qui se trouvait sous le corps. Quand

il monta dessus, il vit qu'il n'était pas assez grand pour que ses pieds arrivent au même niveau que ceux de Samuel. Lee sentit une montée d'adrénaline dans ses veines. Samuel aurait pu passer la corde autour de la poutre sans l'aide d'un tabouret, mais s'il s'était pendu en montant sur le tabouret, il aurait au moins dû être assez grand pour que ses pieds touchent le tabouret.

Il n'y avait désormais plus aucun doute dans l'esprit de Lee – il était face à une scène de crime. Quelqu'un avait tué Samuel, puis avait essayé de maquiller son meurtre en suicide – mais il ne s'était pas donné assez de mal. Les détails ne coïncidaient pas. Soit le meurtrier avait peu de connaissances sur le travail de la police scientifique, soit il avait disposé de peu de temps.

Lee s'approcha de la valise remplie de vêtements. Peut-être contenait-elle un indice, quelque chose qui pourrait l'aider à identifier le meurtrier. Il la fouilla, mais ne trouva rien d'utile. Son regard se posa sur le téléphone qui se trouvait près du lit. Il appuya sur le haut-parleur et, sans réfléchir, appuya sur le bouton « Rappel ».

La tonalité des chiffres composés lui était si familière qu'il n'eut même pas besoin d'attendre que la messagerie se déclenche. En un instant, tout devint effroyablement limpide. En un éclair, il vit chaque indice mal interprété, chaque mauvaise piste qu'il avait suivie. Il savait à présent à quoi correspondait l'odeur douçâtre qui flottait dans l'air.

La main tremblante, il raccrocha le téléphone.

Une vague de dépression commença à faire surface, s'infiltrant dans son estomac comme un poison, menaçant de se répandre, et de transformer ses membres en pierre, plus sûrement que s'il avait vu la Méduse en personne.

— Non ! marmonna-t-il, les dents serrées. Non, pas cette fois !

Il jeta un dernier regard autour de lui. Il ne pouvait rien faire de plus pour le pauvre Samuel. Il laisserait la scène de crime intacte pour la police locale.

Il devait partir – avant qu'il ne soit trop tard.

Chapitre 64

La maison du docteur Azarian ne fut pas difficile à trouver. C'était une construction Belle époque en briques dans un quartier cossu, au bout d'une petite allée en pierre. Le portail était ouvert, et Lee entra et marcha jusqu'à la porte d'entrée. La maison était plongée dans l'obscurité, et les stores étaient baissés. Il monta sur le perron, et jeta un coup d'œil à l'intérieur. Il n'y avait aucun signe de vie. Il fit le tour de la maison, et regarda par toutes les fenêtres. Il ne vit aucun signe d'entrée par effraction, ni de présence à l'intérieur. Il jeta un coup d'œil à sa montre. Il n'était que cinq heures, et la réunion de la société Vidocq ne commencerait pas avant plusieurs heures. Kathy et son père pouvaient être n'importe où.

Il eut une idée. S'efforçant de respirer malgré la panique qui lui comprimait la poitrine, il fit demi-tour et sortit dans la rue en chancelant. Une vieille dame emmitouflée dans un manteau en laine bleue poussait un caddie rempli de courses.

— Excusez-moi !

Il eut peur que sa voix ne lui semble trop pressante. Ne voulant pas l'inquiéter, il resta quelques pas derrière elle.

La femme leva la tête, surprise, le corps contracté et le regard plein d'appréhension.

— Excusez-moi, dit-il d'une voix plus douce. Savez-vous où se trouve l'église catholique la plus proche ?

Cela sembla la calmer un peu, mais son regard était toujours méfiant. Elle portait du fard à paupières bleu et du mascara qui agglutinait ses cils par paquets, donnant l'impression d'une vieille poupée ridée. Puis, son visage s'éclaira et elle lui sourit, lui montrant d'un geste de sa main gantée la direction du nord.

— Il y en a une à quatre rues d'ici, dit-elle d'un filet de voix aussi mince que du nylon filé. Je préfère l'église St. Michael, bien sûr, dit-elle d'un air entendu. Le père Paul est très jeune, mais il fait de magnifiques sermons.

Mais Lee courait déjà dans la direction qu'elle lui avait indiquée.

— Merci, lui cria-t-il à distance.

Lorsqu'il atteignit l'église, il était essoufflé, davantage à cause de la peur que de l'effort.

L'église était une sorte de monstruosité néogothique, construite à une époque où la main-d'œuvre était bon marché et où les matériaux ne manquaient pas. La chapelle principale se dressait sur la rue de façon presque menaçante. Une pancarte faite de la même maçonnerie grise était posée sur la pelouse, à l'extérieur de l'église.

Bienvenue à Sainte Marie

Venez prier avec nous

Et célébrer la gloire de Dieu

Lee dévala l'escalier qui menait à l'église, mais la lourde porte d'entrée était close. Il se précipita sur le côté de la bâtisse, où une seule porte faisait face à une petite rue. Quand il tourna la poignée en cuivre, le loquet se souleva, et la porte s'ouvrit vers l'intérieur.

Il poussa le lourd battant en chêne. À l'intérieur, tout était sombre et silencieux, la seule lumière émanant des bougies votives, au fond de la chapelle. Un profond instinct animal avertit Lee qu'il était en danger, mais ses sentiments pour Kathy le poussèrent à continuer.

Il avança sans bruit dans la pénombre de la chapelle. L'air était chargé d'odeur d'encens. Il sentit sa respiration devenir plus difficile, et il essaya de s'éclaircir la gorge sans faire le moindre bruit.

Il crut entendre un bruit de pas rapides au fond de l'église, et il se figea, le cœur battant à tout rompre dans sa poitrine.

Il fit quelques pas en direction du bruit entendu, et ressentit une étrange sensation, se propageant du bout de ses doigts, jusqu'à l'avant-bras, comme si des fourmis remontaient le long de ses membres. Il frémit et fit quelques pas vers la tribune de la chorale, les bancs en chêne brillaient dans la pénombre.

En contournant les bancs, il entendit un bruissement au-dessus de son épaule droite. Il fit demi-tour pour s'en rapprocher, mais trop tard. Une vive lueur l'aveugla, puis un objet lourd s'effondra avec fracas sur sa tête. Il sentit qu'il tombait, puis l'obscurité s'abattit brusquement autour de lui, l'emportant dans sa sombre étreinte.

Il se réveilla avec la sensation de flotter au-dessus du sol, mais à mesure qu'il retrouvait ses sensations, il prit conscience que son corps était attaché sur la lourde croix en bois située au-dessus de l'autel. Il se débattit pour essayer de bouger, mais il était attaché fermement. Ses bras étaient douloureux, et il ressentait des élancements au niveau de la tête. Kathy était étendue sur l'autel, et un personnage en robe noire était penché au-dessus d'elle. Elle portait une longue robe blanche. Il reconnut la robe d'enfant de chœur.

— Arrête ! hurla Lee aussi fort qu'il put au personnage penché au-dessus d'elle. Laisse-la tranquille !

L'homme leva la tête, et Lee vit le visage de son mentor et père de substitution, John Paul Nelson.

Nelson lui sourit.

— C'est une belle attention, les robes, tu ne trouves pas ? Je les ai trouvées pendues dans le vestibule.

Lee baissa les yeux sur son mentor.

— Je t'en prie, ne fais pas ça. Je... Je te comprends.

— Oh, je t'en prie ! Personne ne me comprend !

— Non, tu as tort. Je te comprends, je te le jure.

— Bien essayé, Lee, dit Nelson d'une voix cassante.

Lee tira sur les cordes qui le retenaient, essayant de se libérer.

— Pourquoi est-ce qu'il a fallu que tu m'ignores ? dit Nelson. Je t'ai supplié de ne pas t'occuper de cette affaire ! J'ai essayé de te protéger. Même toutes ces conneries à propos de ta sœur, c'était pour que tu lâches cette affaire, mais il a fallu que tu persistes ! Bon sang, je n'ai jamais voulu qu'on en arrive là !

Lee tendit le cou pour regarder Kathy, voir si elle respirait encore.

— Oh, elle est toujours en vie, dit Nelson. Je ne les tue pas en une seule fois, tu sais. Je serre, puis je relâche mon étreinte, encore et encore. Tu serais surpris de voir combien de temps quelqu'un peut survivre à une lente strangulation. Mais en fait tu le sais, n'est-ce pas ? Tu sais beaucoup de choses sur moi – sauf ce qui compte vraiment.

— Pourquoi ? Pourquoi as-tu fait ça ?

— Eh bien, mon très cher père était membre du gang des Westies. Disons que la violence est un héritage familial. Si tu avais pris la peine d'établir mon profil, tu aurais vu que j'ai quelques antécédents de comportement violent. C'est juste que je le cache bien.

— Mais les femmes… Pourquoi ?

— Oh, Lee, pas à moi ! Tu ne t'es jamais demandé ce qu'on ressentait ? Pas simplement en étudiant un cas à distance – mais en étant réellement un tueur ?

Le visage de Nelson avait une lueur que Lee ne lui avait encore jamais vue.

— Pourquoi fallait-il que tu tues Eddie ?

— C'est évident, n'est-ce pas ? s'exclama-t-il. Il était trop près de la vérité, dit-il avant de lâcher un soupir. Je t'ai envoyé tellement d'avertissements, mais tu les as tous ignorés.

Lee gémit et essaya de se détacher, mais les cordes étaient bien attachées.

Nelson le regardait.

— Tu sais, je n'aurais jamais imaginé que les cours de voile et les camps d'été se révéleraient si utiles, dit-il. Comme quoi, on ne sait jamais ce qui peut servir ou non un jour. J'ai appris à faire pas mal de chouettes nœuds. Bien sûr, il faut avoir le tour de main, mais par chance, je suis plutôt adroit pour toutes sortes de nœuds, casse-têtes, énigmes…

Il leva les yeux sur Lee avec une expression de sympathie feinte.

— Je croyais que tu étais toi-même doué pour résoudre les énigmes, mais j'ai bien peur que tu n'aies été pris de court cette fois.

Lee essaya à nouveau de se libérer, mais les cordes s'enfoncèrent encore plus profondément dans sa chair. Il ressentait des élancements dans la tête et tout son corps était douloureux.

— Garde tes forces, dit Nelson. Inutile de t'épuiser.

Une goutte de sueur du front de Lee tomba sur le visage de Kathy, et elle cligna des paupières.

— Mais j'y pense, qu'est-ce qu'une figure christique sans quelques stigmates ? dit Nelson en prenant la croix grecque sur son socle.

Il racla violemment la croix aux bords tranchants sur les côtes de Lee, entraînant de profondes blessures. Lee ne put s'empêcher de pousser un cri de douleur.

— Voilà, c'est mieux, dit Nelson. Ça ressemble davantage au véritable Christ sur la croix.

Lee gémit et lutta pour rester conscient.

— Ça fait mal ? demanda Nelson d'une voix rageuse. Je ne t'ai pas invité à venir ici, tu sais.

— S'il te plaît… Laisse… la… partir…, supplia Lee, parlant avec difficulté. Je ne te livrerai pas à la police. Je ne dirai rien à personne.

Nelson poussa un petit cri de mépris.

— Tu crois vraiment que je vais croire à ce genre de boniment ?

Il se signa, avant de s'agenouiller sur l'autel.

— Bénissez cet acte de délivrance, Notre Père qui êtes aux cieux, tandis que je vous offre cette âme et la remets entre vos mains.

Lee lutta à nouveau pour ne pas sombrer dans l'inconscience.

— Tu sais, tu devrais te sentir honoré d'assister à sa transformation, dit Nelson d'une voix sarcastique. C'est ce qu'*il* pensait. Pauvre Samuel – quel cinglé. Il pensait les sauver du péché – qu'il les envoyait à Dieu. Pauvre imbécile.

— Pourquoi as-tu fait ça ? demanda Lee, le souffle court.

— Pourquoi ai-je étranglé de gentilles petites catholiques qui ne m'avaient jamais rien fait ?

Lee hocha faiblement la tête.

— Tu serais surpris de voir à quel point c'est facile. Après un moment, on commence à prendre goût à tuer – on finit par aimer ça. Et le texte biblique gravé sur le corps était une délicate attention – c'était mon idée, bien sûr, mais Samuel a fini par aimer ça, et il s'est bien débrouillé, non ?

Nelson avait les yeux d'un fanatique. Il ne regardait pas tant Lee qu'à l'intérieur de lui-même. C'était comme être regardé par un somnambule. Son calme était plus terrifiant que la rage qu'il déversait.

— Mais – *pourquoi toi ?*

— Oh, ne sois pas si naïf, nom de Dieu !

— *Pourquoi ?*

Le visage de Nelson devint noir de colère.

— Parce qu'elles ne méritaient pas de vivre et de servir Dieu après que celui-ci m'avait pris Karen !

— Oh, mon Dieu, dit Lee. C'était la mort de Karen…

Nelson se mit à rire. Un son horrible et sinistre, comme une pierre tombant à l'eau.

— Oui, c'était mon « facteur de stress déclenchant » – un cas d'école classique, hein ? Sauf que, qui aurait pensé que le poursuivant deviendrait le poursuivi ? Si ça n'est pas ironique !

Le poursuivant devient le poursuivi… Lee entendit la phrase se répéter dans son esprit embrumé tandis que Nelson se penchait sur le corps immobile de Kathy et que sa vue se brouillait de plus en

403

plus. *Est-ce que c'est ça ?* pensa-t-il. *C'est réellement à cela que ressemble la mort ?* Il sentit une étrange paix l'envahir, comme s'il observait toute la scène de très loin.

— Je suis vraiment désolé pour elle, dit Nelson. Tout le monde pensera que c'est l'œuvre de Samuel, bien sûr. Il a réellement tué certaines d'entre elles, tu sais – après que je l'ai convaincu du bien-fondé de toute cette mascarade.

— Tu t'es servi de lui, dit Lee en luttant contre la confusion qui gagnait son esprit.

— J'ai rapidement compris que j'allais avoir besoin d'un bouc émissaire – un pigeon, comme ils disent dans les films, ajouta-t-il en sortant une paire de gants chirurgicaux. C'est le seul vrai risque que j'ai pris – mais ça a bien tourné, en fin de compte.

— Samuel est mort, dit Lee. C'est toi qui l'as tué.

— Je savais que tu le trouverais tôt ou tard.

— Merde ! Tu as même fumé une cigarette pendant qu'il était en train de mourir !

— Ah oui, les cigarettes aux clous de girofle. Elles ont une odeur assez distinctive, je suppose. Mais je ne pouvais pas vraiment le laisser vivre. Pas plus que je ne peux te laisser en vie, ni elle d'ailleurs.

Nelson se pencha plus près de Kathy, et Lee sortit de sa stupeur. Il sentit un hurlement monter au fond de sa gorge, et rassembla toute sa force pour faire basculer son corps en avant. Il sentit qu'une vis cédait dans le mur derrière lui, puis reprit son souffle, et fit un dernier mouvement désespéré vers l'avant. Il y eut un craquement quand les vis s'arrachèrent du mur. La croix vacilla un instant, avant de s'écraser sur l'autel dans un fracas assourdissant. Nelson resta figé sur place, comme s'il n'arrivait pas à croire ce qui se passait, puis essaya d'esquiver la croix – mais c'était trop tard. La lourde croix en bois vint s'écraser sur lui.

La dernière chose que Lee se rappela avant de perdre conscience fut le corps de Nelson se pliant sous lui comme une marionnette dont on aurait brusquement coupé les ficelles.

Chapitre 65

Le noir... le noir encore... des mains qui le soulèvent... des lumières qui clignotent... des gens qui se précipitent autour de lui...

Il ouvrit les yeux et vit le visage de Chuck Morton qui le regardait. Ils étaient à l'arrière d'une ambulance. Lee était allongé sur un brancard, et son ami était penché au-dessus de lui.

— Kathy... commença-t-il, avant que Chuck ne l'interrompe.

— Elle va s'en sortir.

— Où est... ?

— Elle est déjà en route pour l'hôpital.

Un auxiliaire médical s'occupait de sa perfusion. L'ambulance était derrière l'église, les portes encore ouvertes. L'auxiliaire ne semblait pas trop inquiet, Lee supposa donc qu'il allait s'en sortir.

— Et Nelson ? Est-ce qu'il... ?

Chuck secoua la tête.

— Déclaré mort sur le coup. Tu as eu de la chance qu'il ait amorti ta chute. Tu es tombé en plein sur lui. En lui cassant le cou.

Au lieu d'être soulagé, Lee ressentit une profonde tristesse. Ce n'était pas une façon de finir sa vie, même une vie aussi tordue.

— Comment m'as-tu retrouvé ?

— Je suis juste allé là où je pensais que tu te rendrais.

Derrière Chuck, Lee entendit une voix familière.

— On est d'abord allés à la maison du docteur Azarian.

— Est-ce que c'est... Diesel ? dit Lee, essayant de lever la tête pour le voir.

L'énorme tête de Diesel apparut au-dessus de lui. Lee le regarda fixement.

— Que faites-vous là ?

— J'ai proposé mon aide. Rhino est venu, lui aussi, mais il n'y avait pas assez de place pour nous deux dans l'ambulance. Il est en train d'aider les policiers à tenir les gens à l'écart.

Il regarda de l'autre côté de la rue les policiers alignés sur le trottoir, et vit, parmi eux, l'imposante carrure de Rhino.

Il regarda Chuck.

— Comment est-ce que… ?

— Ils ont dit qu'ils te connaissaient et qu'ils t'aidaient pour l'enquête. À ce stade, je n'ai pas besoin de te dire qu'on était assez désespérés.

— Bref, continua Diesel, il y avait cette vieille dame dans la rue.

— Cheveux bleus et fard à paupières assorti ? dit Lee.

— Ouais, c'est ça. On lui a demandé si elle avait vu quelqu'un correspondant à ta description, et elle nous a dit d'aller à l'église Sainte Marie.

— Un peu comme une sorte d'oracle, dit Lee.

— Ouais, dit Diesel, c'était pas la Pythie de Delphes, mais celle de Philadelphie.

— Oh, j'ai autre chose à te dire, dit Chuck. On t'a retiré l'affaire.

Lee regarda son ami, qui souriait.

— Je ne comprends pas.

— Les Affaires internes ont demandé que je te retire l'affaire.

— Vraiment ? Quand ?

— Oh, il y a trois jours environ.

— *Quoi ?* Pourquoi ne m'as-tu rien dit ?

Chuck haussa les épaules.

— Je suppose que j'ai oublié. Mais je te le dis maintenant.

Lee se mit à rire, et ressentit comme un coup de poignard entre les côtes. Il se rappela sa blessure, provoquée par le coup porté par Nelson.

— Alors, il est vraiment mort ? demanda-t-il.

— Ouais, dit Chuck sans le regarder.

— Mort sur le coup, tu as dit ?

— Plus ou moins, ouais.

Lee le regarda.

— Qu'est-ce que tu veux dire par plus ou moins ?

Chuck s'éclaircit la gorge.

— Il était encore en vie quand on est arrivés.

Lee tourna la tête vers Diesel, conscient qu'ils évitaient tous deux de croiser son regard

— Y a-t-il quelque chose que vous ne me dites pas ?

Il entendit la mâchoire de Chuck se contracter, et Diesel regarda ses chaussures.

— Quoi ? Qu'est-ce que c'est ?

— Je pense que tu devrais te reposer, dit Chuck en se levant, et en posant une main sur l'épaule de Lee.

— Bon sang, qu'est-ce que c'est ?

— Écoute, on ne le croit pas, dit Chuck. On pense qu'il mentait.

— Qu'il mentait à propos de *quoi* ?

Il y eut un silence, et Lee entendit le bruit de portières de voiture qui s'ouvraient et se refermaient. Ce genre de scènes attirait toujours plus de voitures de police que nécessaire.

Chuck prit une profonde inspiration.

— Il a prétendu qu'il savait qui avait tué ta sœur.

— On pense qu'il a juste dit ça pour vous contrarier, ajouta aussitôt Diesel.

Lee sentit son estomac se nouer.

— Mais s'il mentait, pourquoi te dire ça à toi ?

Chuck le regarda droit dans les yeux

— Parce qu'il savait que tôt ou tard, tu apprendrais ce qu'il avait dit.

— Savait-il même que j'étais en vie ?

— Je suppose qu'il a parié là-dessus. Tu étais déjà sur un brancard quand il a dit ça.

— Et qu'avait-il à perdre de toute façon ? ajouta Diesel. Il savait ement qu'il était en train de mourir.

— Mais les mourants ne mentent pas en général, répliqua Lee. Et s'il avait dit la vérité ?

— Alors il a emporté la vérité dans sa tombe, répondit Diesel.

— Enfin, Lee, réfléchis ! dit Chuck. Que te disent ton expérience et ta formation ? Quelles sont les chances qu'il connaisse celui qui…

— Tu as raison, accorda Lee, mais un léger doute se logea dans un coin de sa tête, s'enracinant profondément dans son esprit, et s'emparant de son imagination.

— On a appelé ta mère et on lui a dit que tu allais bien.

Chuck se frotta les mains, un geste qu'il faisait quand il était mal à l'aise. Il avait les ongles parfaitement manucurés. Lee se dit que Susan l'envoyait chez une manucure, alors qu'il préférerait sans doute jouer au golf ou jardiner. Susan aimait que tout soit parfait – chemises repassées, cols amidonnés, placards rangés, et ongles manucurés. Il imagina Chuck se soumettant docilement à toutes ses exigences.

Penser à Susan lui fit penser à Kathy, ce qui lui noua l'estomac. Il se rallongea sur le brancard et regarda les lumières de l'ambulance tourner encore et encore, lacérant la nuit comme une lame rouge.

Chapitre 66

Deux semaines plus tard, Lee Campbell était dans son appartement, debout derrière la fenêtre, regardant les premiers bourgeons du printemps qui avaient du mal à éclore sous le givre de la fin du mois de mars. Les trottoirs étaient mouillés après la pluie, et le soleil de fin d'après-midi brillait sur la chaussée mouillée, transformant le béton en miroir, reflétant la scène qui se déroulait dans East 7th Street. Le retour du soleil ne lui faisait plus peur à présent, et il ressentait le renouveau de la terre dans sa propre poitrine, un réveil progressif à mesure que le climat plus chaud ouvrait les pores des érables, et que la sève s'écoulait à nouveau librement. Toutes les transitions de la terre lui apparurent comme un bonheur béni des dieux. Chacune des quatre saisons avait son charme unique, et toutes étaient irremplaçables. Comme les gens. Personne ne viendrait jamais remplacer sa sœur. Il le savait, mais il se sentait davantage prêt à accepter cette perte irrémédiable.

Il se tourna vers la petite femme brune qui était à ses côtés.

— Comment te sens-tu ?

— Oh, ça va, dit Kathy en se pressant contre lui. Et toi ?

— Ça va.

— On dirait ta mère, dit-elle en fronçant les sourcils.

— Pas tout à fait quand même, j'espère.

— Pas loin…

— N'était-ce pas Oscar Wilde qui disait que le drame de la vie de chaque femme, c'est qu'elle finit par ressembler à sa mère, et le drame de l'homme est qu'il n'y arrive jamais.

— Ça lui ressemble, en effet. Je me demande quel genre de mère il a eu ?

— Un trublion, sans aucun doute.

— C'est un mot qu'on n'entend pas tous les jours.

— Quoi ?

— Trublion.

Ils regardèrent ensemble par la fenêtre un moment. En contrebas, un couple d'âge mûr se promenait dans la rue, main dans la main, la femme avait la tête posée sur l'épaule de l'homme. Le soleil se reflétait dans son abondante chevelure grise bouclée, formant un halo argenté autour de son visage.

L'esprit de Kathy et de Lee flottait plus ou moins autour du même sujet – pour elle, son enlèvement, et pour lui, la trahison de l'homme qu'il aimait comme un père.

Il se tourna vers elle.

— Tu as fait des cauchemars la nuit dernière ? Je n'ai pas le souvenir que tu te sois réveillée au milieu de la nuit.

Elle continua à regarder par la fenêtre.

— Les somnifères ont du bon.

— Fais attention à ne pas t'y habituer. J'aimerais bien que tu envisages d'aller voir quelqu'un.

— Ta thérapeute ?

— Non, quelqu'un d'autre. Un spécialiste du stress post-traumatique.

— Peut-être, oui. Bientôt…

Elle avait été incapable d'en parler pendant plusieurs jours, puis, lentement, au cours des deux dernières semaines, elle avait révélé toute l'histoire. La façon dont il lui avait tendu une embuscade tandis qu'elle se rendait chez son père – juste devant l'église, à la tombée de la nuit, il l'avait attirée à l'intérieur. Comment elle avait appelé Lee jusqu'à ce qu'elle perde conscience, avant de se réveiller et de le voir sur la croix. Les cauchemars qui hantaient désormais ses nuits étaient surréalistes, mais pas plus que l'expérience elle-même. Les incisions sur sa poitrine cicatrisaient, même si elle en garderait les cicatrices – tant internes qu'externes. Heureusement, il n'avait pas eu le temps d'aller trop loin, il s'était arrêté à la lettre C, qui était vraisemblablement le début de la phrase *C'est à toi qu'appartiennent le règne, la puissance et la gloire.*

Amen, pensa Lee en regardant Kathy qui profitait des premiers rayons de soleil du printemps à travers la vitre.

Le plus difficile pour elle maintenant, c'était de se souvenir – de revivre, en réalité – la sensation d'être étranglée à mort, et elle se réveillait au milieu de la nuit, tremblante, incapable de respirer. Lee la prenait dans ses bras et lui murmurait des paroles douces et peu convaincantes, lui disant que tout irait bien, jusqu'à ce qu'elle se rendorme. C'était devenu leur rituel nocturne, et il détestait le sentiment d'impuissance que cela lui donnait.

Il lui caressa la joue.

— Je serai toujours à la poursuite de gens comme le Découpeur, tu sais, de gens dangereux.

— Je sais, mais avec un peu de chance, la prochaine fois ce ne sera pas quelqu'un avec qui tu travailles.

Ils redevinrent silencieux, et Lee pensa une fois de plus à la façon dont Nelson avait réussi à le tromper pendant si longtemps – et il songea à la manière dont son mentor s'était fait prendre, presque par accident.

Le bruit des cris des enfants s'élevait de la rue – ils jouaient à chat devant l'église ukrainienne. Un petit gros au visage rouge courait en riant, poursuivi par une fille en manteau vert, tandis que les autres enfants les acclamaient.

— Attrape-le, Carey !

— Allez Jimmy, cours ! Bouge ton gros popotin !

Le garçon s'effondra sur les marches de l'église en riant, et les autres le rattrapèrent, riant à leur tour.

— Est-ce que ça t'inquiète ? demanda Lee.

— Bien sûr que ça m'inquiète. Une des choses qui me plaisent dans mon métier, c'est que je fais mon boulot une fois que toutes les horreurs sont terminées. Tout ce que j'ai à faire, c'est d'étudier des os bien propres dans le calme de mon laboratoire.

— Et alors ?

— Alors, je t'aime, je ferai donc avec.

— Je pense malgré tout que tu devrais voir quelqu'un.

— D'accord. Tu n'abandonnes jamais, hein ?

Ils regardèrent par la fenêtre, c'était l'arrivée du printemps. Les fleurs des cerisiers semblaient sur le point d'éclore. Lee pensa qu'East 7th Street ne lui avait jamais semblé aussi magique.

— Tu sais, dit Lee, j'étais aveuglé parce que j'avais tellement besoin de lui.

— Que veux-tu dire ?

— J'avais besoin qu'il soit le père que je n'ai jamais eu, j'ai donc mal interprété les indices qui m'orientaient dans sa direction.

— Oh, bon sang, Lee ! Personne ne le soupçonnait ! Et pourquoi aurions-nous dû le faire ? C'était l'un d'entre nous !

— Exactement. Il était un des nôtres. Et il nous a trompés sur toute la ligne. Quand j'ai suggéré qu'il y avait deux complices, il nous a éloignés de cette piste, à chaque fois. Et ensuite il m'a fait venir dans son appartement, uniquement pour prétendre recevoir un appel du tueur. Il s'est joué de moi.

— Tu ne peux pas t'en vouloir. Personne d'autre ne pensait que c'était lui.

— Oui, mais rétrospectivement, ça semble tellement évident. Les absences inexpliquées, l'alcool, son comportement incontrôlable – on n'a jamais fait le lien.

Elle lui serra tendrement le bras. Ses doigts étaient minces et forts.

— Beaucoup de choses semblent évidentes rétrospectivement.

— Il s'est même servi de son expertise pour créer une signature qui nous mènerait à Samuel – même si on ne saura jamais si l'idée venait de lui ou de Samuel, dit-il en soupirant. Je suppose que je n'ai pas beaucoup de chance avec la figure du père.

Il y eut un silence, puis elle dit :

— Ta blessure te fait mal ?

— Non, pas trop.

Elle bâilla, s'étira, et alla s'asseoir sur le canapé.

— Viens ici, et laisse l'infirmière Kathy vérifier ça.

— Présenté comme ça…

Il était sur le point de la rejoindre quand le téléphone sonna. Il décrocha, se maudissant de ne pas avoir coupé la sonnerie.

— Allô ?

C'était l'inspecteur Butts.

— Bonjour, j'ai pensé que vous aimeriez connaître les réponses aux questions que j'ai posées au voisinage et tout ça. Aucun d'eux ne se rappelle avoir vu Samuel avec une femme. Ce qui correspond exactement à ce que vous pensiez.

— Merci, c'est gentil à vous, dit Lee, mais le cœur n'y était pas.

Maintenant, il voulait juste oublier cette affaire un moment.

— Ouais, poursuivit Butts. On a appris que c'était un garçon très calme – le genre réservé, vous voyez. Et apparemment il était poli et respectueux. Bien sûr, il faut toujours se méfier des gens trop calmes.

— Au moins, avec vous, on est tranquille de ce côté-là, réussit à placer Lee.

— Quoi ?

— Écoutez, je suis un peu occupé pour l'instant.

— Oh, OK. Désolé de vous avoir dérangé. J'ai juste pensé que vous aimeriez savoir.

Lee sourit.

— Merci, c'est gentil de votre part. On en reparle plus tard, on essaie de se voir la semaine prochaine, d'accord ?

— Entendu, dit Butts. Super. Dites bonjour à Kathy de ma part.

— Je n'y manquerai pas.

Il raccrocha et coupa la sonnerie.

— Alors, où en étions-nous ?

Kathy rit en renversant la tête en arrière. La lumière de la lampe éclairait parfaitement sa gorge offerte.

— Je crois, dit-elle, que nous en étions au début.

Derniers titres parus chez MA éditions

Les Héritiers de Stonehenge, Sam Christer, Juin 2011

Francesca – Empoisonneuse à la cour des Borgia, Sara Poole, Novembre 2011

Francesca – La Trahison des Borgia, Sara Poole, Avril 2012

L'Évangile des Assassins, Adam Blake, Novembre 2011

Zéro Heure à Phnom Penh, Christopher G. Moore, Février 2012

Le Refuge, Niki Valentine, Février 2012

Le Sang du Suaire, Sam Christer, Mars 2012

Coeurs-brisés.com, Emma Garcia, Mai 2012

Tahoe, L'Enlèvement, Todd Borg, Mai 2012

Paraphilia, Saffina Desforge, Juin 2012

La Cinquième Carte, James McManus, Juin 2012

Marquis imprimeur inc.

Québec, Canada
2012